LAS 100 MEJORES HISTORIAS DEL FÚTBOL

HISTORIAS INÉDITAS

Juan García Arroita
Andrés Cabrera Quintero
Guillermo González Robles

OBERON

Diseño de maqueta: Celia Antón Santos
Maquetación: ADOSAGUAS CONTENIDOS MULTIPLATAFORMA.
Diseño y realización de cubierta: Alberto Expósito

Juan Ignacio Luca de Tena 15
28027 Madrid
Depósito legal: M.22.339-2017
ISBN: 978-84-415-3893-1
Printed in Spain

ÍNDICE

PALEOFÚTBOL

Los orígenes del bello deporte fueron complejos; guerras, problemas sociales, hambrunas... El balón se convirtió en la única alegría de muchas personas y, por ello, existen historias que definen el principio del fútbol, que enaltecen su grandeza y que no tienen parangón.

EL PORTERO MÁS GORDO DE LA HISTORIA DEL FÚTBOL

Los inicios del fútbol son confusos, plagados de leyendas urbanas y con anécdotas que hoy en día son impensables. A finales del siglo XIX, el fútbol comenzaba a asentarse en Inglaterra y Escocia, al tiempo que iba expandiéndose paulatinamente por todo el mundo. Pero aún faltaba mucho camino por recorrer. Fue en Inglaterra, como no podía ser de otra forma, donde surgieron los primeros nombres propios de este deporte. Hombres por los que merecía la pena pagar una entrada. Uno de ellos fue William Foulke, el portero más gordo de la historia del fútbol.

Como entenderán, pese a que el fútbol se estaba asentando, todavía era un deporte con muchas limitaciones. No eran demasiados los que lo practicaban, y los que así lo hacían no es que destacaran por su calidad. Era un juego rudimentario, pero que entretenía a los asistentes. En esta situación en la que el deporte aún estaba en pañales, surgió un jugador por el que merecía la pena ir a un estadio. El motivo por el que la gente quería ver a Foulke era su peso, el cual nunca se supo con exactitud. Algunas fuentes señalan que llegó a pesar 150 kilos como jugador profesional, otras, las más cautas, aseguran que pasaba de los 100 kilos, si bien comenzó su carrera, eso sí, con cerca de 84 kilos. Lo cierto es que William era, de largo, el jugador más grande del campeonato inglés, ya que además hay que añadirle que medía 1,93. Todo el mundo quería ver a ese grandullón.

Cuando Foulke comenzó a desarrollar su carrera profesional, el campeonato liguero inglés ya llevaba varios años de andadura, así como la FA Cup. Títulos ambos que consiguió ganar con el club que más alegrías le dio, el Sheffield United. Con ellos disputaría tres finales de la FA Cup, ganando dos de ellas. Tras una década defendiendo los colores del Sheffield United, se convirtió en uno de los jugadores más icónicos del fútbol en Inglaterra y el Chelsea pagaría cincuenta libras para hacerse con sus servicios en 1905. Foulke solo estuvo una temporada en los *blues*, si bien este equipo consiguió sacar más provecho a su oronda figura. El Chelsea colocaba, antes de cada partido, a dos niños pequeños tras la red, cada uno en un costado. Lo que buscaban con ello era que la figura de Foulke les pareciera más grande a los delanteros rivales.

En un fútbol en el que pocas pruebas gráficas se pueden aportar y en el que las habladurías y leyendas urbanas estaban muy extendidas, Foulke tiene un largo historial de anécdotas de las que nunca se sabrá del todo si fueron ciertas o no. Se dice que defendiendo a la selección inglesa, se colgó del larguero y que por su peso lo rompió. También son muchas las anécdotas contadas sobre su carácter; dicen que cuando veía poca actitud en sus defensas, se iba sin decir nada.

Aunque quizás la leyenda urbana más extendida sobre el portero más gordo de la historia es que con él comenzó un cántico mítico del fútbol inglés. Por todas las canchas británicas se canta aquello de *Who ate all the pies?* ('¿Quién se comió todos los pasteles?'), clara referencia a la afición de los ingleses por tomar pastel de carne (o de otra variedad) antes de los partidos. Dicen que el cántico comenzó por el bueno de Foulke, pero nunca se ha podido demostrar, y parece que es más elucubración que realidad.

De su vida una vez que dejó el fútbol, se sabe poco. Se retiró en 1907 en el Bradford City. Posteriormente se cuenta que iba de pueblo en pueblo retando a los lugareños a que le marcasen gol, y con ello se ganaba la vida. En 1916, murió de cirrosis. El final de sus días fue en el más absoluto anonimato y con poco que llevarse a la boca, prueba del momento en el que estaba el fútbol, todavía por desarrollarse. Foulke fue de los pocos que consiguieron pasar a la posteridad. Fruto de su peso y de las leyendas que se contaron sobre él, se convirtió en uno de los pocos futbolistas que perduraron en el imaginario colectivo de aquellos años. Parece que siempre será el guardameta más gordo de la historia, le pese a quien le pese.

UNA LIGA SOLO PARA OBESOS

Los ingleses inventaron el fútbol y, como era de esperar, también fueron los impulsores del fútbol para gordos.

Únicamente si tienes un índice de masa corporal superior a 30 puedes participar. Esto quiere decir que ya formas parte de las personas con obesidad de primer tipo. Es una liga excluyente para los que no son obesos, pero el motivo bien lo merece.

El objetivo de este campeonato no es excluir o promover la obesidad, sino todo lo contrario. Es un formato de liga un poco diferente: no solo se consiguen puntos por los resultados en el terreno de juego, sino también por el peso que pierden los jugadores en el transcurso de la liga. El promotor de la competición es un hombre que perdió 30 kilos en dos años y que quiere, a través del fútbol, ayudar, a su vez, a otras personas a perder peso.

Esta iniciativa surgió en Solihull, una ciudad muy cercana a Birmingham, aunque con equipos tan variados como el Tottenham Hot-Dogs, el Aston Vanilla o el KFC Wimbledon, buena prueba del optimismo de los participantes ante una liga que trata de ayudarles en su pérdida de peso. La edad no es un problema y participan jugadores entre los 20 y los 69 años. Como decimos, el único requisito es estar gordo, aunque se espera que no por mucho tiempo.

CITA:

Cuando metes gol eres grande; cuando no..., estás gordo (Ronaldo Nazário).

ONCE IDEAL DE FUTBOLISTAS GORDOS

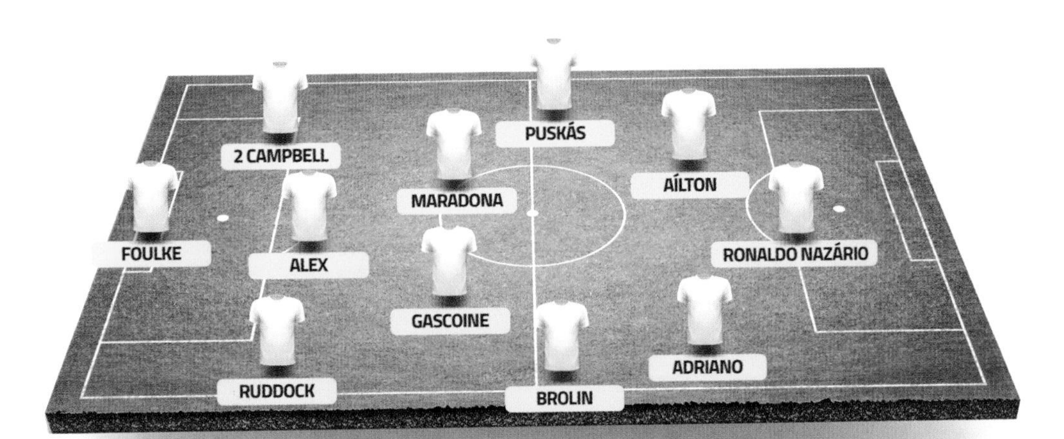

LA FINAL DE FA CUP EN LA QUE EL PROTAGONISTA FUE UN CABALLO

«¿Ha entrado usted, alguna vez, a un estadio vacío? Haga la prueba. Párese en medio de la cancha y escuche. No hay nada menos vacío que un estadio vacío. No hay nada menos mudo que las gradas sin nadie. En Wembley suena todavía el griterío del Mundial del 66, que ganó Inglaterra, pero aguzando el oído puede usted escuchar gemidos que vienen del 53, cuando los húngaros golearon a la selección inglesa». De esta forma abre Eduardo Galeano su capítulo sobre los estadios en *El fútbol a sol y sombra*. Wembley es el campo más icónico del mundo del fútbol, que nos perdonen Maracaná o el Azteca, y el primer partido de su historia fue un fiel reflejo de lo que sería ese campo para este deporte.

El 28 de abril de 1923 se enfrentan en Wembley (conocido entonces como Empire Stadium) el Bolton Wanderers y el West Ham United, que esa temporada estaba en segunda división. La final de la FA Cup es el partido idóneo para dar el pistoletazo de salida de un estadio que sería el emblema del fútbol inglés. Con capacidad para 125 000 personas, las autoridades no esperaban que el campo se llenase. El motivo, en parte, era que en los últimos años las afluencias a Stamford Bridge no habían sido especialmente boyantes. Por esa razón hicieron una gran campaña para intentar llenar el campo en el día de su inauguración. Apertura que, por otra parte, no estaba prevista para 1923, sino para el año siguiente.

Con el campo lleno, se cierran las puertas, pero fuera hay todavía miles de personas que quieren entrar. Algunos aficionados consiguen derribar los tornos y colarse. Para evitar el aplastamiento, muchos de los hinchas que ya están en sus butacas tienen que saltar al césped. Sigue entrando gente. Son cada vez más los aficionados que se agolpan en el terreno de juego, del que ya poco se distingue. La policía tiene que actuar. Varios agentes a caballo hacen un cerco para ir echando a las personas hacia atrás y, aunque agolpadas, que dejen libre el rectángulo de juego.

La imagen al día siguiente en todos los periódicos es la de un jinete a lomos de un caballo blanco tratando de restaurar el orden. Aquel día había más equinos en el campo, pero no destacan tanto como aquel. Aquella final ya tenía nombre para la posteridad: «La final del caballo blanco». Entre la labor policial y la entrada de Jorge V al palco del estadio, que calmó a los aficionados, la situación se consiguió reconvertir. El partido comenzó con 45 minutos de retraso, pero se jugaría. Sobre el tapete, el Bolton, favorito para la contienda, se llevó el encuentro por 2-0. Anotaron en aquella caótica tarde David Jack y Jack Smith. No podían tener nombres más británicos los jugadores del Bolton, por cierto.

¿Y qué fue del jinete de aquel caballo? Por su labor, le invitaron a acudir a las siguientes finales de la FA Cup de forma gratuita, pero él no estaba interesado en el fútbol. De hecho, treinta años después de aquel partido, declaró que nunca más fue a un partido de fútbol. Un buen trabajador que consiguió reubicar sin violencia al exceso de público en Wembley. Se estima que entre 150 000 y 300 000 personas se congregaron dentro o fuera del campo. Para evitar que algo así volviese a ocurrir se instauró desde entonces la venta de entradas anticipadas para las siguientes finales. Aunque la primera en Wembley, pese a la muchedumbre, ya tenía protagonista para la posteridad y era nada más y nada menos que un caballo.

CITA:

Después de la final, caminé solo por el césped del Estadio Olímpico. ¿Por qué? No lo sé explicar. En ese momento me acordé de un sueño (Franz Beckenbauer, tras ganar la final del Mundial 1974).

LA FINAL DE *COPPA* DE LA VERGÜENZA

El Estadio Olímpico de Roma está a rebosar, como no podía ser de otra forma. Se va a disputar la final de la Coppa Italia de la temporada 2013/14. Un fondo teñido de morado y el otro de azul dan colorido al campo, pero la tensión es patente. Saltan los jugadores y primera pitada del encuentro. La silbatina va en aumento cuando suena el himno italiano. Los aficionados de Fiorentina y Napoli comienzan a alterarse, más si cabe. Termina el himno y empiezan a caer bengalas y botes de humo de ambos fondos. El partido no puede comenzar.

Los hinchas napolitanos son los más beligerantes dentro del estadio, no quieren que la final de la Coppa Italia arranque. La tensión que se vive en el campo es fruto de los altercados acaecidos durante la tarde en la capital de Italia. Los napolitanos se desplazaron en masa a Roma para ver a su equipo nuevamente en una final. Un reducido grupo de ellos se topó con un capo de los ultras de la Roma, quien los recibió con insultos y petardos. Estos contestaron y se fueron a por él. Acorralado, disparó cuatro veces, hiriendo de gravedad a Ciro Esposito, de 32 años. El ultra romanista huyó de allí, aunque al rato unos hinchas del Napoli le dieron caza y, tomándose la justicia por su mano, le dieron una paliza.

El estado de Ciro Esposito es muy grave cuando el partido está a punto de comenzar y los ultras, dominadores del fútbol en Italia, no querían que el colegiado pitase el inicio. Genny, *el Carroña*, jefe de los ultras del Napoli e hijo de un camorrista, habla con Hamsik, capitán del equipo, para encontrar una solución. Un jefe ultra estaba decidiendo cuándo y de qué modo iba a jugarse la final de la Coppa. Surrealista. Finalmente, llegan a un acuerdo y la final comienza 45 minutos más tarde de la hora prevista. Quedaba demostrado quién tiene el poder en el fútbol italiano. Casi dos meses después de la final fallecía Ciro Esposito, una muerte más relacionada con el fútbol. Bueno, con el fútbol no, con impresentables que usan el fútbol como excusa.

LAS FINALES MÁS CURIOSAS DE LA HISTORIA

La final de Heysel: La final de la Copa de Europa que enfrentó a Liverpool y Juventus en Heysel en 1985 es una de las más conocidas del mundo del fútbol, pero no por ello deja de ser impactante. Sobre todo porque el encuentro se disputó con varios fallecidos en las gradas. Antes del inicio del partido los *hooligans* ingleses atacaron a un sector de aficionados de la Juventus que habían sido mal ubicados entre hinchas del Liverpool. 39 personas fallecieron aplastadas, pero se tomó la decisión de jugar aquella final para evitar más muertes. Lo dantesco de todo aquello es que se jugase un partido de fútbol con fallecidos tapados por mantas en las gradas. Siempre se criticó a Platini por celebrar con más alegría de la apropiada, debido a las circunstancias, el único gol de la final. La Juventus celebró su primera Copa de Europa en una jornada que fue de todo menos alegre.

Chapecoense-Atlético Nacional: La final de la Copa Sudamericana 2016 es otra recordada por su componente trágico. Chapecoense, un humilde club brasileño, hizo historia al meterse en la final de la Copa Sudamericana. Eliminó a clubes míticos como San Lorenzo o Independiente de Avellaneda. Una jornada que tendría que ser de festividad para Chapecoense se tiñó de luto cuando, camino de Medellín para disputar la final ante Atlético Nacional, el avión que transportaba al equipo se estrelló. Fallecieron 71 personas y únicamente sobrevivieron cuatro jugadores del Chapecoense. Entre los muertos se encontraba un exjugador de Atlético de Madrid y Mallorca, Cléber Santana. Tras la tragedia, el mundo del fútbol se volcó en la ayuda al club brasileño, aunque el gesto más bonito vino por parte de Atlético Nacional, que pidió a la Conmebol que diera el título a Chapecoense sin la necesidad de jugar. La confederación sudamericana accedió y proclamó campeones a los brasileños.

El Real Madrid jugando una final ante su filial: En la actualidad los equipos filiales no pueden disputar la Copa española, pero antiguamente esto no era así. Filiales como el del Mallorca llegaron a jugar los cuartos de la competición (1986-1987), pero la palma se la llevó el Castilla, que jugó ante el Real Madrid la final de Copa de 1980. Era la primera vez que un filial alcanzaba la final y, para más inri, jugaría ante su primer equipo. Para llegar a la final, el Castilla eliminó al Extremadura, Alcorcón, Rácing, Hércules, Athlétic, Real Sociedad y Sporting. Clubes de enjundia que hablan del mérito del Castilla. De cara a la final, no había dudas de qué equipo se alzaría con la copa. El resultado habla a las claras: Real Madrid 6-1 Castilla. El premio, eso sí, llegaría para el Castilla con la disputa de la Recopa de Europa. En primera ronda cayó ante el West Ham, pero el mérito de jugar en Upton Park no se lo quita nadie.

La final de los penaltis: Pocas finales pueden ganar en espectacularidad a la que disputaron Liverpool y Alavés en 2001, con un resultado final de 5-4 y gol de oro incluido, pero nosotros les proponemos una: la final de la Copa de Grecia de 2009. Para comenzar, se enfrentaban dos rivales antagónicos, el Olympiacos y el AEK. El escenario era insuperable, el Olímpico de Atenas. Y los contendientes estuvieron a la altura del espectáculo. El AEK se puso por delante, 2-0, pero el Olympiacos consiguió empatar. En el minuto 90, el AEK volvía a tomar ventaja; el resultado parecía definitivo, pero, ¡ay amigo!, el fútbol es impredecible. En el sexto minuto de añadido y última jugada, el Olympiacos empató a tres. En la prórroga, Galletti metería el cuarto gol para el Olympiacos, pero el AEK consiguió empatar, 4-4. Si creen que ya hemos tenido suficiente, viene lo mejor, la tanda de penaltis. Se lanzaron 34 penas máximas. El último de ellos lo tiró el portero del Olympiacos. El meta, Nikopolidis, que lanzó dos penaltis en aquella interminable tanda, dio el título al equipo del Pireo.

EL EQUIPO FEMENINO QUE LLENABA ESTADIOS

La I Guerra Mundial asoló Europa y provocó que las grandes infraestructuras de los países implicados necesitaran mano de obra, dada la inversión humana que hicieron los participantes llevando soldados al frente. Dick, Kerr and Company Ltd. fue una empresa ferroviaria que aunque tuvo sus orígenes en Escocia, debió ser desplazada a Inglaterra, concretamente a Preston, para producir armamento y municiones, controlada y auspiciada por el Gobierno. En los grandes conflictos, también hay momentos de luz, y para algunas de las trabajadoras de la fábrica lo eran las tardes de descanso, en que jugaban al fútbol, que fue convirtiéndose en un espectáculo cada vez más frecuente y popular.

Las mujeres representaron una importante mano de obra y también lucharon por sus derechos. El fútbol tuvo para ellas un valor reivindicativo, además de servirles para recaudar fondos para la guerra jugando partidos por toda Inglaterra. Y aquí encontramos nombres propios. El primero de todos es el de Alfred Frankland, administrador de la empresa que ejerció de representante de las jugadoras, además de gestor de todos los encuentros que disputaban. Entre las futbolistas, se encontraba Alice Woods, una atleta que había sido campeona de los ochenta metros lisos en Inglaterra. Pero todo empezó con Grace Sibbert, a quien le hicieron la propuesta de empezar a organizar encuentros para ayudar a los heridos de guerra. Se confirmó la gira y, por lo tanto, el espectáculo.

Las chicas de Lancashire se organizaron como el Dick, Kerr's Ladies FC, como se llamaría el equipo. Y su primer partido oficial sería contra el Arundel Coulthard Foundry en Deepdale, en el estadio del Preston, alquilado. Ganarían 4-0 y lograrían unos ingresos de 40 000 de las actuales libras esterlinas. Sin embargo, lo más alucinante fue la asistencia. Más de 10 000 personas acudieron para ver jugar a estas chicas de las que hablaba toda Inglaterra. Y es que actuaban como auténticas profesionales, gestionándose el club como tal. El propio Alfred Frankland era el responsable de fichar a nuevas jugadoras, ofreciéndoles además un puesto de trabajo en la empresa y un sueldo generoso por todo.

Hicieron gira por todas las islas, llegando a jugar en los estadios más ilustres del país. Una de las citas más recordadas fue en Goodison Park, donde llegaron a convocar a más de 50 000 personas para verlas. Entraban escoltadas a los campos de fútbol antes del pitido inicial, para hacer más hincapié en su fama. Incluso llegaron a disputar partidos internacionales contra clubes franceses después de que la Federation Française Sportive Feminine aceptara la invitación de los británicos. Los propios galos no se podían creer la expectación que generaban sus rivales. «No cabía un alfiler en las calles de Preston. Millares de personas las escoltaron desde la estación de tren hasta el hotel. Las jugadoras francesas debieron de sentirse desbordadas por la acogida», escribió Gail J. Newsham, autor de *In a League of their own! The Dick, Kerr's Ladies Football Club.*

En casi 50 años de historia, solo sufrieron 24 derrotas. No solo eran pioneras sino también excepcionales, lo que provocó el recelo de la FA (Football Association), que lanzó un comunicado impidiendo a los clubes femeninos jugar en campos de fútbol masculinos. Machistas, aseguraban que las mujeres no podían practicar este deporte porque era pernicioso para ellas. Hicieron estudios científicos para refutar su estúpida idea.

Tras intentar exportar el espectáculo a Canadá y a Estados Unidos, la Dick, Kerr's and Co. Ltd. cambió de dueños y Alfred Frankland fue despedido, pero refundó el equipo con el nombre de Preston Ladies. Finalmente, en 1965 desapareció para que la historia se mitificase e invitara a ser contada a todas aquellas mujeres que alguna vez se encontraron con un muro en este deporte o en otro aspecto de su vida.

EL RÉCORD DE RONALDINHA

En España, una de las jugadoras más conocidas fue Milene Domingues, una chica de São Paulo que empezó en Corinthians. No obstante, pocos la conocerían por su nombre. Cuando se casó con Ronaldo Nazário a finales de los noventa, su apodo sí que fue popular: Ronaldinha. Y tenía la habilidad de ser recordada. Incluso logró un récord Guinness.

Aunque fue muy criticada en España por el precio de su ficha —se dijo que llegó a cobrar 30 000 euros por temporada, cuando el sueldo medio de su equipo era de 180—, viajó a Madrid de la mano de su marido, que iba a empezar su etapa en el Real Madrid. Ella, mientras tanto, ficharía por el Rayo Vallecano. No obstante, su mejor credencial la logró en 1997, cuando batió el récord de toques con los pies a un balón antes de que este cayera al suelo. Un total de 55 197 golpes al esférico en nueve horas y seis minutos.

España la acogería como si fuera su segunda casa. Hizo carrera en el Rayo Vallecano y fue la imagen de Nueva Rumasa, empresa de la familia Ruiz Mateos, que acabaría quebrando. Milene se separó de Ronaldo, pero mantuvo su residencia y apareció en distintos programas de televisión. Su récord no parece que llamara mucho la atención, pero su apodo nunca será olvidado.

5 DATOS CURIOSOS DEL FÚTBOL FEMENINO

Número de mujeres que practican fútbol: Si dicen que el fútbol femenino no es de interés, que se lo digan a los treinta millones de mujeres y niñas que practican este deporte en un terreno de juego federado.

Número de clubes femeninos: Un total de 69 000 clubes son femeninos y pertenecen a 11 federaciones.

Mayor ganadora de Balones de Oro: Si conoces a Lionel Messi, necesitas saber también quién es Marta Vieira da Silva, la jugadora brasileña que más veces ha ganado el Balón de Oro femenino. Un total de cinco.

La mayor goleada en el fútbol femenino: Una de las mayores goleadas la dio Alemania a Argentina en 2007, al endosarle un 11-0 a la albiceleste. Las jugadoras Lingor, Smisek y Prinz hicieron su respectivo *hat-trick*.

El fichaje más caro del fútbol femenino*: Una de las mejores competiciones del mundo es la alemana. Y fue el Wolfsburgo el que más pagó por Ramona Bachmann, procedente del FC Rosengard, un total de 95 000 euros. Cifras distintas a las masculinas, evidentemente.

CITA:

La mujer tiene un solo camino para superar en méritos al hombre: ser cada día más mujer. (Ángel Ganivet, escritor español).

* *Libro publicado en 2017*

ASÍ CRUZARON EL OCÉANO LOS PARTICIPANTES DEL PRIMER MUNDIAL

La primera Copa del Mundo tuvo lugar en Uruguay en 1930. Ese año se conmemoraba el centenario de la jura de la Constitución en el país charrúa, por lo que la FIFA estimó que Uruguay (que además había ganado los dos últimos oros olímpicos) sería el país indicado para acoger tal cita. Había 12 selecciones participantes, además de la organizadora, que quedaron englobadas en cuatro grupos de tres equipos cada uno, a excepción del primero, compuesto por cuatro selecciones.

Algunas selecciones rechazaron la invitación para acudir al Mundial, en parte por su descontento por la designación de Uruguay como organizadora y en parte por los altos costes de desplazamiento que suponía atravesar el océano Atlántico. Finalmente, solo cuatro selecciones europeas aceptaron: Bélgica, Francia, Rumanía y Yugoslavia. ¿La mejor opción para cubrir los enormes gastos? Viajar juntas.

Así pues, Yugoslavia se embarcó en Marsella a bordo del SS Florida. Estaba previsto que fueran acompañados por la selección de Egipto, pero el mal tiempo para llegar a Francia impidió a los *faraones* embarcar y participar finalmente en la Copa del Mundo.

Por otra parte, las expediciones de los combinados de Bélgica, Francia y Rumanía, zarparon en el Conte Verde. Los rumanos lo hicieron el 20 de junio desde Génova. Días después, pasaron por la Costa Azul, y más concretamente por Villefranche-sur-Mer, donde recogieron a los franceses. Y por último, se detuvieron en Barcelona, donde esperaban los belgas y tres de los árbitros del Mundial. Además de estas tres selecciones participantes, en el Conte Verde también iba el trofeo de campeón y algunas personalidades, como Jules Rimet, nada más y nada menos que el presidente de la FIFA, y el rey Carol de Rumanía, que había conseguido que su país participase en la primera Copa Mundial de Fútbol a las pocas semanas de ser proclamado monarca.

Las selecciones habían zarpado desde Europa sin conocer a sus rivales. El sorteo no se realizaría hasta que todos los participantes hubieran desembarcado en Uruguay, con el objetivo de evitar el abandono de alguna otra selección que quedase disconforme con sus enfrentamientos.

El viaje, de dos semanas de duración, fue agotador. Los asientos eran de madera y se clavaban en los huesos de los jugadores. La cubierta de los barcos no era lo suficientemente espaciosa para entrenar a gusto y más de un balón terminó flotando en el océano. Las pocas fotografías que quedan de la época muestran a los preparadores recurriendo a sillas que los jugadores debían saltar, o a estos bañándose para soportar mejor el calor y corriendo por la cubierta o realizando estiramientos. Llegaron a Río de Janeiro (Brasil), donde recogieron a la expedición brasileña, que les acompañaron hasta el destino final en Montevideo, donde arrivaron con solo cinco horas de retraso.

Peor les fue a los mexicanos, que aunque tenían un trayecto en barco mucho más asequible que los europeos, cometieron un error que les hizo tomar un rumbo equivocado. Partieron de Veracruz y debían llegar a Nueva York, donde recogerían a los norteamericanos, pero terminaron en La Habana. Debieron volver sobre sus pasos hasta llegar, por fin, a Nueva York, desde donde continuaron su viaje a bordo del SS Munargo.

Al parecer, el cansancio hizo especial mella en el rendimiento final de las selecciones, de hecho ninguna de las integrantes del Conte Verde logró pasar de la fase de grupos. El campeonato, eso sí, se lo llevaron los que menos tuvieron que viajar, los uruguayos. Eran otros tiempos.

LA ODISEA DE ITALIA EN EL MUNDIAL DE 1950

En la década de los cuarenta, se fraguó el que para muchos es uno de los mejores equipos de todos los tiempos, el «Grande» Torino. El 4 de mayo de 1949, el avión que llevaba a la plantilla del cuadro granata se estrellaba cerca de la Basílica de Superga. Murieron dieciocho jugadores. La escuadra turinesa, que por entonces era el gran dominador del calcio italiano y de Turín por encima de la Juventus, se topaba con la mayor de las desgracias.

Aquel equipo era la base de la selección italiana hasta tal punto que la azzurra solía alinear de inicio a nueve o diez jugadores del Toro. El daño era irreversible. Un equipo de leyenda desaparecía por culpa de una tragedia que dejaba cruelmente herido al fútbol italiano a solo un año del Mundial de Brasil. Italia, la vigente campeona (había ganado en 1934 y 1938 los últimos dos Mundiales antes de la Segunda Guerra Mundial), defendería el campeonato con un equipo compuesto de jugadores poco habituales.

Comenzó entonces la reconstrucción del equipo nacional. El miedo a que algo así pudiera repetirse hizo que la expedición italiana evitara viajar en avión. De esta forma, zarparon en un barco de vapor rumbo a Brasil. Dos semanas de viaje con una parada en Las Palmas de Gran Canaria (donde jugaron un amistoso) y entrenamientos en la cubierta del barco. Según Egisto Pandolfini, engordó tres kilos, y los cincuenta balones que llevaban terminaron en el agua. Finalmente, Italia cayó en la ronda de grupos y no obtuvo el pase a la fase final del torneo. Lo más curioso es que la vuelta la hicieron en avión, Con la excepción de Benito Lorenzo, uno de los goleadores, que decidió repetir la travesía en barco, Italia firmaba una de las peores actuaciones de una selección campeona. Pero el fútbol, en ese contexto, importaba un poco menos.

SELECCIONES PARTICIPANTES EN EL PRIMER MUNDIAL (Uruguay, 1930)

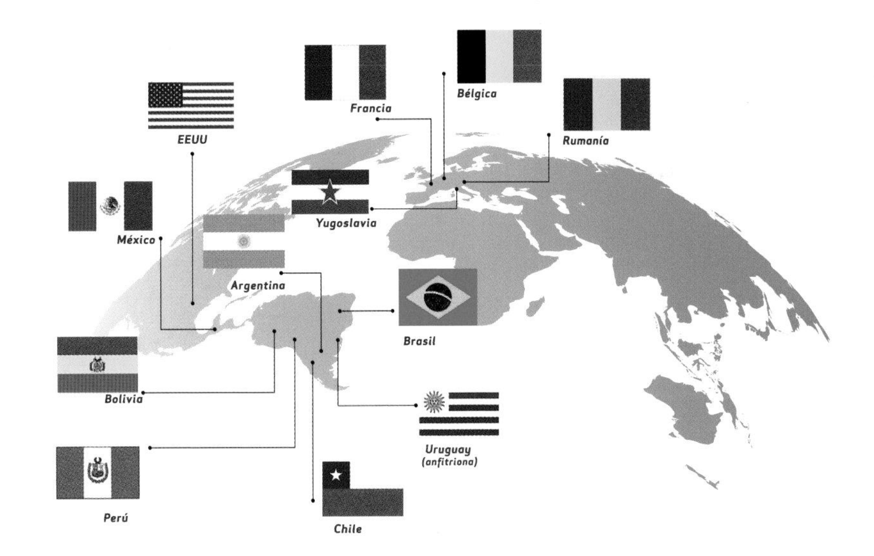

CITA:

Los asientos eran horribles, los bancos de madera se nos clavaban en los huesos, pero mereció la pena (Rudolf Wetzer, delantero de Rumanía durante el Mundial 1930).

EL NIÑO QUE DEJÓ A ESPAÑA SIN MUNDIAL

Catorce años tenía la criatura. Catorce años, y se cargó a una selección entera él solito. Nacido durante la Segunda Guerra Mundial, este niño no podía imaginar lo trascendental que iba a ser en la fase de clasificación de España para el Mundial de Suiza de 1954. Era un chico normal, cuyo único privilegio era poder entrar gratis al Olímpico de Roma. Su padre trabajaba allí, y de esta forma se aficionó al fútbol. Tanto que fue a ver un desempate en el que no estaba presente la selección de su país, la italiana. Acudió a disfrutar de un Turquía-España y terminó proporcionando alegrías a unos y tristeza a otros.

Antes de la fecha clave en que se desataron todos los acontecimientos, hay que explicar cómo llegaron España y Turquía hasta allí. Ambas selecciones iban a estar encuadradas en el grupo de la Unión Soviética. El equipo vencedor del grupo se clasificaría para el quinto Mundial de la historia. Pero, poco antes de que comenzase el grupo, la URSS renunció. Con solo dos equipos en el grupo, la clasificación para el Mundial se jugaría a eliminatoria directa. España era la gran favorita, cuatro años antes había terminado cuarta en el Mundial de Brasil. Además, la Roja contaba con jugadores de la talla de Gaínza, Biosca, Escudero o Kubala. Con este último estalló una polémica, y es que el futbolista del Barcelona, que en aquel momento ya había sido internacional por Hungría y por Checoslovaquia, solo pudo jugar el partido de vuelta. En la ida, ganada por España por 4-1 en el Nuevo Chamartín (actual Santiago Bernabéu), no contó con el jugador por lesión. Para la vuelta, el magiar sí que pudo disputar el partido sin problemas. España perdió por 1-0, pero en aquella época no existía la diferencia de goles como valor determinante en una eliminatoria, sino las victorias. España y Turquía se iban al desempate.

En el partido trascendental no pudo estar Kubala, porque antes del encuentro llegó un telegrama procedente de la FIFA que decía textualmente: «Llamamos la atención a la Federación Española por la alineación Kubala».Tiempo después la FIFA declararía que desconocía quién tomó la decisión de mandar aquel telegrama, y que Kubala podía haber jugado. Kubala tenía que ver el partido desde la grada, al igual que nuestro joven protagonista, con el que iniciábamos el relato. El *bambino* romano llamado Franco Gemma, vio como el encuentro terminaba con empate a dos en sus noventa minutos reglamentarios. Tocaba irse a la prórroga y allí el resultado no se movió. Como por entonces no existía la tanda de penaltis (más información en la página 116), habría que elegir entre dos posibles decisiones. La primera era que se jugase otro partido; todavía había tiempo, ya que quedaban tres meses para el Mundial. La segunda, que se decidiese el ganador mediante un sorteo.

El reglamento decía que los dos equipos implicados debían acordar de forma unánime la solución a tomar. España planteaba otro partido de desempate, pero Turquía, prefería dejar todo en manos del azar. Tras varios minutos de tensión, España accedió. Un sorteo determinaría la selección que estaría en el Mundial. Los organizadores metieron dos papeletas en una copa, una con el nombre de España y otra con el de Turquía. Una mano inocente decidiría qué país estaría en Suiza.

Como ya adivinarán, aquí llegó el momento en el que Franco Gemma pasó a la posteridad para bien de unos y mal de otros. En la abarrotada sala en la que se estaba dirimiendo todo, había un gran número de personas. Desde organizadores, pasando por entrenadores y jugadores, prensa o, incluso, curiosos, pero solo había un chaval. Las miradas se fijaron entonces en el adolescente de 14 años, que, para más inri, era italiano, por lo que no habría dudas de su neutralidad. Él sacaría el boleto. España escribió en su papeleta «España, X»; no se sabe muy bien el motivo de esta «X», mientras que Turquía puso «Turchie», el nombre del país en italiano. Pensaron que hacerlo de esta forma les traería suerte, y vaya sí fue así. Con los ojos vendados, Gemma sacó una papeleta en la que se podía leer: «Turchie». España estaba eliminada. Un niño llamado Franco dejaba a la España del franquismo sin Mundial. Curiosa ironía.

ITALIA ES CAMPEONA DE EUROPA GRACIAS AL AZAR

Como hemos relatado anteriormente, en unos tiempos en los que no existía un desempate más allá de la prórroga y en el que la incompatibilidad de fechas impedía que se disputase otro partido, el azar desempeñaba un papel muy importante. La Eurocopa de 1968 era la tercera edición del campeonato. Tras unas fases de grupos a ida y vuelta y unos cuartos de final dilucidados de la misma forma, llegaban por fin las semifinales a partido único. Italia sería el país que acogería las semifinales, el tercer y cuarto puesto y la final.

A las rondas finales en el país transalpino llegaron la propia Italia, Yugoslavia, Inglaterra y la campeona de 1960, la URSS. Italia jugaría en semifinales precisamente ante el equipo soviético en el Stadio San Paolo de Nápoles. Tras 90 minutos, en los que no se movió el marcador, llegaba la prórroga y aquí, como adivinarán, tampoco hubo goles. Tras 120 minutos, el marcador no se había movido. Llegaba el momento de decidir el ganador mediante el lanzamiento de una moneda. San Paolo estaba expectante.

Lo más curioso fue que el colegiado alemán Kurt Tschenscher no hizo el trascendental sorteo en el rectángulo de juego y se llevó a los dos capitanes a vestuarios. Facchetti, por parte de Italia, escogió cara y Shesternyov, por parte de la URSS, se decantó por la cruz. El primer lanzamiento fue declarado inválido, ya que la moneda se ancló en una grieta del suelo, o eso cuentan los protagonistas de la historia. Para el segundo lanzamiento, Facchetti salió corriendo al césped, Italia era finalista, había salido cara. Al ver al capitán *azzurro* salir de vestuarios festejando, todo san Paolo fue un clamor. La tensión se convirtió en fervor. Italia ganaría posteriormente la final a Yugoslavia y conseguiría la primera y, hasta la fecha*, única Eurocopa de su historia.

**Libro escrito en 2017*

CITA:

Yo sé que el fútbol tiene un altísimo componente de azar. Pero no se puede ejercer esta tarea que a mí me tocó realizar admitiendo que un porcentaje muy alto se lo lleva la suerte y nos termina favoreciendo o perjudicando (Marcelo Bielsa).

LAS ELIMINATORIAS MÁS RARAS DE LA HISTORIA

Sporting-Rangers: La regla del gol fuera de casa en las eliminatorias no siempre existió. Incluso en torneos oficiales de la actualidad sigue sin aplicarse. Cuando esta norma empezó a instaurarse, creó más de un problema, y el ejemplo más claro lo encontramos en el Sporting Portugal-Rangers de la Recopa 1971/72. Los escoceses ganaron 3-2 en la ida, y en la vuelta en Lisboa se repitió resultado, aunque favorable al Sporting. El encuentro se fue a la prórroga, en la que cada equipo marcó un gol, por lo que se llegó a los penaltis, donde ganó el Sporting, que de esta forma superaba la eliminatoria, o eso creían. El Rangers alegó que habían marcado tres goles fuera de casa, por los dos del Sporting. La UEFA les dio la razón y, por tanto, la clasificación para la siguiente ronda. Lo más curioso es que aquel año el Rangers ganó la Recopa.

América-Morelia: La regla de los goles fuera de casa también causó una gran polémica en México, en las semifinales del campeonato 1987/88; se enfrentaban América y Morelia. Tras empatar ambos partidos a dos goles, se fueron a la prórroga en el estadio Azteca, campo del América. En esta media hora cada equipo metió un gol. Con la norma habitual, pasaría el Morelia por superar en número de goles del rival fuera de casa. Y eso pensó el árbitro. El entrenador del Morelia, el mítico Antonio Carbajal, conocedor de la verdadera norma, se llevó rápidamente a su equipo a vestuarios. Sin embargo, los jugadores del América protestaron argumentando que en el campeonato mexicano la norma de los goles fuera de casa no contaba en la prórroga. Y así era, el árbitro, tras consultar el reglamento, decretó el lanzamiento de penaltis, en los que ganó el América, que terminó llevándose el campeonato.

Barbados-Granada: Probablemente el partido más surrealista de la historia. La Copa del Caribe 1994 tenía varias normas extrañas que deben destacarse. La organización del torneo no quería empates, por lo que, incluso en la fase de grupos, cualquier empate llevaría a la prórroga. Luego, en dicho tiempo extra, llegaba la mayor locura de todas, el gol de oro contaba doble. En uno de los grupos estarían Barbados, Granada y Puerto Rico. En el último partido entre Barbados y Granada, debían ganar los primeros por dos goles de diferencia si quería clasificarse. El encuentro iba 2-0 hasta que, en el minuto 83, Granada marcó el 2-1. Un defensa de Barbados tuvo la gran idea de marcarse un gol en propia meta para forzar la prórroga y ahí tener opciones de pasar gracias al valor doble del gol de oro. Con el autogol llegó la locura, ya que los jugadores de Granada se dieron cuenta de que si marcaban en cualquiera de las porterías antes del minuto 90 se clasificarían. Finalmente no anotaron y Barbados, que sí lo hizo en la prórroga, se metió en la siguiente ronda.

CUANDO JUGAR CON LA CAMISETA DEL RIVAL NO ESTABA MAL VISTO

¿Se imaginan a Messi jugando un amistoso con la camiseta del Real Madrid? ¿Y a Cristiano con la del Barcelona? A los jugadores les tildarían de traidores, como mínimo, y a los clubes, de vendidos. Los aficionados se sentirían estafados ante algo que no entenderían, que su jugador insignia vista los colores de su más acérrimo rival. Pues bien, vamos a hablarles de una época en la que esto no estaba mal visto. En la que la deportividad estaba por encima del odio visceral.

Alfredo Di Stéfano es probablemente el jugador más influyente de la historia del Real Madrid. Con él todo cambió en el conjunto blanco, que pasó de ser un equipo grande con temporadas irregulares a convertirse en el coloso mundial que es actualmente, pero el fichaje del jugador argentino por los blancos tuvo su aquel. Di Stéfano jugaba en Millonarios, pero tenía los derechos compartidos con River Plate, club del que había salido tras una huelga de jugadores. El Barcelona negoció con este último, mientras que el Real Madrid lo hizo con Millonarios. Estaba liada.

Di Stéfano iba a jugar inicialmente con el Barcelona, e incluso llegó a entrenar con la camiseta de la selección catalana. También posó junto a Kubala en un reportaje para una revista, ambos con los colores blaugranas, pero no llegó a jugar de forma oficial con los culés. La FIFA decretó que Di Stéfano debía jugar una temporada con el Real Madrid y otra con el Barcelona de forma alterna, empezando por el Real Madrid. Finalmente no se concretó este cambió de aires constante de la Saeta Rubia, pero sí que volvería a ponerse la camiseta del Barcelona.

Llegados a este punto, cabe destacar, que en aquellos años no estaba mal visto que estrellas de equipos rivales jugasen amistosos con otros equipos. Ya fuera para hacer caja, lo cual suponía una gran fuente de ingresos en la época, o para homenajear a otros jugadores. De esta forma, Di Stéfano jugó con la camiseta del Barcelona en 1955, cuando ya llevaba dos años en el Real Madrid, en un partido amistoso ante Vasco Da Gama. No fue la única vez que Di Stéfano se enfundó la camiseta del Barcelona. Volvería a hacerlo en 1961. Nuevo amistoso, en esta ocasión en el Camp Nou y con motivo del homenaje que el club blaugrana le hacía a su leyenda Kubala. Además, Puskás también se pondría la camiseta del Barça para este partido. Dos de las leyendas madridistas más grandes posando sonrientes con la camiseta azulgrana.

Di Stéfano no solo jugaría amistosos con el Barcelona; también lo haría con el rival vecino, el Atlético de Madrid. Alfredo se enfundó la camiseta rojiblanca en el homenaje a Escudero. También vestirían los colores del rival aquella tarde otros dos madridistas, Molowny y Oliva. Casualmente, en el posterior homenaje al primero fue el atlético Collar el que vistió de blanco. Para aquel partido también Kubala se pondría la camiseta del Real Madrid.

El genio húngaro tuvo su propia historia con el Real Madrid, pues, como Di Stéfano, fue motivo de pugna entre ambos clubes. Esta pelea la ganaron los culés, aunque no fue tan encarnizada como la de Alfredo. Pero luchas por los fichajes al margen, eran tiempos más nobles, en los que no había problemas de identidad por que la leyenda de un equipo jugase un amistoso con otro club.

Di Stéfano no solo jugó amistosos con Barcelona y Atleti. En una ocasión se puso los colores del Mallorca en un amistoso ante el Newcastle y en otra los del Deportivo, en el homenaje a Cuenca. Aunque quizás el partido amistoso más curioso que jugó Di Stéfano fue con la selección de Cataluña, con cuya camiseta ya había entrenado, ante el Bolonia.

No hay nadie que tenga dudas sobre lo que representa Di Stéfano en el Real Madrid, o Kubala en el Barcelona, dos jugadores que defendieron los colores de su camiseta hasta el punto de engrandecer sobremanera a su equipo. Y aun así jugaron con la camiseta del rival en partidos amistosos y nadie les pitó desde la grada del equipo rival, sino que incluso aplaudían estos gestos. Un fútbol, el de por entonces, que daba valor al juego en sí y al espectáculo, y no tanto a lo que lo rodeaba. Qué envidia.

CUANDO BRASIL JUGÓ CON LA CAMISETA DE BOCA Y DE INDEPENDIENTE

La selección brasileña va unida a un color, el amarillo, pero esto no siempre fue así. Hasta el Mundial de 1950, Brasil vestía de blanco, pero tras la debacle de aquella cita cambiaron al amarillo. Desde el cambio de color no podemos decir que le haya ido mal a la *canarinha*. En realidad, ya habían jugado de amarillo, concretamente en 1937. Durante el campeonato sudamericano (actual Copa América) de aquel año, Brasil utilizó la elástica de Boca, amarilla, así como la de Independiente.

El campeonato sudamericano se disputaría en Argentina y sería la 14ª edición de un torneo en expansión. Para aquella ocasión habría seis participantes que jugarían una fase de grupos y, finalmente, los dos primeros disputarían la gran final. El partido inaugural sería un Brasil-Perú en Buenos Aires. Las circunstancias quisieron que ambas selecciones se presentasen con unas camisetas muy parecidas. Perú salió con la blanca tradicional con la franja roja cruzada y Brasil con una blanca con detalles azules. Tuvieron que hacer un sorteo para ver qué selección jugaba con otra camiseta. Perdió Brasil y le tocó hacerlo con la remera del Independiente. Es decir, de rojo.

Para el segundo partido de Brasil, la misma suerte. Chile vestía también de blanco y no con su rojo tradicional. Nuevo sorteo y nueva derrota de Brasil. En esta ocasión vestiría la camiseta tradicional de Boca Juniors, amarilla con la banda azul en medio. No podemos decir que el amarillo se le diera mal aquella tarde, ya que Brasil ganó 6-4 a Chile con la camiseta de Boca. Los brasileños no ganaron aquel torneo, que se llevó Argentina, pero comenzaron un idilio con el amarillo que se ratificaría en el Mundial de Suecia 1958. Precisamente la bandera sueca inspiró los colores de Boca Juniors. El círculo quedó cerrado.

CITA:

Kubala fue un extraordinario elemento. Era un futbolista excepcional que tenía una gran potencia, una gran técnica y que, en definitiva, fue un hombre de equipo. Su figura fue para el barcelonismo lo que la mía para el Real Madrid (Alfredo Di Stéfano).

OTROS EQUIPOS QUE VISTIERON LA CAMISETA RIVAL

Francia: La selección francesa decepcionó en el Mundial de Argentina 1978. Los galos perdieron sus dos primeros encuentros de la fase de grupos y llegaron al último sin nada en juego. Su rival en este partido sería la también eliminada Hungría. El duelo tendría únicamente en juego el honor de los contendientes; sin embargo, pasaría a la historia por un hecho inesperado. Ambas selecciones se presentaron en Mar del Plata con sus camisetas blancas. La solución de urgencia fue coger prestadas las de un club local, el Atlético Kimberley. Francia sería la selección que se pondría esta elástica, verdiblanca, dejando una imagen para el recuerdo. Del partido, poco que contar: ganó Francia 3-1.

Argentina: La de Francia no fue la única vez que en un Mundial una selección jugaba con la camiseta de un club. En esta ocasión, nos toca viajar hasta Suecia 1958. El primer partido del grupo A enfrenta a Argentina y Alemania Federal, en Malmö. Argentina vestía con su albiceleste habitual con pantalón negro, mientras que Alemania portaba su camiseta blanca habitual con pantalones negros. Como comprenderán, el colegiado, decretó que los colores no se distinguían bien y se tenía que buscar una solución. Esta llegó mediante el préstamo de unas camisetas de un club local, el IFK Malmö, que viste de amarillo. La albiceleste, menos albiceleste que nunca, cayó por 3-1 aquel partido.

Chelsea: La temporada 1996/97 fue de lo más atípica en el Chelsea. Ruud Gullit, ejercía de jugador-entrenador, algo atípico en el fútbol profesional. Además, esa campaña el Chelsea vivió uno de sus partidos más surrealistas. Era abril y la lucha por posiciones europeas ya estaba muy lejos para Gullit y los suyos. Sin embargo, esperaban retomar el vuelo en el tramo final. En la visita al Coventry City, el Chelsea viajó con su azul habitual, sin reparar en que su rival vestía de azul y negro. Obviamente, no podían jugar así y los blues tuvieron que ponerse la segunda camiseta del Coventry, rojinegra adoquinada. Con dos equipos jugando con el escudo del Coventry en el pecho, solo uno podía ser el ganador: Coventry 3-1 Chelsea.

Roma-Inter: Totti sí que vistió en una ocasión una camiseta que no fue la romanista. Totti saltó un día al Olímpico con la camiseta del Inter, aunque todo tiene una explicación. Un hincha del Genoa había sido asesinado por un «aficionado» del Milan a comienzos de 1995. En protesta por tan salvaje asesinato, los clubes italianos dieron una imagen de unidad y Roma e Inter salieron al terreno de juego con las camisetas invertidas. Aunque, en este caso, no llegaron a jugar con las camisetas cambiadas; solo se hicieron la foto de esta forma. Por cierto, ¿se han fijado que todos los resultados de este recopilatorio terminaron 3-1? Pues bien, el partido acabó con un Roma 3- 1 Inter.

EL PERRO QUE ENCONTRÓ LA COPA DEL MUNDO

Dave Corbett no se podía imaginar lo que le iba a cambiar la vida tras dar un paseo con su perro. Era un domingo normal en el que el trabajador de los muelles del río Támesis decidió sacar a su mascota por un parque. Tras dejarle suelto durante unos minutos, vio que Pickles, como se llamaba el perro, comenzaba a olfatear algo. Corbett se acercó a ver qué era aquello que había suscitado su interés. Al cogerlo, el peso le hizo sospechar sobre lo que había en su interior. Cuando lo empezó a desenvolver, no se lo podía creer, ahí estaba la Copa Jules Rimet, robada una semana antes.

Corbett, que estaba enterado del robo, declaró que al empezar a desenvolver aquel objeto lo primero que vio fue la inscripción de Brasil y de Alemania Occidental. Ya sabía perfectamente lo que tenía en sus manos. La reseña de Brasil marcaba los títulos conseguidos por la *canarinha* en 1958 y 1962, mientras que la inscripción de Alemania Occidental señalaba el conseguido en Suiza en 1954. Corbett, que era un apasionado del fútbol, fue corriendo a comisaría.

La Copa del Mundo había sido robada a escasos cuatro meses de que comenzase el Mundial de Inglaterra 1966. La Copa Jules Rimet, llamada así por el expresidente de la FIFA y principal impulsor de los Mundiales de fútbol, se expuso en el centro de Londres. La expectación era máxima y los ingleses querían mostrar ese trofeo, que ansiaban levantar, a todo aquel que se quisiese acercar. En la misma exposición había sellos que valían mucho más que el ansiado trofeo, pero el ladrón (o los ladrones) tenía un único objetivo.

El robo se produjo a plena luz del día del domingo 20 de marzo de 1966. Un fallo de seguridad permitió que los ladrones forzasen la entrada de la sala del trofeo y lo robasen. En esos momentos, no estaba abierto al público, pero la policía pasaba por allí cada hora para asegurarse de que todo iba bien. La prensa mundial no se podía creer lo que había ocurrido. Los ingleses habían perdido el trofeo.

El miércoles siguiente al hurto, el presidente de la Federación Inglesa de Fútbol (FA), Joe Mears, recibe una carta, en la que el remitente asegura que tiene la copa y que para recuperarla tendrá que pagar 15000 libras, además adjunta piezas extraíbles de la copa como prueba de que está en su poder. Mears habla con la policía para que en el intercambio el ladrón sea arrestado. La acción sale medianamente bien, el viernes de esa semana es detenido Jackson, autor de la nota de rescate —si bien ese nombre era un pseudónimo; su nombre real era David Betchley—, pero la copa no aparece.

Dos días después, con David retenido, Pickles encuentra el trofeo. En una semana exacta han conseguido recuperarlo, pero nunca se dio con el ladrón. Betchley fue acusado de cómplice, pero se cree, por diversos indicios, que hubo más personas implicadas. En un primer momento, incluso se sospechó de Dave Corbett, dueño del perro. Tras pasar varios interrogatorios se descartó la participación de Corbett en el robo, e incluso se le premió económicamente por el hallazgo.

Con un guión así, la victoria de la selección inglesa en la cita mundialista completó un final perfecto. Incluso, tuvo su componente polémico, por el gol fantasma de Hurst en la prórroga de la final ante Alemania Occidental. Corbett y el ya famoso Pickles fueron invitados a la gala de celebración por la Copa del Mundo y Bobby Moore levantó al perro para enseñárselo a los aficionados. La reina Isabel II también recibió a este pequeño héroe de cuatro patas junto a toda la selección inglesa. Corbett y su fiel amigo recibieron una medalla de reconocimiento.

A los seis meses de encontrar la copa del Mundo, fallecía Pickles estrangulado con la correa mientras perseguía a un gato. Corbett lo enterró en el patio de la casa que se había comprado gracias al dinero que recibieron por encontrar la copa. Allí puso un mensaje: «Pickles, el que halló la copa del Mundial de 1966». Para entonces, al perro ya le habían hecho varios reportajes e incluso tuvo su propia película, *El espía con la nariz fría*. Una vida de película la de este perro, sin duda.

Y LA COPA JULES RIMET PASÓ A SER EL SANTO GRIAL

Si bien el trofeo otorgado al Campeón del Mundo ya podía ser comparado en cuanto a grandiosidad con el Santo Cáliz del que bebió Jesús en la Última Cena, desde 1983 comparten otra coincidencia. La copa se otorgaba al ganador del Mundial hasta que en 1970 se la quedó Brasil en propiedad al conseguir tres trofeos. Estuvo expuesta en una vitrina de la Confederación Brasileña de Fútbol en Río de Janeiro, hasta el momento del robo, en 1983. Pese a tener un cristal antibalas, había una parte de madera, que fue la que forzaron los ladrones. Desde entonces es el Santo Grial del fútbol.

La teoría más extendida sobre el paradero de la copa es que los ladrones la fundieron para quedarse con el oro y la plata y de esta forma embolsarse más fácilmente su valor. La policía detuvo a cuatro argentinos como autores materiales del hurto. Estos hombres reconocieron el robo y el fundido de la copa. Sin embargo, muchos años después, uno de ellos declaró que un coleccionista italiano les pagó mucho dinero para que se la llevasen.

En 1984, se hizo una réplica que está expuesta —ahora sí, a buen recaudo— en el máximo estamento de fútbol brasileño. Aunque la noticia más sorprendente llegó a comienzos de 2016: el primer pedestal que tuvo la copa fue encontrado en uno de los sótanos de la FIFA. Esta pieza de diez centímetros de altura se sustituyó para el Mundial de Suiza 1954. En el pedestal aparecen inscritos los nombres de Italia y Uruguay, ambos por partida doble, como ganadores de los cuatro primeros Mundiales.

CITA:

En el fútbol tienes que demostrar tu categoría cada día, en cada partido. No sé por qué, pero la verdad es que la emoción y la motivación aumentan durante una Copa Mundial (Ronaldo Nazário).

OTRAS CURIOSIDADES DE LOS MUNDIALES

Un Mundial sin final: Pese a lo que muchos creen, el Mundial de 1950 no tuvo final. Los cuatro ganadores de cada uno de los cuatro grupos pasaron a formar un grupo final. Suecia, España, Brasil y Uruguay jugaron una fase en la que se enfrentaron entre todos. El azar quiso que para la última jornada Brasil y Uruguay se jugaran el liderato del grupo y, por tanto, el Mundial. Ganó Uruguay por 2-1 en el conocido como *Maracanazo*, pero en caso de empate no habría habido prórroga. Brasil habría sido campeón del mundo empatando.

Jugó dos finales de los Mundiales con dos selecciones diferentes: Luis Monti pasaba a la historia de la competición en 1934, y eso que en ese momento solo se habían disputado dos Mundiales. El jugador, que por entonces brillaba en la Juventus, se proclamó Campeón del Mundo con Italia en el campeonato que organizaron los transalpinos. Cuatro años antes había jugado la final del Mundial con su selección natal, Argentina. En aquella ocasión perdió por 4-2 ante Uruguay. No fue el único jugador que pasó de jugar con Argentina en 1930 a hacerlo con Italia en 1934. El otro fue Atilio Demaria. La diferencia es que este segundo jugador no disputó ninguna de las finales.

Jugaron cinco Mundiales: Dos jugadores atesoran el récord de Mundiales de fútbol disputados. El primero en alcanzar tan sorprendente cifra fue Antonio Carbajal, de México. El portero azteca jugó su primer Mundial en Brasil en 1950, debutando precisamente ante la *canarinha*. Su última aparición sería en Inglaterra en 1966, ante Uruguay. Casualmente, pese a jugar cinco Mundiales, nunca pasó la fase de grupos. Lothar Matthäus fue el segundo futbolista en disputar cinco Mundiales, con más suerte que Carbajal, ya que el jugador alemán se proclamó campeón en el de 1990 en Italia. Debutó en España ´82, y se despidió en Francia ´98. Precisamente a ese Mundial fue Buffon, pero no jugó, por lo que en 2017 lleva 4 Mundiales jugados.

El gol más rápido: El tercer y cuarto puesto del Mundial de 2002 no tenía más atractivo que el de ver a dos selecciones poco habituales en estas lides. La anfitriona Corea del Sur se enfrentaba a Turquía en la lucha por el tercer puesto, pero pronto la balanza comenzó a decantarse. Concretamente a los 11 segundos de partido. Hakan Sukur adelantaba a los otomanos tras la pérdida de la defensa coreana. El encuentro finalizó 3-2 para Turquía, pero eso fue lo anecdótico, la historia ya la había escrito Sukur.

El único gol olímpico: La probabilidad de marcar un gol olímpico no es muy alta. Por ello no sorprende que en toda la historia de los Mundiales solo haya habido un gol marcado de esta forma. Lo hizo Marcos Coll en un Colombia-URSS (4-4) disputado en Chile en 1962. Casualmente, el portero soviético en aquel partido era el considerado por muchos mejor de la historia, Lev Yashin, *la Araña Negra*, que «cantó» en aquel tanto. Este partido tuvo una curiosidad más: años después, el árbitro de aquel duelo, de origen húngaro, reconoció que fue tendencioso en ese enfrentamiento, ya que odiaba a los soviéticos.

EL ORIGEN DE LAS POLÉMICAS ENTRE REAL MADRID Y BARCELONA

El Clásico del fútbol español tiene más de 100 años de antigüedad. La primera vez que se vieron las caras fue en 1902 en Madrid, con victoria culé. Por entonces, no había una rivalidad encarnizada. Fue con el paso de los años cuando empezó este odio y esta forma antagónica de entender el fútbol. La primera gran disputa entre blancos y azulgranas se produjo en 1916, en las semifinales de la Copa. Los culés abandonaron el terreno de juego en el segundo encuentro de desempate debido a lo que consideraban un trato parcial del árbitro. Real Madrid y Barcelona pasarían a ser polos opuestos para siempre, pero lo vivido en los sesenta fue irreversible.

Culés y merengues continuaron con sus tira y afloja a comienzos del siglo XX. Particularmente recordada es la pugna por Alfredo Di Stéfano, y la no tan conocida intención de ambos equipos de fichar a Kubala. Finalmente, el primero acabó jugando en Madrid y el segundo en Barcelona. En el ocaso de sus carreras, con la Saeta ya retirada y con Kubala dando sus últimos pasos en el fútbol en Cánada, llegaría una de las grandes polémicas en la historia del Clásico. Se jugaba la temporada 1966/67 y el Real Madrid era el vigente campeón de Europa, un equipo conocido como «el Madrid de los yeyés». El Barcelona, por el contrario, no atravesaba su mejor momento.

El Real Madrid no había comenzado con buen pie la temporada. Tras perder la Copa Intercontinental ante el Peñarol, llegaba al trascendental clásico con una derrota ante el TSV 1860 Múnich en octavos de la Copa de Europa y le tocaba remontar. En liga, sin embargo, el equipo que por entonces dirigía Miguel Muñoz llegaba con dos puntos de ventaja sobre el Barcelona. La victoria azulgrana significaría el empate a puntos (por entonces, la victoria sumaba únicamente dos puntos).

El partido fue decepcionante por parte de ambos equipos La polémica llegó al decretar el tiempo añadido, ya que, sin demasiadas pérdidas de tiempo, en la segunda mitad se agregaron más de ocho minutos. En el minuto 94, el delantero blanco Veloso marcaba el 1-0, entre las protestas de los culés, que argumentaban que el colegiado estaba alargando el partido más de lo necesario. De hecho, el encuentro siguió hasta el minuto 99, algo que no se explicaba nadie, e incluso llevó a pensar que al colegiado, Ortiz de Mendíbil, del Colegio Vasco, se le había parado el reloj.

Las protestas en Barcelona fueron notorias, hasta el punto de que el club vetó al árbitro. Por aquel entonces, los equipos podían vetar a los colegiados que consideraban que les eran desfavorables. El Real Madrid, tiempo después, vetaría a Rigo, un colegiado que se hizo también famoso por un clásico, la final de Copa de 1968, conocida como *la final de las botellas*. El Barça ganó la Copa en el Bernabéu con un arbitraje discutido y que desembocó en el lanzamiento de botellas por parte de la afición madridista. Rigo declaró en 2005: «La final de las botellas me hizo antimadridista. Esa final no ha acabado nunca para mí y las secuelas han marcado para mal mi vida. Por eso siempre he preferido que le fuera mal al Madrid».

En cuanto a Ortiz de Mendíbil, fue etiquetado de antibarcelonista. Incluso llegó a salir a hombros del Bernabéu, pero no piensen mal, no le auparon los madridistas. El colegiado pitó la final de la Copa de Europa de 1969 que ganó el Milan al Ajax por 4-1 y varios jugadores milanistas le auparon, aunque el árbitro siempre ha dicho que no solo había jugadores italianos alzándole al vuelo, también había algún neerlandés. Algo inédito, jugadores de ambos equipos llevando a hombros al colegiado.

Las polémicas arbitrales entre Barcelona y Real Madrid estallaron en aquellos años tras el encuentro y el excesivo tiempo añadido por Ortiz de Mendíbil, que, por cierto, declaró que tal prolongación se debía a que había parado el reloj cada vez que hubo pérdidas de tiempo. Esto contrarrestaba la idea, sostenida por algunos, de que al colegiado se le había parado el reloj. Algo que él tachaba de absurdo, ya que disponía de dos relojes para aquel partido. Años de tensión que se siguen reproduciendo en nuestros días, pero que tuvieron su origen en los sesenta.

¿POR QUÉ A LOS ÁRBITROS EN ESPAÑA SE LES CONOCE POR LOS DOS APELLIDOS?

España es el único país en el que, por norma, se nombra a los árbitros por sus dos apellidos, el paterno y el materno. De esta forma han surgido nombres de árbitros míticos como Teixeira Vitienes, Iturralde González, Andújar Oliver o, nuestro favorito, Japón Sevilla. Muchos nombres encargados de dictar sentencia en el campo, pero que no siempre fueron conocidos por sus dos apellidos. Anteriormente solo se decía el primero y así aparecían en las crónicas, pero ¿cómo se produjo el cambio?

A finales de los años sesenta comenzó a despuntar el colegiado Ángel Franco, del Comité Murciano. Eran los últimos años de la dictadura franquista en España, pero todavía la censura estaba a la orden del día. Cuando Ángel Franco iba a subir a arbitrar a Primera, la Dictadura informó a la prensa que desde ese momento a los árbitros se les pasaba a nombrar por sus dos apellidos. De esta forma se evitaban titulares como «Franco lo hizo muy mal». Aunque no se refirieran al dictador, buscaban eliminar el doble sentido de muchos titulares. Franco pasaba a conocerse como Franco Martínez, cambiando para siempre la tradición futbolística en España.

El máximo implicado en esto, el colegiado, declaró que en sus 17 años de carrera solo había tenido problemas en una ocasión por apellidarse Franco. En los días previos a un derbi vasco que iba a arbitrar él, le llamaron para una reunión secreta en la que le informaron de que había rumores de que pretendían asesinarle en su visita al País Vasco. Se decía que primero iban a acabar con este Franco y luego con el otro. El colegiado fingió una lesión para no arbitrar aquel duelo. También añade que sabía que nunca arbitraría una final de Copa del Generalísimo mientras Franco estuviese vivo. El campo podía llenarse de insultos a Franco buscando la ambigüedad del destinatario. Un colegiado, en definitiva, condicionado por su apellido.

CITA:

El fútbol no es un deporte perfecto; no podemos pretender que el árbitro lo sea (Pierluigi Collina, exárbitro profesional).

OTRAS POLÉMICAS ARBITRALES

Simunic ve tres amarillas en el mismo partido: Durante el Mundial de Alemania 2006 se produjo un hecho sin precedentes: en un partido, a un mismo jugador se le mostraron tres amarillas. Croacia y Australia llegaban a la última jornada del grupo F jugándose todo. Ambos equipos dependían de sí mismos para clasificarse, pero el empate favorecía a los oceánicos.. Lo surrealista llegaría en el minuto 90, Simunic veía su segunda amarilla, pero no sería expulsado. El árbitro, Graham Poll, quizás aturdido por lo alocados que habían sido los últimos minutos, se olvidó de que Simunic ya tenía una amarilla. Para más inri, Simunic vio una tercera en el minuto 93 y, esta vez sí, el colegiado le expulsó.

El Barcelona en Stamford Bridge: Uno de los partidos más polémicos de la historia de la Champions tuvo como protagonistas al Chelsea y al Barcelona. Blues y azulgranas disputaban en Londres el partido de vuelta de las semis de la temporada 2008/09 tras empatar a cero en el Camp Nou. Pronto se decantó la balanza a favor del equipo londinense con un formidable gol de Essien. El partido se fue enturbiando al tiempo que la afición del Chelsea se iba calentando con cada decisión del árbitro noruego Obrevo. Los blues pidieron seis penaltis, de los cuales al menos dos eran muy claros. El colegiado no señaló ninguno y, con el gol de Iniesta en el minuto 93, el Barcelona se metió en la final. Un Barcelona de leyenda que también tuvo sus polémicas.

Corea del Sur en 2002: La habladuría popular siempre ha defendido que el anfitrión de un torneo como un Mundial suele tener trato de favor. En la mayoría de las ocasiones no dejan de ser eso, habladurías, pero lo ocurrido en 2002 merece capítulo aparte. Japón y Corea serían los primeros países en organizar un Mundial conjunto. Si bien los nipones cayeron en octavos ante Turquía, los coreanos llegaron hasta semifinales, algo histórico, pero no exento de polémica.

En la fase de grupos, Portugal se quejó del árbitro, pero lo de Italia en octavos y España en cuartos fue apoteósico. Tres malas actuaciones arbitrales que significaron la primera vez que una selección asiática se metía en semifinales de un Mundial. Allí, Alemania, cortó la racha de Corea del Sur.

LIBREPENSADORES

El fútbol ha tenido todo tipo de jugadores, desde los más formales hasta los más atípicos. Este capítulo va dedicado a aquellos que miraron al fútbol desde una perspectiva diferente, siempre con una personalidad muy marcada. Incluso, como podrán ver, no siempre han sido futbolistas aquellos librepensadores de la pelota.

EL DÍA QUE HELENIO HERRERA DEJÓ SIN VOZ A UNA AFICIÓN

Hablar de Helenio Herrera supone recordar a un ganador nato y a un entrenador de leyenda cuyo legado futbolístico será eterno. Sus métodos, revolucionarios en algunos casos, polémicos en otros, nunca dejaron indiferente a nadie. Innumerables son sus anécdotas, sus locuras y las leyendas que ha generado. Una de las más curiosas es la que se dio, según dicen algunos, en sus inicios en el mundo de los banquillos, cuando dirigía al Atlético de Madrid en un duelo contra el Sevilla.

Herrera había llegado a España en 1948 para entrenar al Real Valladolid en la primera temporada del club pucelano en la máxima categoría. Era una estación de paso para su destino, el Atlético. Y es que algunos dirigentes querían ver primero cómo se curtía en el fútbol español con un equipo más modesto. Consiguió la salvación y el Atlético no dudó en ofrecerle un contrato para la siguiente temporada.

Allí había buenos mimbres para hacer algo grande y tendría la oportunidad de dirigir a algunos jugadores de gran nivel con los que había trabajado anteriormente en Francia. Larbi Ben Barek, uno de los más grandes de todos los tiempos, era el delantero. Otro bastión de aquel Atlético era el portero francés Marcel Domingo, a quien también había dirigido en el Stade Français. Era época de posguerra y desplazarse de un lugar a otro no era sencillo, y él tenía que hacerlo antes que nadie. Por eso se subió a un tren de refugiados en París para trasladarse a Niza e intentar cerrar antes que nadie el fichaje de Domingo. En el tren, entre enfermeras, Herrera se hizo pasar por médico para no levantar sospechas. Finalmente, lo consiguió, llegó el primero y se hizo con el portero más cotizado de Francia. Y a su llegada al Atlético celebró reencontrarse con él y con Ben Barek.

En su primer año al frente del Atlético, Herrera consiguió levantar el trofeo de Liga. Algo que esperaba repetir en la siguiente campaña, la 1950/51. En una temporada legendaria, el Atleti terminó la primera vuelta en el undécimo puesto, muy cerca de la cola de la clasificación, y acabó firmando la mayor remontada de un campeón. El equipo fue de menos a más y llegó a la última jornada dos puntos por encima del Sevilla, precisamente su rival en esta. Aquel 22 de abril de 1951, Nervión era una olla a presión. Además, la Feria de Abril hacía que el ambiente de aquella semana en Sevilla fuera un hervidero.

Antes del partido, con el estadio hasta la bandera, Herrera dio órdenes a sus jugadores de no saltar al campo. Él lo haría antes. Dicho y hecho, el técnico salió de los vestuarios y nada más pisar el césped del antiguo estadio de Nervión comenzó el vocerío. La afición sevillista observaba enfurecida cómo aquel provocador les miraba desafiante. Cada segundo que pasaba, Nervión se volvía más atronador. Herrera comenzó a pasear por el césped, tranquilo, desafiante, controlando en todo momento la situación mientras la afición del Sevilla se iba calentando más y más.

Después de un buen rato soportando gritos e insultos, Herrera decide volver a los vestuarios. Allí, satisfecho, les dice a sus jugadores: «Muchachos, ya pueden salir. Les he dejado roncos». Y así fue, cuando sus jugadores saltaron al tapete de Nervión, la afición ya se había desfogado. Los colchoneros consiguieron el empate a un gol, gracias a un tanto de Ben Barek, y se proclamaron campeones.

Pero la afición sevillista no olvidó aquella ofensa, como tampoco la polémica jugada que podía haber supuesto el segundo gol del Sevilla y el título. Pero el juez de línea indicó que el balón había salido del campo antes del centro de Ayala para el gol de Araujo y el resultado quedó en tablas. Aquel día Sevilla no estaba triste, sino enfurecida. Herrera y sus jugadores tuvieron que abandonar el estadio a la carrera. Poco importó, eran los campeones. La motivación siempre fue un aspecto fundamental para Herrera. Sabía de la importancia del juego psicológico en el fútbol y por eso en aquella visita del Atlético al Sevilla lo utilizó a su favor de una forma que pocos hubieran imaginado.

ASÍ REACCIONÓ HELENIO HERRERA A LA MUERTE DE UNO DE SUS JUGADORES

La llegada de Helenio Herrera a la Roma venía avalada por sus excepcionales éxitos con el Inter de Milán. En la capital no tendría a su cargo a jugadores del nivel de los Mazzola, Corso o Suárez, pero era una etapa que se preveía ilusionante después de unos últimos meses de decadencia del conjunto interista.

En Roma las cosas no empezaron del todo bien. Solo los goles de su delantero Giuliano Taccola parecían salvar un comienzo que no estaba a la altura de las expectativas. Sin embargo, Taccola no se encontraba en las mejores condiciones físicas. Ya en verano había sufrido una dolencia cardiaca. A mediados de temporada fue ingresado por una infección de amígdalas. A Herrera, que nunca destacó por su delicadeza, aquello le importó muy poco y forzó su vuelta al equipo con tan mala fortuna que se lesionó el tobillo. Poco después, le obligó a a forzar en un entrenamiento previo a un encuentro, pero unos mareos impidieron al jugador terminar la sesión.

Finalmente se quedaría en la grada en el partido contra el Cagliari, aunque bajaría al vestuario en el descanso para animar a sus compañeros. Allí se desmayó y ya no volvería a despertar. Los compañeros de Giuliano Taccola estaban abatidos, pero Herrera tenía en mente el siguiente partido, así que decidió que emprendieran el viaje de vuelta. La sombra de la sospecha de dopaje en los equipos de Helenio Herrera siempre estuvo ahí. Igual que su «sensibilidad» a la hora de afrontar cualquier situación.

CITA:

Muchos me creen omnipotente porque dicen que conozco todo. Eso no es verdad, jamás conocí el fracaso y estoy orgulloso de eso (Helenio Herrera).

5 CURIOSIDADES DE HELENIO HERRERA

La figura de Helenio Herrera es la de uno de los más exitosos, carismáticos y polémicos entrenadores de la historia del fútbol. A lo largo de su trayectoria ha dejado para el recuerdo anécdotas y curiosidades de lo más variopintas. Estas son solo algunas de ellas...

Mintió sobre su edad. Este detalle no se destapó hasta algunos años después de su muerte. Siendo joven, adulteró su partida de nacimiento, en la que ponía que nació en el año 1910, para añadir un rabito al cero y convertirlo en un seis. Por eso, hasta su muerte todos creían que era de 1916.

El milagro que salvó su vida. En los años cuarenta, Herrera tuvo una oferta sobre la mesa para entrenar al Lorient, una ciudad francesa en la que había una base submarina alemana. Cuando llegó allí, vio el cielo nublado y notó un fuerte viento, lo que le impulsó a faltar a su cita con el presidente, que tenía ya el contrato preparado. Al día siguiente, el periódico dio una noticia: los ingleses habían bombardeado la ciudad, el estadio había quedado derruido y el presidente había perdido la vida.

Engañó a su portero. Su guardameta estaba deprimido por la ruptura con su mujer. Herrera le dijo que hablaría con ella y que estaría en la grada el día del partido. Efectivamente, llegó el encuentro y allí estaba con unas gafas de sol y un pañuelo. El portero jugó motivado y al término del encuentro fue a buscarla, pero no la encontró. La realidad era que su entrenador había contratado a una actriz de gran parecido a la esposa del jugador.

Le dejó sus apuntes a Facchetti. Herrera era meticuloso y tenía un cuaderno en el que apuntaba frases, pensamientos y detalles de su metodología. Cuando dejó los banquillos, quiso que este cuaderno lo tuviese Giacinto Facchetti, legendario lateral de su Inter. Allí estaban muchos de sus secretos y por eso, a su llegada a Milán como nuevo entrenador *nerazzurri*, José Mourinho pidió leer aquellos apuntes.

La leyenda negra del dopaje. Esta sospecha siempre persiguió a los equipos de Herrera. De hecho, Ferruccio Mazzola, hermano de Sandro, denunció en un libro que el entrenador usaba a los jugadores como cobayas, metiéndoles pastillas en el café e inyectándoles sustancias. Aquello le valió la enemistad con su hermano, en desacuerdo con lo que había dicho.

PELÉ ESTUVO EN UN GULAG

Sí, Pelé estuvo en un gulag. Bueno, no fue exactamente aquel Pelé que conquistó medio mundo en sus participaciones mundialistas y en el Santos. Este Pelé era más frío, pero solamente por su residencia, Rusia. Porque realmente era vivo en su juventud. Y bueno, considerarle como el «Pelé ruso» no sería acertado por su actitud inconformista, aunque nada forzada. Sería como James Dean, aunque, en términos futbolísticos, un George Best pero con vodka, demasiado vodka. Hablamos de Eduard Streltsov.

La historia de este futbolista ruso, nacido el 21 de julio de 1931 en Perovo (Moscú), es la de esa *celebrity* que triunfa por ser diferente al sistema en el que le ha tocado vivir. Tenía un carácter insolente, pero educado, bebía vodka hasta la saciedad y poseía un talento innato con la pelota. Sin la figura paterna por culpa de la guerra (a pesar de que volvió de ella), vivió con su madre, y lo hizo para trabajar, en una etapa de su vida, en una fábrica metalúrgica. Pero a él le salía ser distinto, por lo que a los 15 años el Torpedo de Moscú, club relacionado con los automóviles ZIL, le echó el guante tras verle jugar en el trabajo.

Pronto brilló y se puso el foco sobre él. Sus goles con el Torpedo y sus primeras convocatorias con la URSS enamoraron, sobre todo por un triplete ante Suecia y repetir ante la India con idéntico número de goles. El sistema quiso convencerle para que abandonase su club y apostara por el CSKA. Es decir, el ejército soviético o escoger al Dinamo o, lo que es lo mismo, al KGB. Y rechazó los ofrecimientos, algo que pudo generar un sentimiento poco patriótico de cara a las altas esferas.

Marco Laria, autor del libro *Mujeres, vodka y gulag*, asegura que Streltsov tenía un carácter occidental y la enorme tierra soviética no le bastaba, porque el régimen estrechaba demasiado sus fronteras. Cada vez que salía de su país, la sensación de volver le pesaba, le angustiaba. Sus goles enamoraron, para convertirse después en nominaciones para el Balón de Oro, y su actitud rebelde enamoraba, sobre todo a las chicas. Ambas situaciones fueron aprovechadas por el Estado en el momento más esperado por Streltsov, el Mundial ´58. Años antes, en los Juegos Olímpicos de Melbourne, no pudo recibir la medalla de oro, ya que los suplentes no tenían obsequio. Creyó que tendría momentos para ser recompensado, y la Suecia de 1958 sería uno de ellos.

La selección soviética estaba en Tarasovka (Ucrania) preparando la Copa del Mundo. Pero antes, Mijaíl Ogonkov, Boris Tatushin y Streltsov se fueron de fiesta a la casa de un oficial del Ejército Rojo. Allí se encontraba Marina Lebedeva, una chica de veinte años. Al día siguiente, denunciaría a Streltsov por violación, y empezó su calvario. Una trama que, según varias fuentes, fue reforzada por lo ocurrido con Ekaterina Furtseva, la primera mujer que accedió al Politburó —máximo órgano del poder soviético— y que pidió al futbolista casarse con su hija menor, con la que tuvo un romance. La negativa de Eduard: «Nunca me casaré con ese mono. Prefiero que me ahorquen antes de casarme con esa chica» pudo prender la mecha de una conspiración contra él.

Streltsov fue declarado culpable y él aceptó la condena como tal, ya que recibió la promesa de salir antes de disputarse el Mundial 58, su objetivo. Estuvo condenado a un gulag, una prisión de Siberia en la que estaba sometido a trabajos forzosos, concretamente a la manipulación del uranio para fábricas. Esta confabulación fue denunciada tanto por su familia y amigos como por los presos que se encontraban en su misma cárcel, que llegaron a organizar partidos para verle jugar. Condenado a más de una década, solo cumplió cinco años. Pero Streltsov había perdido su alegría, su ser... El sistema le había «domesticado», pero no le cortó las piernas y siguió jugando, con el Torpedo, con el que ganó una Liga y una Copa.

Falleció en 1990 a causa de un cáncer de garganta. Antes de su muerte, confesó que nunca había defendido su inocencia debido a las amenazas de muerte hacia su familia si él contaba la verdad. Y aquella chica, Marina Lebedeva, la que le cambió la vida, fue encontrada en la tumba de Streltsov, aquel que pudo ser más grande que Pelé.

CITA:

Ganar o perder, pero siempre con democracia (Sócrates, jugador brasileño de los años ochenta).

ZAMORA, PRISIONERO

Al hablar de los más destacados porteros de la historia, siempre debe abrirse un paréntesis con Ricardo Zamora, que seguramente estuvo entre los cinco o diez mejores. Como es difícil determinar quiénes están por encima y quiénes por debajo, su trascendencia no solo ha de mirarse en sus paradas, sino también en sus hechos. Y es que el Divino, como se le conocía, conquistó España antes, durante y después de la Guerra Civil.

Fue portero del Español (todavía no era conocido como Espanyol), del Barcelona y del Real Madrid. Y los que le vieron o los que escribieron sobre él aseguraban que era un guardameta sin parangón. Ágil, inteligente, valiente en los enfrentamientos..., un futbolista que defendía algo más que una portería. Cinco Copas de España y dos Ligas en su palmarés, demasiado poco para tamaños elogios. Ya, pero con una Guerra Civil de por medio y una condena a muerte sobre sus hombros.

En 1936, fue encarcelado por el Frente Popular en la prisión Modelo, tildado de fascista y condenado a ser fusilado, situación de la que se libró gracias a la ayuda del escritor y poeta Luis Gálvez, según escribió Ramón Gómez de la Serna. Muchos medios pensaron que había sido asesinado, cuando en realidad se estaba ganando el beneplácito de sus compañeros de celda. Logró un visado para irse a Francia, y viajó en un barco argentino, para terminar su carrera en Niza. «Decid en España que yo no soy fascista, que mi único deseo es regresar a trabajar», declaró al diario francés *Sport*. Volvería en 1938, siendo todavía el Divino.

ONCE IDEAL DE FUTBOLISTAS REBELDES

Ricardo Zamora: El gran portero español fue apresado por el Frente Popular por considerar que tenía unos ideales opuestos a los suyos.

Paul Breitner: Jugador alemán de los años setenta, se declaró todo un inconformista político y social. Era maoísta y lucía un cabello afro. Al fichar por el Real Madrid, le tacharon de vendido.

Lilian Thuram: Gran defensa francés que jugó en la Juventus y en el Parma, ferviente luchador por los derechos raciales.

Oleguer Presas: El defensa catalán se declaró independista y enalteció a Catalunya. Hizo carrera en el Barcelona y en el Ajax, para después formar parte de un partido político.

Rachid Mekhloufi: Este futbolista argelino de los años cincuenta se escapó de la concentración con Francia para el Mundial de 1958 con la intención de ayudar en la reivindicación de su país natal, Argelia.

Ewald Lienen: Jugador alemán conocido por sufrir una de las lesiones más graves de la historia de la Bundesliga, se reivindicó contra la violencia en el fútbol.

Sócrates: Uno de los jugadores más talentosos de Brasil en los años ochenta. Patentó la «democracia» corinthiana, rehuyendo cualquier principio que pretendiera acabar con la libertad del hombre.

Johan Cruyff: Uno de los mejores jugadores de la historia del fútbol. Fue rebelde, díscolo y desafiante en sus dos etapas, tanto de entrenador como de futbolista. Aún se recuerda su pugna con la Federación Holandesa por vestir Puma o Adidas.

Pahíño: Futbolista de los años cuarenta que jugó en el Celta de Vigo y el Real Madrid. También fue conocido por su rebeldía ante el régimen franquista.

Sindelar: El Mozart del fútbol desafió al nazismo, más allá de ser uno de los mejores delanteros de la historia.

Streltsov: Futbolista ruso que, por su manera de vivir, sufrió la represión en la Unión Soviética y fue mandado a un gulag.

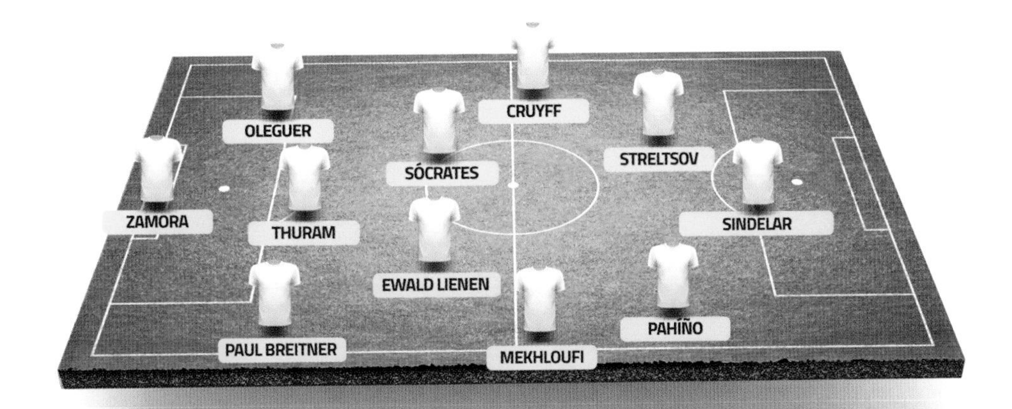

JOHAN CRUYFF NUNCA FUE UNO MÁS

Cruyff fue un hombre que destacó dentro y fuera de la cancha por su personalidad sincera, pero algo altiva, que no dejaba indiferente a nadie. Aunque el mayor ejemplo de cómo era Johan lo encontramos en el Mundial de 1974. Para la cita de Alemania Occidental, Países Bajos era una de las favoritas, en gran medida por aquel flaco que jugaba en el Barcelona y que venía de asombrar en el Ajax.

Johan Cruyff era el vigente ganador del Balón de Oro, que había ganado por segunda vez, igualando el récord que tenía en ese momento Alfredo Di Stéfano. Luego, Johan, le superaría al ganar precisamente el de 1974. Pero no adelantemos acontecimientos. Las negociaciones previas al Mundial estuvieron cargadas de tensión a tres bandas. Por un lado, estaba Países Bajos; por otro, Adidas y, por último, Johan Cruyff. ¿Adivinan quién ganó?

El motivo de la disputa era el patrocinio de la selección. Los pupilos de Rinus Michels vestirían Adidas durante la cita. Era la primera vez que la marca alemana vestía a la oranje, pero Cruyff no estaba por la labor si él no veía una parte del pastel. La selección decía que era decisión de la Federación el patrocinio, pero él argumentaba que tenía un contrato con Puma y si iba a vestir otra marca, debían pagarle por ello.

Adidas y Puma volvían a estar enfrentadas. De hecho, no habían dejado de estarlo desde su orígenes, y es que no son muchos los que saben que los fundadores de Adidas y Puma eran hermanos. Los Dassler comenzaron trabajando juntos en la fabricación de calzado, hasta que la Segunda Guerra Mundial los separó. Rudolf, fundador de Puma, combatió junto a los nazis, mientras que Adolf, conocido como Adi, siguió trabajando. El primero acusó al segundo de falta de implicación en la causa. Al término de la guerra, el segundo acusó al primero de nazi. Nunca más volverían a tener relación alguna.

En 1948, se fundaría Puma y un año después lo haría Adidas (unión del mote de Adolf, Adi, más la primera sílaba del apellido Dassler, Das). Serían enemigos acérrimos de por vida, hasta el punto de pedir ser enterrados lo más lejos posible el uno del otro. Pues bien, en 1974, con Cruyff, vivieron una nueva disputa. Johan era mucho Johan y anunció a su selección que si no le pagaban, no se pondría la camiseta de Adidas. Ante la presión de Adidas, Países Bajos terminó diciéndole a la marca que o aceptaban que todos menos Johan llevasen la camiseta o no habría acuerdo. Al final, se entendieron.

La selección neerlandesa llevaría en la cita una camiseta naranja (o blanca, si jugaba con la segunda) con tres rayas negras y unos pantalones con las mismas rayas. No habría más identificación que esa, ya que por entonces no se llevaba el logo de la marca. Pero Cruyff no lo aceptó: la estrella de la selección llevaría únicamente dos.

La historia no era muy conocida por entonces y, en un primer momento, se pensó que se debía a un error. Solo con el transcurso de los partidos comenzó a saberse la realidad. Aunque aquello quedó en segundo término, ya que la selección encandiló a todo el mundo, pese a no llevarse el trono mundialista. Caería en la final ante Alemania Federal, nunca una selección que no fue campeona sería tan recordada como aquella Naranja Mecánica, un equipo caracterizado por su apuesta por el fútbol total, en el que todos atacaban y todos defendían. Un estilo que perfeccionó Rinus Michels y que tuvo muchas influencias en el Cruyff entrenador que tiempo después haría del Barcelona el Dream Team.

Tras lo acontecido en 1974, la ausencia de Cruyff del Mundial de Argentina 1978 fue más llamativa. Durante mucho tiempo se especuló sobre los motivos de su renuncia y si estarían relacionados otra vez con la pelea entre Adidas y Puma. La versión más extendida señalaba que la ausencia se debía a la protesta del jugador contra la dictadura militar argentina. La realidad es que no acudió a la cita debido a un intento de secuestro el año anterior, tanto de él como de su familia, y prefería dejar el fútbol en segundo término. Al fin y al cabo, ni las marcas ni el fútbol son lo más importante.

LAS BOTAS QUE DIERON A ALEMANIA SU PRIMER MUNDIAL

En los años cincuenta, una selección estaba por encima del resto; de largo, además. Hungría había conseguido juntar a una serie de jugadores impresionantes que llegaban en el mejor momento al Mundial de 1954 en Suiza. Sus goleadas, 9-0 a Corea del Sur u 8-3 a Alemania Occidental, en el segundo partido, eran buena prueba de ello. También que en semifinales dejasen fuera a Uruguay. La primera vez que los charrúas eran eliminados de un Mundial, tras haber ganado los dos en los que habían participado.

La final sería ante Alemania, que ya había sido goleada en la fase de grupos. Los alemanes no eran favoritos, pero contaban con algo que los húngaros desconocían. Las botas de la selección alemana estaban diseñadas por Adidas, concretamente por el fundador de la marca, Adi Dassler, y tenían una gran novedad: los tacos se podían cambiar según la situación meteorológica. En una final en Berna en la que la lluvia fue la protagonista, los alemanes se cambiaron los tacos en el descanso.

Hungría se había puesto 2-0, Alemania igualó antes del descanso, y un gol del Helmut Rahn en el minuto 84 dio a los germanos el primer título de su historia. Luego, comenzarían las habladurías sobre un posible dopaje de los germanos. La realidad es que los alemanes ganaron gracias al uso de la tecnología, a unas botas que se adecuaban a la lluvia.

CITA:

¿Por qué no podríamos ganar a un club más rico? Nunca he visto a un saco de billetes marcar un gol (Johan Cruyff).

LO QUE HEMOS APRENDIDO DEL *DRAW MY LIFE* DE CRUYFF

Johan Cruyff nos dejó el 24 de marzo de 2016. Previamente a su fallecimiento rendimos homenaje a su trayectoria en el canal. De ese resumen de su vida nos quedamos con sus orígenes, y es que el jugador que cambió para siempre el fútbol neerlandés tuvo desde muy joven la influencia del fútbol. Su hogar de la infancia en Ámsterdam estaba a tan solo medio kilómetro del antiguo estadio del Ajax, De Meer.

La influencia del Ajax era tal en el barrio que su madre trabajó como limpiadora del club e inculcó de esta forma el germen del fútbol en Cruyff. Incluso el propio jugador llegó a desempeñar pequeños trabajos en el estadio en su adolescencia para así poder ayudar en el hogar familiar. Su padre había fallecido cuando él solo tenía 12 años. Solía echar una mano en los cuidados del césped, el terreno que mejor dominó en toda su vida. El Ajax fue, junto al Barcelona, el club de su corazón y la influencia en él del equipo de Ámsterdam la pudimos ver, desde que era muy joven, en esta anécdota que conocimos haciendo el Draw my life del jugador.

BOB MARLEY Y EL FÚTBOL

Bob Marley fue una de las figuras de mayor relevancia en los setenta, cuya forma de vida construyó a su imagen y semejanza. La música reggae y el movimiento rastafari vivieron su esplendor con el melancólico jamaicano, quien nunca perdió la sonrisa. Más allá de sus propios excesos, dejaba siempre un espacio para el deporte; el fútbol fue una de sus verdaderas pasiones. Tanto fue así que se convirtió en el principio de un fin.

Rod Stewart, Oasis o Elton John son algunos de los músicos que dejaron un espacio para una de sus aficiones, el fútbol. Su cultura british casaba con el sentimiento deportivo. Sin embargo, siempre ha sido particular la anécdota que rodea a Bob Marley y su verdadero gusto por la pelota. Era devoción absoluta, pero más concretamente en la práctica que en el seguimiento a unos colores. El jamaicano encontraba en el fútbol su mejor manera de desconectar —más aún de lo que ya lo estaba— de su propia realidad, idílica por otra parte.

«A Bob le gustaba ser centrodelantero o volante creativo. Una vez jugamos juntos en el National Stadium de Jamaica y para él supuso cumplir un sueño. Incluso en la entrada del estadio se levantó una estatua en su honor», confesó Alan Skill Cole, jugador jamaicano que conoció a la estrella del reggae y que compartió pachangas con él. En su tierra se decía que era hincha del Boys Town F. C., un equipo de menor categoría, aunque otros apuntan a que era el Santos brasileño su verdadera debilidad. Y todo por Pelé.

El cantante y guitarrista, que movilizaba masas a través de su movimiento rastafari, también lograba, sin ningún tipo de esfuerzo, organizar una pachanga cuando tenía tiempo libre o, incluso, cuando estaba de gira por el mundo. Tenía facilidad para concertar partidos y de este modo conoció a las figuras de la pelota. Se decía que había formado un equipo en Brasil para cuando pasaba por este país, en el que se encontraba Paulo César, gran futbolista en los años setenta. La leyenda dice que fue el propio fútbol lo que provocó la muerte de Bob Marley.

Pero antes de contar su muerte, habría que explicar un antecedente. Después de los conciertos, o incluso antes, solía jugar varios partidos con su banda para bajar la tensión. Aprovechando el momento, algunos periodistas se le acercaban para tener unas declaraciones del ídolo. Y siempre encontró soluciones para matar dos pájaros de un tiro. «Si quieres conocerme, tendrás que jugar al fútbol contra mí y los Wailers», llegó a decirle a un periodista en cierto momento.

En 1979, cuando se encontraba en Inglaterra, organizó un partido con periodistas y parte de la banda en Battersea Park, Londres. Se dice que un pisotón de Danny Baker, plumilla de la revista Rock and Folk, le provocó una grave herida en un dedo del pie derecho. La herida derivaría en un melanoma maligno, que se le extendería por todo el cuerpo, provocándole una metástasis incurable de pulmones, cerebro, hígado y estómago. Le dieron un mes de vida, tiempo suficiente para seguir viviendo y emocionando al público. Tres días después estaba dando un concierto en Pittsburgh. Finalmente murió un 11 de mayo de 1981. No pudo sobrevivir a aquella supuesta lesión, la que para algunos fue la verdadera razón de la muerte de Bob Marley.

CITA:

Un equipo de fútbol es como una orquesta. Cuanto más tiempo de ensayo tenga el grupo, mejor (César Luis Menotti).

JULIO IGLESIAS, NI UNA CANTADA

Julio Iglesias es conocido en España por ser un cantante internacional que ha conquistado tanto a su país como a todo el continente americano. También es famoso por sus conquistas. Un sex-symbol, en suma, que cerca estuvo de perderlo todo. No por algo malo, que realmente pudo haber llegado a serlo, sino por haberse decantado por una opción de vida completamente distinta. Para sorpresa de muchos, estuvo muy cerca de convertirse en un portero muy reconocido en el fútbol español.

Llegó a ser guardameta de las categorías inferiores del Real Madrid, actividad que compatibilizaba con sus estudios de diplomático. Dicen que llegó al primer equipo y que muchos apostaban por sus condiciones. Sin embargo, hubo un hecho que le hizo darse de bruces con la realidad. Una madrugada de septiembre de 1963, Julio Iglesias fue a celebrar la veintena con unos amigos, pero sufrió un accidente de tráfico que estuvo cerca de dejarle paralítico y que le apartó definitivamente de aquella vida que tanto le llenaba. Se refugió en la música, en su guitarra, para acabar convirtiéndose en el mejor en su sector. Todavía recuerda con nostalgia aquellos momentos en los que su vida pudo haber seguido por unos derroteros completamente distintos.

CANTANTES QUE JUGARON AL FÚTBOL

Rod Stewart: El mítico cantante londinense hizo sus pinitos en el fútbol cuando acudió a las pruebas de selección para el Brentford.

Melendi: También conocido como Ramón Melendi, estuvo en las categorías inferiores del Real Oviedo, su ciudad natal.

Robbie Williams: El que fuera cantante de Take That e hiciera después su carrera musical en solitario quiso jugar antes en su amado Port Vale.

Álvaro Benito: Quizás, uno de los mayores talentos que se perdió el fútbol. Sus lesiones en las rodillas impidieron que se convirtiera en el jugador brillante que podría haber sido. Después, formó una banda en España conocida como Pignoise.

Nicky Byrne: Destacó en la banda Westlife y brilló en las categorías inferiores del Leeds United, siendo campeón de la Copa de Inglaterra juvenil en 1997.

Luciano Pavarotti: El tenor que formó trío con Plácido Domingo y Josep Carreras era un gran aficionado de la Juventus, pero en su juventud trató de hacerse un sitio en el mundo del fútbol a través del Módena.

LA PARTICULAR PROFESIÓN DE *MÁGICO* GONZÁLEZ

El periodista español Gonzalo Vázquez, especialista en NBA, se deshacía en elogios a la hora de hablar de Manute Bol, un jugador de baloncesto de Sudán que medía más de dos metros y treinta centímetros. Lo describió como un «dibujo animado» por muchos factores: por el desconocimiento de sus precedentes, por la estética que lucía y por su talento innato para poner tapones. El público lo quería sin querer. Pues bien, en España y cambiando de pelota, sucedió algo parecido con un salvadoreño de aspecto enclenque pero con una habilidad única con la pelota. Jorge Alberto González Barillas no solo era Mágico, sino el mejor dibujo de Cádiz, una mezcla entre lo que se ve y lo que se imagina.

No cabe duda de que *Mágico* González dejó poso en España desde que las cámaras le enfocaron en el Mundial de 1982, que, precisamente, se disputó en el país. La segunda presencia mundialista de El Salvador se hizo realidad gracias a un joven futbolista, procedente del Deportivo FAS, que trataba la pelota como si fuera una prolongación más de su cuerpo. El periodista Rosalio Hernández Colorado le apodó *Mago* en un partido con el ANTEL F. C., su primer equipo, y el Club Deportivo Águila, donde Jorge pasó a ser Mágico. En un Mundial y con seudónimo de tal categoría, solo podía suceder una cosa, que varios equipos de Europa se mataran por ficharle.

Y recaló en Cádiz. Sí, un equipo que acababa de descender a Segunda División. Y no fue la única oferta que tuvo. F. C. Barcelona, Real Madrid o Paris Saint Germain fueron algunos de los clubes que se interesaron por el salvadoreño. Se dice que, con los parisinos, se le olvidó firmar el contrato; y con los catalanes —llegó a hacer gira americana con ellos—, que generaba desconfianza a Menotti, que ya tenía bastante con Diego Armando Maradona. La mejor sucedió con el Atalanta, equipo italiano al que le dio la negativa porque en Bérgamo no se comía *pescaíto* frito. En resumen, la ciudad de Cádiz fue perfecta para Mágico, y esa sensación la tuvo nada más aterrizar.

Es una leyenda que permanece viva por sus historias tanto dentro como fuera del campo. Él trabajó su mito en ambos aspectos. En el plano futbolístico, se le atribuyen jugadas inimaginables, como un golazo en 1986 ante el Racing de Santander que lo firmaría el mismo Maradona; y otras tantas que no fueron verdad, como el mito que se extiende en relación con el partido contra el F. C. Barcelona: el Cádiz iba perdiendo 0-3 y acabó 4-3 cuando Mágico salió al campo, con dos goles y dos asistencias. Se podía hacer cualquier fábula con él porque tenía las condiciones para ser el protagonista en vida, pero muchos querían contar una historia inédita de este dibujo animado aunque no fuera cierta.

Con respecto a la vida extradeportiva, nadie negará que influyó en la deportiva. A Jorge le gustaba jugar cuando le apetecía, cuando le nacía... Para él no era una profesión. Por ello, tenía una vida cambiada. Disfrutó muchísimo de la ciudad de Cádiz, de su comida y, sobre todo, de su fiesta, que le llevaba a tener un *jet lag* constante: despierto de noche y dormido de día. Y no solo amó a las damiselas gaditanas, sino también a toda su gente. Los que lo recuerdan apuntan que fue una persona servicial y agradable en el trato.

Cádiz fue su vida. De hecho, cuando salió para fichar por el Real Valladolid, no duró un año, ya que los vallisoletanos quisieron controlarlo demasiado. Se dice que le contrataron un chino para que le vigilara. A él nadie podía controlarlo y volvió al sur de España para otros seis años. Dejó ese recuerdo inigualable y volvió a El Salvador. Le dio tiempo a vivir en Estados Unidos, concretamente para estar en el Houston Dynamo, donde llegó a ser segundo entrenador. Esta reseña no tiene nada de peculiar, pero sí su otro oficio en la ciudad americana. En su tiempo libre, era taxista. Y, claro, del bueno de Mágico te podías esperar cualquier cosa, aunque fuera la más mundana e imprevisible del mundo.

Sus historias todavía se recuerdan en El Salvador y en Cádiz. Los dibujos animados existieron y eran capaces de hacer felices a los que lo vieron. Mágico podía ser un personaje de Walt Disney, de eso no cabe ninguna duda.

CITA:

En el fútbol juegan la fuerza, la inteligencia y la picardía sana del jugador (Mágico Gonzalez).

UN FUTBOLISTA PIZZERO

Gianluigi Lentini fue uno de los mejores jugadores italianos a principios de los años noventa. Fue un atacante que empezó en el Torino, uno de los equipos que más cuida su cantera, y llegó a eliminar al Real Madrid en la Copa de la UEFA de 1992 antes de disputar la final contra el Ajax, que supuso un batacazo para los *granata* al caer derrotados. En esa generación destacaba Lentini, deseado por los equipos punteros de Italia. Rápido, talentoso y efectivo..., estas cualidades hacían ver que su salida sería algo cara.

El A. C. Milan de Silvio Berlusconi, por entonces la referencia económica del fútbol italiano, pagó 17 000 millones de liras por el jugador de Carmagnola, convirtiéndole así en el fichaje más caro de la historia del Calcio. Sus expectativas eran gigantes, pero muy pronto se truncaron. En una madrugada de agosto de 1993, el futbolista sufrió un gravísimo accidente de tráfico mientras viajaba de Génova a Turín. Según el diario *El País*, que recogió la noticia, el futbolista salió despedido del coche y sufrió un traumatismo craneal severo que le dejó en coma inducido. La carrera del futbolista daría un giro inesperado.

El propio Martín Vázquez, excompañero de Lentini en el Torino, aseguró que no le extrañaba nada porque «iba muy deprisa por la vida». Y desde entonces, su carrera deportiva no fue tan frenética, sino todo lo contrario. Se inició una debacle que llevó al futbolista a deambular por la Serie A con más pena que gloria. Acabada su carrera en 2009, decidió dedicarse a los negocios y se hizo... ¡pizzero! La cadena Lentini's, que regenta con varios socios, se está popularizando en Turín. Ahora, su nueva carrera será más lenta, no querrá ir tan rápido y sabrá que hubo una vez en que, para muchos, fue el mejor.

LO QUE HEMOS APRENDIDO DEL *DRAW MY LIFE* DE MÁGICO

Una de las mejores historias que puede definir a *Mágico* González fue la ocurrida en la gira americana que hizo con el F. C. Barcelona de César Luis Menotti. Diego Armando Maradona, maravillado con el talento del salvadoreño, suspiraba por su fichaje, que parecía hecho. Llegó a jugar dos partidos que, según cuentan, enamoraron a los asistentes. Lo práctico confirmaba lo evidente. Mágico sería jugador culé.

No obstante, durante la concentración en un hotel de California, saltó la alarma de incendios y todos los huéspedes tuvieron que salir, menos Mágico, que estaba algo ocupado con una chica en su habitación. Aquello hizo que Menotti tomara una decisión contraria a la que tenía prevista. De esta manera, permanecería en Cádiz para extender el mito lo máximo posible. Pero, de veras, qué bonito hubiera sido ver jugar a Maradona y a Mágico juntos.

EL JUGADOR ANTISISTEMA

El fútbol también crea etiquetas. No hablamos de apodos, sino de estigmatizar a un futbolista por su pensamiento o por sus ideales. «Zapatero a tus zapatos», que diría el otro. Sin embargo, se agradece que haya profesionales interesados en lo que sucede en su entorno. Uno de ellos lo vio tan claro que tomó una decisión pocas veces vista.

Javier Poves es un chico que nació en Madrid e hizo carrera en algunas de las mejores canteras de la capital. Salió de las categorías inferiores del Atlético de Madrid y deambuló por equipos como el Navalcarnero, Las Rozas o el Rayo Vallecano. Era un central rápido al que se le pronosticaba un buen futuro. Tanto es así que fichó por el Sporting de Gijón, club con el que llegó a estar dos temporadas en Segunda B con el filial. E, incluso, le llegó la oportunidad de debutar en Primera División con el primer equipo, en la última jornada de la temporada 2010/11 ante el Hércules. El gran Manolo Preciado le sacó para los últimos diez minutos. Pintaba bien el chico.

Él se entretenía de manera diferente a sus otros compañeros. En las concentraciones, devoraba libros, sobre todo aquellos que tenían un poso político o socioeconómico, desde *El capital*, de Karl Marx, hasta *Mein Kampf*, de Adolf Hitler. Tenía inquietudes y una forma de pensar que le orientaban en una dirección distinta a la del fútbol. Se dio cuenta de que ya no le llenaba y, con 24 años, decidió dejar su profesión. «El fútbol profesional es solo dinero y corrupción». Es capitalismo, y el capitalismo es muerte. No quiero estar en un sistema que se basa en que la gente gane dinero gracias a la muerte de otros», declaró. Sentía que el mundo en el que había estado toda su vida estaba podrido.

«Cuando era pequeño, jugaba por amor al deporte, pero cuanto más conoces el fútbol, más te das cuenta de que todo es dinero, de que está podrido, y se te quita un poco la ilusión», remarcó en una entrevista para el diario *Nueva España*. Y fue tajante con su decisión. Fue a las instalaciones de Mareo y firmó la rescisión del contrato. Comenzaría así una nueva vida, dando prioridad a su carrera de Historia en la UNED.

Era un espíritu demasiado libre que llegó a ser muy crítico con todo. De hecho, en más de una ocasión, habló en demasía y fue señalado por ello. «En vez de tanto 15-M y tanta hostia, lo que hay que hacer es ir a los bancos y quemarlos, cortar cabezas. La suerte de esta parte del mundo es la desgracia del resto», juzgó en referencia a un movimiento social ocurrido en España. En definitiva, y el propio Poves lo confirmaría, no tenía ninguna preferencia política. Ni de izquierdas ni de derechas, soltó, confiado, lo siguiente: «Creo que lo llaman antisistema».

Y a partir de ahí, este madrileño se convirtió en un futbolista antisistema, un *rara avis* que quería formarse y viajar por todo el mundo. Y así lo hizo: «Me fui a vivir a Senegal; de ahí a México, Cuba, Venezuela y vuelta a Sudamérica. Luego tuve una novia rusa y me reuní con ella en Buenos Aires; decidimos ir a Rusia, vivir en Siberia, y después viajé a Irán». Le ha dado tiempo hasta de convertirse al Islam, religión con la que se sentía más identificado. De una manera u otra, se recorrió el mapa y quiso dar estabilidad a su cabeza y a sus pensamientos. Quiso emprender y lo hizo en el sector que mejor conocía. En 2016, fundó el Móstoles Balompié, un equipo de fútbol dedicado a los más jóvenes y preocupado de inculcar unos buenos valores. Sin tener ninguna pretensión económica, lo único que quiso es que sus jugadores sacaran adelante sus estudios y supieran inglés. No quería que los niños fueran mercancía en España, como se sintió él en el Atlético de Madrid, y por ello llevó a cabo el proyecto.

Aún piensa que dejar el fútbol fue la mejor decisión que tomó en su vida. Todavía seguirá con la etiqueta de antisistema, pero nadie le puede quitar la razón en una de sus declaraciones. «El fútbol siempre lo puedes jugar con tus amigos». Visto así…

CITA:

El fútbol tiene la significación de una guerra sin muertos, pero con conflicto. Con drama, reflexión e ironía. Y amalgama a la familia, cosa que no consigue la política. (Osvaldo Soriano, escritor argentino).

DE FUTBOLISTA A TERRORISTA

Las vueltas que puede dar la vida. Si no, que se lo hubieran dicho a Burak Karan, un joven turco-alemán que estuvo en las categorías inferiores de equipos como el Bayer Leverkusen, Hertha Berlín, Hamburgo y Hannover, además de ser internacional con Alemania sub-17, donde compartió vestuario con Kevin Prince Boateng y con Sami Khedira, ahora referencia de la Mannschaft. El joven Burak tomó una decisión equivocada y pagó demasiado caro ese cambio, aunque fue una decisión propia.

Como ha sucedido en otras ocasiones, el foco de algunas organizaciones terroristas suelen ser los más jóvenes, más si cabe si sus fundamentos son radicales. En 2008, dejó el fútbol para ser seguidor de Emrah Erdogan, perseguido en Alemania por pertenecer a organizaciones de dicha índole. En el momento en que estalla la guerra civil en Siria, Burak decide unirse a la *yihad* para luchar contra los infieles. Su propósito y el de su grupo era el retorno a los orígenes del Islam. «Comenzó a hacer colectas de dinero y víveres. Y cuando supo que muchas veces la ayuda no llegaba a su destino, se mudó con su esposa e hijos a la frontera siria con Turquía», confesó su hermano en una entrevista al diario *Bild*.

Pronto salieron a la luz imágenes del exfutbolista portando armas, preparado para la lucha. Perdería la vida el 11 de octubre de 2013 en un ataque aéreo dirigido a Bashar Al-Assad. Muchos aseguran que Burak Karan iba a ser una de las grandes estrellas del fútbol alemán, porque talento le sobraba. Una vida y un talento desperdiciados.

ONCE IDEAL DE JUGADORES QUE FUERON POLÍTICOS

Leo Holm Johannesen: Actualmente, este jugador que tuvo cuatro convocatorias con las Islas Feroe, es el primer ministro del país.

Tomás Reñones: Defendería la camiseta del Atlético de Madrid durante más de una década. Cuando se retiró, fue concejal de Deportes en el Ayuntamiento de Marbella. Años después, sería condenado por el Caso Malaya y entraría en la prisión de Alhaurín de la Torre.

Kakha Kaladze: Defensa sobrio del AC Milán y del Genoa de nacionalidad georgiana. Uno de los partidos políticos del país, Sueño Georgiano, le ofreció un puesto relevante en las listas electorales. Ganaron y fue ministro de Energía. Años después, llegó a viceprimer ministro.

Oleguer Presas: Zaguero del F. C. Barcelona muy reivindicativo, sobre todo en lo político. Declarado defensor de la independencia catalana, cerró la lista de la Candidatura de Unidad Popular en las elecciones catalanas.

Marc Wilmots: Conocido jugador del Standard, del Schalke y exseleccionador de Bélgica, hizo sus pinitos en política siendo senador del partido liberal Movimiento Reformista en 2003.

Yordan Letchkov: Brilló con Bulgaria en 1994, antes de convertirse en alcalde de la ciudad de Sliven, donde fue condenado a tres años de cárcel por abuso de poder y malversación.

Gianni Rivera: Una de las grandes leyendas del AC Milan en los años sesenta y setenta. Fue secretario de Defensa en el Gobierno de izquierdas de Romano Prodi.

Luigi Martini: Participó en uno de los bandos enfrentados en la Lazio de las Pistolas, y después fue diputado por el partido político Alianza Nacional.

Romário: La leyenda brasileña recibió casi cinco millones de votos en el estado de Río de Janeiro. Se presentó a senador tras ejercer cuatro años como diputado en el Congreso Nacional.

Oleg Blokhin: La gran leyenda ucraniana del Dinamo de Kiev inició su carrera política al retirarse del fútbol. En 2002, sería elegido diputado por el partido socialdemócrata.

George Weah: Este gran delantero liberiano del AC Milan y del PSG se postuló para la presidencia de su país. Ganó en la primera ronda de votos, pero no en la segunda. Al cabo de los años, llegó a ser senador de Liberia.

TRAGEDIAS EN EL FÚTBOL

Siempre se recuerda, de una forma más marcada, las tragedias antes que los buenos momentos. Aquellas amarguras, muchas veces transcendentales, han cambiado la historia del fútbol. Muertes repentinas, accidentes aéreos o suicidios que determinan un antes y un después. Este capítulo va en su memoria.

EL PORTERO QUE SALVÓ A SUS COMPAÑEROS DE LA MUERTE

La historia de Harry Gregg va de la mano de otros muchos futbolistas del Manchester United que fueron fichados por el gran manager Matt Busby. A sus chicos les conocían como los Busby Babes, ya que realmente todos ellos eran demasiado jóvenes como para competir en la máxima categoría inglesa. Lo que hizo aquel dirigente fue asegurar la permanencia de los 'red devils' en los siguientes años. Pero el fútbol se detuvo en 1958, o al menos se paralizó unos instantes.

Recapitulando, el Manchester United cogió la Copa de Europa con ganas en su tercera edición. Había eliminado al Dukla de Praga y al Shamrock Rovers y su siguiente rival era el Estrella Roja. Querían pasar a semifinales y quitarse la espina del año anterior, donde cayeron en semifinales ante el Real Madrid de Di Stéfano, un partido en el que les faltó experiencia. En el encuentro de ida ante los yugoslavos, los ingleses habían logrado un beneficioso 2-1 en casa, yéndose a Belgrado para jugar la vuelta el 5 de febrero de 1958. Bobby Charlton, que acababa de empezar, hizo doblete y ayudó a los suyos en un resultado final que acabaría 3-3. El Manchester United pasaba la eliminatoria y tendría que jugar contra el Milan para acceder a la final. Con el trabajo hecho, el regreso a casa estaba programado para el día siguiente.

El equipo cogió el avión «Elizabethan» desde Belgrado rumbo a Londres, pero antes harían escala en Múnich para repostar combustible. Los futbolistas pudieron estirar las piernas y descansar antes de volver a subir. Estaba nevando y los alrededores de la pista estaban cubiertos de un manto blanco. Era momento de volver. El piloto del aeroplano realizó dos maniobras de despegue fallidas. El aparato no se elevaba pero la insistencia del que maniobraba era mayor. Al tercer intento, se le acabó la pista y el avión siguió sin coger el suficiente vuelo, hasta que se estrelló con una casa que había por la zona, partiendo en dos el transporte.

Todo hacía presagiar que uno de los mejores equipos de Europa había dejado de latir en aquel accidente. Sin embargo, pasados unos minutos, entre los supervivientes hubo quienes comenzaron a desabrocharse los cinturones de los asientos para pedir auxilio. Uno de ellos fue Harry Gregg, que llegó un año antes al club por su capacidad para dominar el área. El norirlandés no se dejaba tumbar por cualquier cosa. Y en el caso de aquel avión no iba a ser menos. Con un corte en la cabeza por el que no paraba de sangrar, desoyó los consejos del capitán de la aeronave, James Thain, que le pedía a gritos que corriera y salvara su vida, pues aquello estaba a punto de explotar.

Harry Gregg, pese a la debacle, se levantó y salvó a varias de las personas que se encontraban entre el fuselaje. Una de ellas fue Vera Lukic, mujer de un diplomático yugoslavo que estaba embarazada. Este dato lo supo Gregg años después, cuando le explicó al guardameta que rescató dos vidas en una. Además, le dio tiempo a recoger a Bobby Charlton, Dennis Viollet y Jackie Blanchflower, jugadores del Manchester United. Los dos primeros fueron muy afortunados, ya que les habían cambiado el sitio a David Pegg y Tommy Taylor antes del despegue, para poder dormir. Ambos futbolistas fallecieron. Otro de los rescatados fue el manager Matt Busby, que llegó a recibir hasta en dos ocasiones la extremaunción.

Siete futbolistas perdieron la vida en el momento, sobre todo aquellos que se encontraban en la cola del avión. Además de asistentes del club, periodistas y tripulación, algunos de los heridos que llegaron al hospital de Múnich fallecieron poco después. Entre estos estaba el célebre Duncan Edwards, al que muchos ya catalogaban como uno de los mejores centrocampistas del mundo. El propio Bobby Charlton, leyenda del club, confesó que nunca se ha sentido tan pequeño ante ningún rival como ante él.

El propio Harry Gregg afirmó que jamás volvió a hacer un viaje en avión; que el barco, el coche o el tren eran su zona de confort tras lo ocurrido. Junto con Charlton, son los dos únicos que pueden hablar de lo ocurrido, dos personas que vieron a la muerte de cara. Por suerte, estaba Gregg para detenerla.

DE PORTERO DEL CITY A PERIODISTA

Los que saben de fútbol británico dicen que el deporte de las Islas perdió mucho con la muerte de Frank Swift. Su historia es una de las más peculiares, pero, antes de contarla, hay que reseñar sus credenciales. Si muchos eruditos creen que Swift merece prestigio, fue por sus paradas en el Manchester City, equipo en el que se mantuvo toda su carrera. Era un prodigio bajo los palos, que revolucionó la posición más allá de lo básico del guardameta, detener balones. Según cuentan, tenía rigor al sacar la pelota y lideraba a su equipo desde la zona más retrasada del campo. Antes de que comenzara la Segunda Guerra Mundial, solo faltó a un partido. Su compromiso era total.

Se dice que, en la historia de los guardametas ingleses, Gordon Banks es el único que puede mirarle a la cara, aunque fue el conflicto bélico lo que impidió ver la mejor versión de Swift. Iniciada la guerra, el fútbol se mantuvo a la espera. Y cuando volvió, un encuentro todavía permanece en la memoria, el que enfrentó a Inglaterra con la Italia del Grande Torino, diez de cuyos jugadores formaban parte de la selección nacional. Ganaron los ingleses por cuatro a cero, pero no tanto por el acierto de estos como por las paradas de Frank, que estuvo inconmensurable.

Años después, cumplidos los 36, decidió dejar el fútbol para dedicarse a una de sus pasiones, el periodismo. Fue trabajador de *News of the World* y cubrió algunos de los mejores eventos del momento en Inglaterra. Uno de ellos fue el partido de cuartos de final que jugaría el Manchester United contra la Estrella Roja, en 1958. Invitado por Matt Busby, acudió al encuentro y permaneció con los *red devils* en todo momento. Y el resto de la historia es ya conocida. Lamentablemente, Swift perdió la vida en la Tragedia de Múnich. Una pena que no todas las paradas en la vida valgan lo mismo.

EQUIPOS SINIESTRADOS EN ACCIDENTES AÉREOS

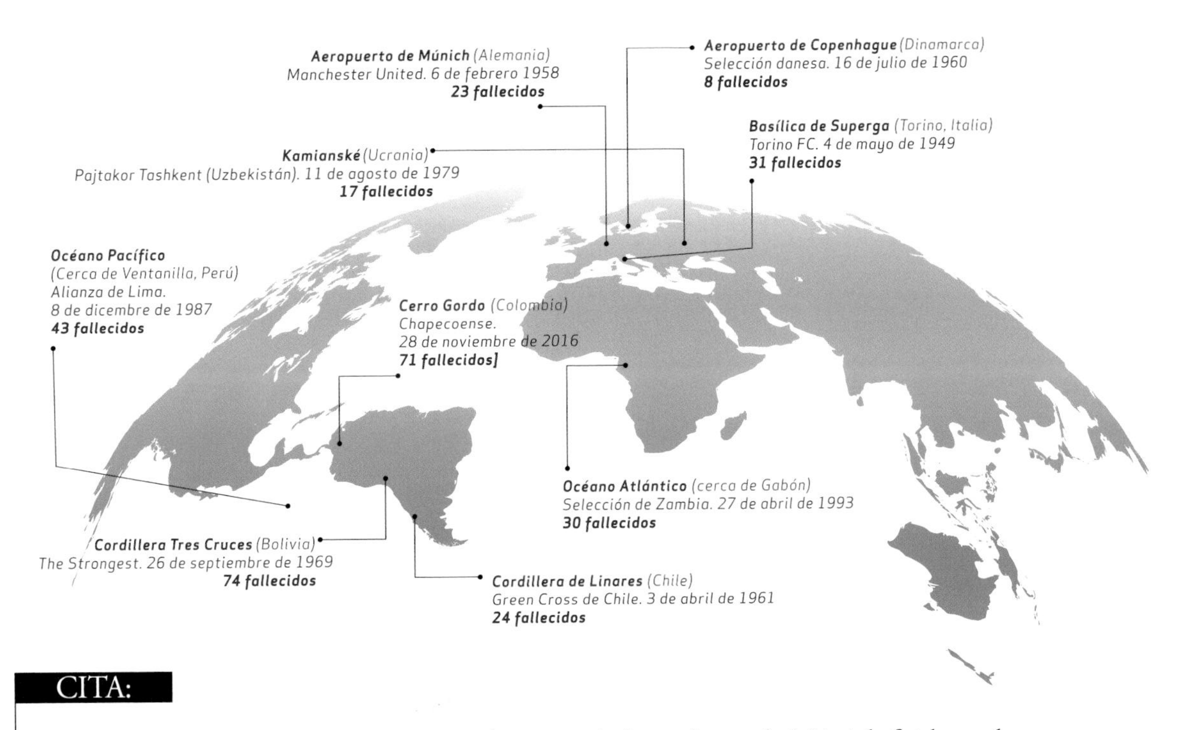

CITA:

Mi carrera es milagrosa porque cuando ocurrió el accidente de Múnich fui lanzado fuera del avión. Me pasó poca cosa. Una pequeña contusión, unos pocos arañazos y eso fue todo. Cuando ves todos los chicos que murieron allí..., eso es tener suerte. (Bobby Charlton, leyenda del Manchester United).

GIGI MERONI Y LAS CATASTRÓFICAS DESDICHAS DEL TORINO

El fútbol tiene una deuda con el Torino, que empezó a fraguarse en la Basílica de Superga. Allí se estrelló el Fiat G.212 que llevaba al equipo desde Portugal a casa, a Turín, tras un partido homenaje contra el Benfica. Se dice que el piloto no pudo apreciar la colina por la densa niebla y el mal ambiente que había en ese momento. 18 jugadores perdieron la vida en el accidente aéreo, para un total de 31 víctimas mortales, sumando tripulantes, periodistas y miembros de la directiva del Torino. A los piamonteses les costó reconocerse en el Calcio, y tardaron bastante hasta encontrar un icono al que abrazarse, como fue el caso de Gigi Meroni, la *farfalla granata*.

Cuando ocurre la tragedia de Superga, Meroni tiene seis años y reside en Como. Sin la figura paterna y con una madre con problemas económicos, el joven de una familia de tres hermanos aprende los oficios de la casa. Si en parte fue un artista es porque, siendo aún un mozo, ya diseñaba y confeccionaba corbatas, además de pintar. Lo llevaba dentro, al igual que sus primeras patadas a un balón en el campo parroquial del oratorio de San Bartolomeo. Su madre, Rosa, evitó que el Inter de Milán le echara el guante, aunque permitió que se curtiera en las filas del Como a cambio de una asignación económica mensual. Debutaría en Serie B y pronto firmaría por el equipo más antiguo de Italia, el Genoa. Dos temporadas que le sirvieron para seguir progresando hasta acabar donde todo acabó, en el Torino, que pagaría 300 millones de liras. Nereo Rocco, leyenda del Calcio en los banquillos, sería el técnico de la reconstrucción *granata*.

Fue allí donde mostró verdaderamente que era un jugador superlativo, con unas condiciones abrumadoras para conducir la pelota y desbordar. Sin duda, uno de los mejores extremos de Europa. Y también un artista tanto dentro como fuera del campo. La conexión con Turín no solo fue balompédica, sino también social. Era un rebelde. No se cortaba el pelo —estuvo cerca de quedarse fuera del Mundial ´66 por ese motivo—, se dejaba patillas, escuchaba a los Beatles, sacaba a pasear una gallina y se escapaba de las concentraciones para ver a su amada Cristiana, a la que conoció en Génova y que estaba casada con un hombre vinculado al séptimo arte. Era peculiar e inconformista, pero marcaba una tendencia que fue seguida por los niños turineses, que imitaban todos sus gestos. Era un icono.

«Meroni es del Toro, no puede marcharse» fue la frase que el Torino dirigió a la Juventus cuando los *bianconeri* se interesaron por él en el verano de 1967. Estaban dispuestos a pagar 500 millones de liras. El pueblo *granata* se levantó cuando supo que su estrella podía salir de la entidad. Era demasiado doloroso verle con el rival, aunque lo fue aún más verle por última vez sobre el pavimento de la ciudad en una trágica tarde de octubre de ese mismo año.

El Torino se medía a la Sampdoria y cosechó una victoria contundente por 4-2. Los *granata* estaban pletóricos con tres victorias y un empate. Parecía que Meroni no tenía límite para llevar al equipo a lo más alto. Después del encuentro, Fabrizio Poletti (su mejor amigo en el equipo) y él se saltan la concentración postpartido para tomarse un helado frente al hotel y llamar a su novia Cristiana para hacerle saber que no llevaba encima las llaves de casa. En la Vía Corso Re Umberto, un coche se cruza en su camino. Poletti lo esquiva. No así Gigi, que en unos segundos yace muerto sobre el suelo. Aquel Fiat 124 Coupé lo conducía Attilio Romero, fanático del Torino y fiel seguidor de Gigi Meroni, al que imitaba en todos sus gestos. Llamó a su padre, que era médico, tratando de salvar la vida de su ídolo. El Torino volvía a perder a uno de sus iconos.

La historia del Torino es extraña, porque en todos sus relatos parece haber una interconexión de fondo. Así, Attilio Romero, el aficionado que atropelló a Meroni, se convirtió años después en presidente del Torino. Y aún hay más: el piloto del avión que se estrelló en Superga se llamaba Gigi Meroni, como la *farfalla granata*.

DOS SUPERVIVIENTES EN SUPERGA

Puestos en materia, se sabe ya la trascendencia que tuvo la tragedia de Superga en el Torino y en el fútbol italiano, pues se perdió la estructura del mejor club de Europa, del que, con los años, se dijo que podría haber ganado las primeras Copas de Europa sin remangarse.

Pero no todo se quedó en aquel murete de la Basílica. Hubo supervivientes. Bueno, más que eso, hubo fortuna en la vida de dos futbolistas que, de una manera u otra, nunca se subieron a ese avión.

Sauro Tomà era un joven defensa del Torino que se sentía un privilegiado por formar parte de la mejor plantilla del Calcio. Sin embargo, el entrenador, Lesley Lievesley, le pidió que no viajara con el equipo al partido homenaje que jugarían en Lisboa contra el Benfica. El motivo era una lesión de menisco. Le aconsejó reposo y entrenamiento para que volviera en las mejores condiciones posibles. Solo le pidió un poco de paciencia. De toda ella tendría que valerse cuando se enteró de que todos sus compañeros habían fallecido aquel 4 de mayo de 1949.

Otro futbolista que sorteó la muerte fue Ladislao Kubala. Quien fuera una de las estrellas del Barcelona tuvo que refugiarse en Italia por la situación política en Hungría, así como en Checoslovaquia, de donde procedía su mujer, Anna Viola Daucik. Decidió escapar y fue perseguido por la Federación Húngara siendo ya un jugador de categoría mundial. En el país de la bota, le dio tiempo a jugar amistosos con el Pro Patria, el Inter de Milán y el Torino, que le invitó al partido homenaje del Xico Ferreira en Lisboa. El mismo día del vuelo, Kubala recibió la noticia de que su mujer y su hijo habían logrado escapar de Checoslovaquia y podían reunirse con él en Udine. No cogió ese avión y pudo acabar convirtiéndose en estrella blaugrana.

ONCE IDEAL HISTÓRICO DEL TORINO

CITA:

Siempre se puede ganar en el fútbol; lo importante es no ser reacio a los cambios (Valentino Mazzola).

EL FANTASMA DE WHITE HART LANE

Retruena en el norte de Londres. Los relámpagos no sobrecogen a los aficionados del Tottenham porque en White Hart Lane se sienten cómodos, como si el mismo gallo que vigila el estadio tuviera la función de un pararrayos. Quizás esa apreciación de comodidad no tiene la misma validez en la metrópoli que en otro lugar del mundo, porque, en definitiva, el estereotipo de ciudad lluviosa y tormentosa siempre queda. Solemos dejamos llevar por los tópicos, pero, desoyendo a los cenizos y a los agoreros, los *supporters* de los Spurs salen a la calle radiantes de felicidad cuando el tiempo empeora, y más si cae algún que otro trueno por la zona. Y es que solo una historia esotérica podría avalar dicha locura.

Cuenta la leyenda que White Hart Lane tiene un fantasma que deambula por todos sus rincones y que solamente se manifiesta cuando hay tormenta. Dicen que The Ghost es el mismo que electrifica el ambiente con objeto de manifestar su presencia en un partido de la Premier League. Los Spurs y la afición saben que juegan con doce. El espíritu de John White está presente.

John White forma parte de esas historias trágicas del fútbol, de aquellas que acaban con una frase como «lo que podría haber sido…». No obstante, en los años cincuenta y sesenta se pudo ver a un menudo jugador driblar y mover el esférico con la autoridad de una estrella. Alloa Athletic y Falkirk fueron las humildes credenciales para que el Tottenham desembolsase un montante total de 22.000 libras esterlinas. Los londinenses necesitaban un jugador con dotes de estrella que se complementase con otros grandes profesionales, como Terry Dyson. Después llegarían otros, como Jimmy Greaves, pero seguiría siendo White el que tuviese el gen diferencial.

Danny Blanchflower, eterno capitán de los londinenses, presumía de la relevancia de su compañero en todos sus extremos. «Aparecía y desaparecía como y cuando quería. Era tan rápido que parecía invisible. Era como un fantasma. No podías verle, pero estaba así. Siempre estaba ahí», declaraciones que trataban de enaltecer a un hombre que pudo reinar, como bien recoge la historia y los testimonios el mismo Rubén Uría en su libro *Hombres que pudieron reinar*. Seguramente, hasta la misma sentencia de Blachflower podía evidenciar cuál sería el funesto futuro de John White.

Tras obtener First Division, FA Cup y una Recopa —ganó al Atlético de Madrid—, con una vida de ensueño, vio como todo acababa en el hoyo 18 del club de golf de Crew Hill. White quería terminar la partida que estaba disputando con unos amigos. Una tormenta arreciaba sobre sus cabezas, convirtiendo el pausado e inofensivo deporte en una atracción fatal. El jugador del Tottenham decidió refugiarse bajo un árbol a la espera de que escampase, una ilógica decisión que no se correspondía con su sensatez futbolística. Blanchflower, aun desde una perspectiva balompédica, no se equivocó al referirse a su poder eléctrico, porque solamente eso pudo acabar con él. Un rayo atravesó por la mitad al centrocampista y lo convirtió en leyenda y, a su vez, en un fantasma. A partir de ese momento, el Tottenham jugaba con doce cuando sucedía la tormenta. Así ha de permanecer el mito porque el fútbol se perdió a un gran jugador.

CITA:

¿Cómo vas a saber lo que es la vida, si jamás jugaste al fútbol? (Gonzalo Grass).

¿CIENCIA O BRUJERÍA?

La siguiente historia puso un debate sobre la mesa. En varios países africanos, todavía se organizan por culturas tribales, lo que los occidentales asocian con algún tipo de esoterismo, tradiciones al fin y al cabo. La hechicería y la brujería todavía están a la orden del día. A este respecto, en 1998 sucedió algo que empezó a ser explicado como un hechizo para finalmente considerarse dentro de toda lógica.

En la República Democrática del Congo se jugó un partido en la región de Kasai, entre el Bena Tshadi, como local, y el Basanga, visitante. El encuentro marchaba 1-1 mientras la lluvia convertía el juego en un duelo impracticable. Pero todo se iba a complicar mucho más. De repente, un rayo cayó sobre el césped, provocando que los futbolistas locales cayeran desplomados por la descarga eléctrica. Los visitantes, en cambio, quedaron ilesos. Algunos de los asistentes sufrieron quemaduras. El periódico *L'Avenir*, de Kinshasa, publicó lo siguiente: «El rayo mató de golpe a 11 jóvenes jugadores de entre 20 y 35 años que disputaban un partido de fútbol. Los atletas de Basanga curiosamente salieron indemnes de la catástrofe». Todo un misterio.

Muchos atribuyeron esas muertes a un chamán que les había embrujado, pero la explicación real tiene más lógica: los futbolistas del Bena Tshadi calzaban botas con tacos de aluminio, mientras que los del Basanga eran de goma. La conducción en la descarga es mucho mayor con metal, mientras que la goma es un material neutralizador. Misterio resuelto.

CINCO MUERTES EXTRAÑAS EN EL FÚTBOL

Hernán Gaviria y Giovanni Córdoba: Estos dos futbolistas de Deportivo de Cali también fallecieron a causa de un rayo, que les atravesó durante un entrenamiento. De hecho, antes del ejercicio, el primero se quitó las cadenas y colgantes que llevaba y dijo: «Yo. gracias a Dios, no voy a morir por un rayo».

Peter Dubovsky: El que fuera jugador del Real Oviedo y Real Madrid falleció cuando visitaba las cataratas de la isla tailandesa de Ko Samui, en Tailandia, al caerse por una de ellas desde una altura de 20 metros.

Jacobo Urso: Era una de las estrellas de Argentina y jugador de San Lorenzo. En un lance de un partido frente al Club Atlético Estudiantes chocó con dos rivales. El impacto le rompió una costilla que le perforó el riñón. Escupió sangre, pero no quiso dejar a su equipo con uno menos. Al acabar, fue trasladado al hospital, donde falleció tras ser intervenido de urgencia.

Donato Bergamini: Futbolista de los ochenta que jugó en el Cosenza y que falleció con 27 años en extrañas circunstancias. Fue encontrado en una cuneta, supuestamente tras ser atropellado por un camión. El cadáver no presentaba ninguna magulladura y los zapatos estaban limpios, lo que no parece corresponderse con un accidente de ese calibre. El padre de Donato asegura que su compañero de equipo Michele Padovano, exjugador de la Juventus, conoce el motivo del fallecimiento, aún sin desvelar.

Willy González: Este futbolista chileno que jugó en el Cobreloa y el O'Higgins, entre otros, falleció en un accidente doméstico, al fallar el sistema de gas y producirse una explosión que quemó el 90 % de su cuerpo. Falleció en Santiago al llegar al hospital.

QUINI, EL CRACK DEL BARÇA QUE FUE SECUESTRADO

Enrique Castro, *Quini*, llevaba ya varios años consolidado como uno de los mejores goleadores nacionales cuando le llegó la propuesta del Barcelona. Con 30 años, debió de pensar, ya era el momento de dejar Gijón en busca de nuevos retos. En la ciudad asturiana entendieron su marcha; además, el Barça había puesto sobre la mesa 82 millones de pesetas, una cifra astronómica que no les venía nada mal. Quini estaba cumpliendo con las expectativas fijadas en su fichaje, y desde que Helenio Herrera había tomado el mando del equipo en la jornada 10, los culés habían conseguido enderezar el rumbo.

Aquel 1 de marzo de 1981, Quini salía del Camp Nou después de haber marcado dos tantos en la goleada (6-0) al Hércules. Caminaba satisfecho por dos motivos. En primer lugar, por el gran encuentro, y en segundo, porque el Barça había llegado a la recta final del campeonato con opciones de llevarse el título ante el Atlético de Madrid, que casualmente era el siguiente rival.

Al término del partido debía dirigirse al aeropuerto del Prat para recoger a su mujer, Mari Nieves, y sus dos hijos. Nunca llegó a su destino. Antes fue abordado por dos individuos que, a punta de pistola, le obligaron a meterse en un coche. El crack del Barça había sido secuestrado. Su mujer, que le estaba esperando en el aeropuerto, al no encontrarlo tampoco en casa decide alertar a la policía. A la mañana siguiente, como era de esperar, el revuelo era máximo. La desaparición de Quini ya era oficial y todos los medios de comunicación se estaban haciendo eco del asunto.

España vivía tiempos convulsos. ETA y los GRAPO aterrorizaban a la sociedad con sus atentados, mientras que solo unos días antes se había vivido un fallido golpe de Estado. Además, la estrella del Barça, acababa de desaparecer y nadie sabía cuál era su paradero.

Dos días después, su mujer recibe la primera llamada de los secuestradores. Bernd Schuster, compañero de Quini, se convirtió entonces en el negociador de la familia frente a los secuestradores, que pidieron como rescate 100 millones de pesetas que debían depositarse en una cuenta suiza. El Barça ingresa los 100 millones y, con la colaboración de las autoridades suizas, descubre la identidad de los secuestradores. Víctor Manuel Díaz Esteban, titular de la cuenta, es detenido en Ginebra y, tras ser interrogado, termina confesando el lugar en el que tenían encerrado al jugador azulgrana.

Quini había pasado 25 días encerrado en un zulo de Zaragoza y fue recibido por los aficionados culés a su llegada a la Ciudad Condal. Aunque lo cierto es que, tras ser liberado, nunca guardó rencor a sus secuestradores. Decidió retirar la acusación y no aceptar los cinco millones de pesetas que debían pagarle como indemnización.

La Federación se había negado a suspender el trascendental Atlético-Barça tras el secuestro de Quini y los culés perdieron. En el periodo que duró el rapto, los jugadores, hundidos, cayeron también en Salamanca, empataron contra el Zaragoza y salieron goleados del Bernabéu, perdiendo toda opción de ganar la Liga. Después de todo, aquello poco importó, al menos habían recuperado a Quini.

Aun así, a pesar de haber faltado a varios duelos clave, el asturiano se proclamó pichichi de aquella liga y el Barça volvió a sonreír cuando, pocas semanas después, levantaba un nuevo título, la Copa del Rey, contra el Sporting de Gijón, antiguo equipo de Quini. En una mágica tarde, bajo el cielo madrileño, el Brujo hizo dos goles para devolver la felicidad al Barcelona. El fútbol y Quini volvían a sonreír.

CITA:

Un deportista es un luchador toda la vida (Enrique Castro, Quini).

EL PORTERO DE FÚTBOL QUE ENTREGÓ SU VIDA PARA SALVAR A OTROS

Con solo 17 años había debutado con el primer equipo del Sporting de Gijón y a los 19 ya era titular indiscutible y consiguió el ascenso a primera división. Enrique Castro pasó a la historia por varias cosas. La primera de ellas, por haber sido un gran guardameta del club de sus amores, del equipo en el que debutó y se retiró por culpa de las lesiones.

Otro detalle por el que pasó a la historia fue, precisamente, este último. Y es que por culpa de la espalda, que fue la que le obligó a abandonar el balompié, se convirtió en el primer futbolista español en lograr una pensión por invalidez. La sangre deportista corría por sus venas. Una de sus hijas, amante de los caballos, como él, fue campeona de España juvenil de salto de obstáculos. Y cómo olvidar a su hermano Quini, el legendario delantero de Sporting y Barcelona, con el que comparte estas páginas.

Pero el episodio del que queremos hablar es otro bien distinto, el último de su vida. En julio de 1993, cuando Jesús llevaba ya varios cursos alejado del fútbol, disfrutaba de un paseo por una playa cántabra de Lechón. Aquel día ondeaba la bandera roja. De pronto, oyó los gritos de unos niños que habían sido presa del fuerte oleaje y se lanzó al agua sin pensárselo dos veces. Luchó contra la marea y los niños, ingleses ellos, consiguieron llegar a la orilla gracias a los esfuerzos de Jesús. Habían sido demasiados. Rescataron su cuerpo, que ya flotaba sobre el mar. Dicen los que le conocían que apenas sabía nadar. Aquel día moría una gran persona, pero nacía un mito.

OTROS SECUESTROS SIGNIFICATIVOS EN EL FÚTBOL

El de Quini fue uno de los más recordados, sin duda. La atención mediática de los futbolistas profesionales, unida a sus jugosas cuentas bancarias, hace de ellos un blanco perfecto para secuestradores. Estos fueron algunos de los más sonados.

¡Han secuestrado a Di Stéfano! Uno de los más grandes de todos los tiempos también vivió su particular pesadilla en Caracas, en 1963, durante una gira del Real Madrid. El rapto duró setenta horas y, aunque le trataron bien (solían jugar al dominó o a las damas), el crack pasó miedo. Los secuestradores pertenecían al Frente Armado de Liberación Nacional. Finalmente, lo liberaron.

Padres, secuestros y extorsiones. El padre de Romário, jugador del Barça, fue secuestrado antes del Mundial ´94 durante seis días hasta que la policía brasileña logró su liberación. Dos mujeres, que pedían como rescate siete millones de dólares, fueron detenidas. Años después, una de ellas declaró que todo había sido una farsa urdida por uno de los hermanos de Romário.

Cuando el secuestro termina en tragedia. En 2001, el jugador del Milan Kakha Kaladze recibió una noticia: su hermano pequeño, Levan, había sido secuestrado por unos delincuentes vestidos de policías. Pidieron un rescate cercano al medio millón de euros, aunque no se llegó a ningún acuerdo. Finalmente, asesinaron al joven. Aunque esto no se supo hasta cinco años después...

Un secuestro fallido. El futbolista mexicano Alan Pulido fue secuestrado cuando salía de una fiesta con su novia en Tamaulipas, región con mayor índice de secuestros en México. Finalmente, logró arrebatarle el arma a su secuestrador y llamar a las autoridades, que terminaron liberándolo.

Otros secuestrados: Rubén Omar Romano, entrenador del Cruz Azul, dos meses de rapto. Casi una semana duró el rapto del padre de Jorge Campos. El padre de los hermanos Milito estuvo dos días secuestrado, algo más que el hermano de Riquelme. Y otro que también pasó por este amargo trago fue el tío del Tévez.

EWALD LIENEN Y LA ENTRADA MÁS ESCALOFRIANTE DEL FÚTBOL

A comienzos de los ochenta, la Bundesliga estaba viviendo un periodo de cambio. Después de varios años de dominio del Borussia Mönchengladbach, el Bayern parecía recuperar el pulso a un campeonato en el que aparecían nuevos protagonistas, como el Colonia, el Stuttgart o el Hamburgo. Por esos años empezaba a oírse cada vez más el nombre de Otto Rehhagel, un estricto entrenador que dejó su huella en el fútbol alemán durante casi 30 años, que protagonizó dos de las grandes gestas de la historia reciente del fútbol, como el ascenso y posterior título con el Kaiserslautern en la temporada 1997/98, y especialmente su obra maestra, la Grecia campeona de la Eurocopa en 2004.

Además, Rehhagel dio al Werder Bremen dos de sus cuatro títulos de Bundesliga y su único entorchado europeo, la Recopa en 1991/92. Un entrenador de milagros que, en la temporada 1981/82, se encontraba en uno de sus primeros cursos en los banquillos de élite y acababa de conseguir el ascenso a la Bundesliga con el Werder Bremen. Y no empezaron nada mal. En el primer partido del campeonato, golearon a domicilio (2-4) al Mönchengladbach de Heynckes (ya como entrenador), Matthäus, Hannes, Wuttke o Rahn, entre otros.

El 14 de agosto de 1981, el Werder Bremen recibía al Arminia Bielefeld, un equipo sin grandes alardes que tenía como objetivo conseguir la permanencia. El partido no era el más interesante de la jornada; de eso no cabía duda. Pero lo que sucedió en el minuto 20 convertiría aquel encuentro en una cita para el recuerdo, especialmente para uno de los jugadores del Arminia.

El atacante Ewald Lienen trataba de controlar el balón cuando, de repente, se cruzó con el defensor del Werder Bremen, Norbert Siegmann, que llegó al corte en una entrada no muy bien calculada (o eso queremos pensar) e impactó con la suela de su bota sobre el muslo de Lienen. Se llevó el balón y lo siguió jugando, pero los gritos de Lienen, que había caído al suelo, le hicieron girarse. El árbitro paró el partido y mostró tarjeta amarilla a Siegmann, que hizo un aspaviento con los brazos, disconforme con la amonestación.

Lienen seguía gritando. Se miró la pierna y vio horrorizado cómo la piel se le había desgarrado como si de una cremallera abierta se tratase. Podía vérsele el interior del muslo a través de un corte de 25 centímetros de largo y cinco de profundidad que permitía que las cámaras de los fotógrafos presentes en el Weser-Stadion inmortalizaran una herida que dejaba ver el fémur del futbolista.

Lienen se llevó las manos a la cabeza, miró a la banda, se levantó y comenzó a caminar como pudo, con la herida abierta y sin poder cerrar la boca, presa del dolor. Tenía los ojos abiertos como platos, no podía dar crédito a lo que veía. Los que le rodeaban no entendían cómo podía ser capaz de andar. Una vez superó el *shock*, corrió enfurecido hacia Otto Rehhagel. El entrenador del Werder Bremen se encaró con él. Los médicos se llevaban las manos a la cabeza; la herida era demasiado profunda. ¿Por qué increpó Lienen al entrenador del Werder Bremen?, se preguntarán. Al parecer, antes del partido le había oído dar instrucciones a sus jugadores sobre la forma en la que debían frenarle. Y vaya si lo hicieron.

Sin embargo, el mayor damnificado de aquel día fue Medardus Luca. Seguramente su nombre no les resulte ni remotamente familiar, y es normal. Era el árbitro de aquel encuentro, el juez que decidió que una de las entradas más feas de la historia del fútbol solo fuera castigada con una tarjeta amarilla. Aquella decisión le supuso no volver a arbitrar un partido en la Bundesliga.

Por su parte, Lienen tuvo que pasar las dos semanas siguientes en el hospital y denunció a Siegmann y a Rehhagel, aunque su demanda fue desestimada. A estos últimos se les atacó duramente desde todos los sectores. El primero fue tachado de asesino, le apodaron *el Carnicero* y terminaría dejando el fútbol pocos años después para encontrarse a sí mismo en el budismo. El entrenador Rehhagel, por su parte, necesitó de un chaleco antibalas para afrontar el partido de vuelta en el campo de Arminia. Después de aquello, la vida siguió para todos, pero ya nada fue igual para ninguno.

LA LESIÓN QUE MARCÓ A PETER SCHMEICHEL

Por el titular de esta nota os habréis imaginado que vamos a hablar de una lesión que sufrió el portero Peter Schmeichel y que le impactó de tal manera que le costó varias visitas al psicólogo. Sin embargo, tal lesión no la sufrió él, sino un jugador rival: David Busst.

El 8 de abril de 1996, el Coventry City visitaba al Manchester United en Old Trafford. El partido acababa de comenzar, no llevaban ni tres minutos de juego, cuando los *sky blues* provocaron un córner. Se cuelga el balón al área y un chasquido sacude Old Trafford. Dave Busst ha chocado con McClair e Irwin y sufre una doble fractura de tibia y peroné.

Los operarios tardaron hasta 12 minutos en limpiar los restos de sangre que había dejado la pierna de Busst en el césped. Se planteó la opción de amputarle la pierna, pero fue descartada. El jugador del Coventry tuvo que ser operado hasta en 26 ocasiones y no volvió a pisar un terreno de juego. La imagen de Peter Schmeichel, dando vueltas horrorizado y con las manos en la cabeza, lo decía todo. La BBC llegaría a pedir al resto de televisiones que no emitieran más repeticiones de la jugada. Una de las imágenes más espeluznantes de la historia de la Premier.

ONCE IDEAL DE RETIRADOS POR LAS LESIONES ANTES DE LOS 30

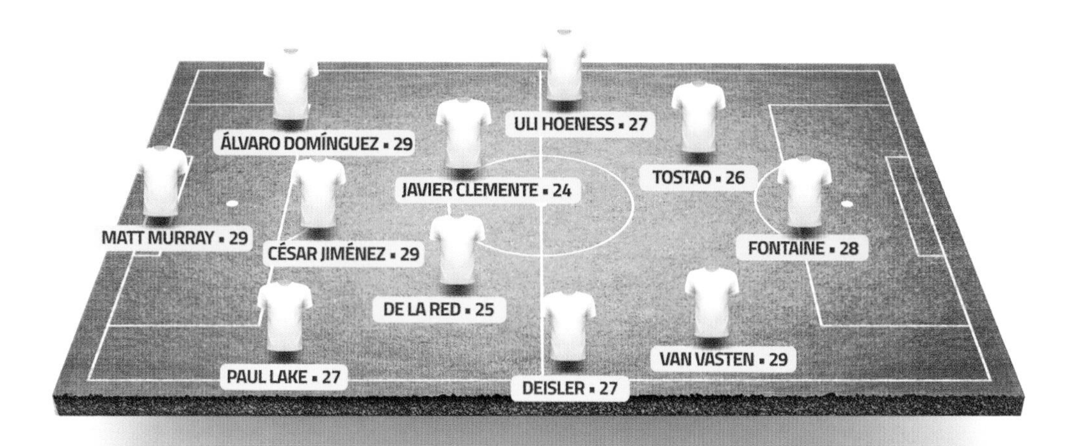

CITA:

Para mí, esa falta fue el símbolo para luchar con éxito contra la brutalidad que había en el fútbol (Ewald Lienen).

LA HISTORIA DE AGOSTINO DI BARTOLOMEI

El romano tiene un sentimiento sin parangón de pertenencia a su ciudad. Y en este punto, ha demostrado que muchos futbolistas han seguido ese credo: Giuseppe Giannini, Francesco Totti, Daniele De Rossi…, y antes que estos, Agostino Di Bartolomei, nacido y crecido en Roma, en un barrio cercano al Estadio Olímpico, al que podía desplazarse a pie o en tranvía. Por ello, su conexión con la grada y con el ciudadano romano era plena: vivió como *tifoso* en la Curva y creció como futbolista en el césped.

En el barrio de Tor Marancia creció Agostino, dándole patadas a la pelota por detrás del oratorio de San Filippo Neri, donde había un pequeño campo de fútbol. Siendo muy joven, entró en las categorías inferiores de la Roma, y llegó a ser el primer capitán romano de la historia del club, un hito a tener en cuenta. Capitalizó todas las categorías y siempre fue el líder, incluso cuando estuvo en el primer equipo con Nils Liedholm como entrenador, otro mito del fútbol italiano —el Calcio está repleto de ellos— y una leyenda de los banquillos. Se decía que ambos, interesados por el arte, no paraban de visitar galerías y exposiciones cuando jugaban a domicilio. Era un futbolista cultivado, que se concedía tiempo para pelear por sus compañeros de vestuario, tanto por las primas como por las vacaciones. Una sólida referencia que tenía aptitudes y actitudes para cualquier cosa. La Roma construyó una plantilla hecha para ganar el segundo Scudetto de la historia del club. Y fue en la temporada 1982/83, en la que se encontraban jugadores de la talla de Roberto Pruzzo, Paulo Roberto Falcao, Bruno Conti, Carlo Ancelotti y, sobre todo, Agostino Di Bartolomei, cuando cambió la posición de la defensa para organizar desde el líbero. Poco después, Toninho Cerezo llegaría a la capital para asaltar uno de los objetivos más ambiciosos, la Copa de Europa, que ese mismo año tendría a Roma como sede.

Y aquella temporada parecía que estaba hecha para los romanos, que se plantaron en la final el 30 de mayo de 1984, con el público a favor y tras haber logrado una remontada agónica contra el Dundee United. El propio Di Bartolomei marcó el gol que valió el pase a la gran final. Y al otro lado del campo se encontraba el Liverpool de Joe Fagan, que tenía a Alan Hansen, Graeme Souness, Kenny Dalglish e Ian Rush como bloque principal. Se adelantaron los ingleses con un gol afortunado de Phil Neal, que contestó Pruzzo antes del descanso para poner el empate. A partir de ese momento, el resultado no se movió y serían los penaltis lo que decidiría el campeón del Viejo Continente. Y la historia no fue justa para los romanistas, que vieron como Bruno Conti y Francesco Graziani sucumbían ante Bruce Grobbelaar y su contoneo de piernas.

La Roma perdió su primera final en la primera participación en la Copa de Europa, y esa misma temporada, Agostino saldría de su equipo por desavenencias con el presidente. El AC Milan, que fichó a Nils Liedholm, sería su siguiente club. «Me han robado la Curva», diría a su salida, la voz rota y triste de un aficionado y de un jugador. Años después, sus dos últimos equipos serían el Cesena y la Salernitana, para retirarse a los 35 años. Y a partir de ahí, empezó la tristeza, la amargura que lo llevó a una depresión de la que todavía se desconoce la raíz. Unos dicen que fue por problemas económicos, y otros porque nunca pudo volver al equipo de sus amores. Agostino había tomado una decisión.

El 30 de mayo de 1994, justo diez años después de aquella malograda final, Agostino Di Bartolomei se quitó la vida con una pistola 357 Magnum calibre 38 disparándose directamente al corazón. Dedicó una carta a su familia, cuyo final rezaba así: «Te amo, y adoro a nuestros hermosos niños, pero no veo la salida del túnel». Y la Roma y todo el mundo del Calcio lloró su muerte. Los romanistas soñaban con volver a ver a Di Bartolomei. Ahora sueñan con que cada jugador romano que pase por el primer equipo se quede hasta el final de sus días; si no, el dolor de corazón será para la Curva.

CITA:

Un verdadero capitán, un líder silencioso, tímido [...], un símbolo romántico del fútbol hecho de corazón, de pulmones y determinación [...]. Y de talento (Federación Italiana de Fútbol sobre Di Bartolomei).

LA TRISTE HISTORIA DE MOROSINI

La huella de Piermario Morosini late aún sobre el Calcio. Moro, como se le conocía, era un jugador con un espíritu de lucha distinto y con una viveza inigualable.

Su carácter alegre era una realidad diferente a lo que había sufrido desde la adolescencia. Con 15 años, perdió a su madre, Camila, y vivió el duelo entre los brazos de su padre, Aldo, que dos años después se reuniría con ella. Morosini se convirtió así en el cabeza de familia, pues sus dos hermanos eran discapacitados. Francesco decidió quitarse la vida, dejando a Piermario sumido en la amargura. Los golpes que le dio la vida le ayudaron a coger fuerza por su hermana Carla María, pues era el único familiar que le quedaba.

Pero todo se apagó el 14 de abril de 2012. El Livorno llegaba a Pescara para medirse al equipo de Zdenek Zeman en la jornada 35 de la Serie B. Piermario Morosini, dispuesto a realizar una ayuda defensiva en un ataque de Marco Verratti, cayó sobre el césped. Trató de levantarse en dos ocasiones, para acabar desplomándose definitivamente sobre el verde. Rápidamente, los médicos de campo realizaron los masajes de reanimación y metieron al jugador en la camilla de la ambulancia. Sus compañeros, ante tan trágica imagen, lloraban desconsolados.

Piermario Morosini fallecería antes de llegar a la Clínica Santo Spirito, a la edad de 25 años, por un paro cardiaco. La noticia estremeció al fútbol italiano, que hizo luto en aquella jornada por la muerte del jugador. La vida de un futbolista que había luchado contra todo tipo de adversidades se apagó por completo. Se organizó una ceremonia de reconocimiento a la figura de Piermario en la que tanto Livorno como Vincenza retiraron el número 25 que lucía.

Su hermana Carla María no quedaría desprovista de apoyo y cuidados. Antonio Di Natale, el Udinese y el Atalanta decidieron encargarse de la hermana de Moro. «Es mi deber cuidar de Carla María Morosini. Ella no tendrá que preocuparse por nada. Será para siempre parte de nuestra familia». Y dieron su palabra de honrarle.

ONCE IDEAL DE JUGADORES CON DORSALES RETIRADOS

Portero: Luc Borrelli (Olympique de Lyon, Dorsal 16).

Defensas: Javier Zanetti (Inter de Milán, dorsal 5); Paolo Maldini (AC Milan, dorsal 3) Solo su hijo puede lucir la camiseta del eterno capitán; Dani Jarque (RCD Espanyol, dorsal 21).

Centrocampistas: Roberto Baggio (Brescia, dorsal 10); Piermario Morosini (Vicenza y Livorno, dorsal 25); Marc Vivien Foé (Olympique de Lyon, dorsal 17), se retiró el 17 en el Lyon, pero Makoun llevó ese dorsal para honrara Foé; Antonio Puerta (Sevilla, dorsal 16).

Delanteros: Diego Armando Maradona (Napoli, dorsal 10) Luigi Riva (Cagliari, dorsal 11); Johan Cruyff (Ajax, dorsal 14).

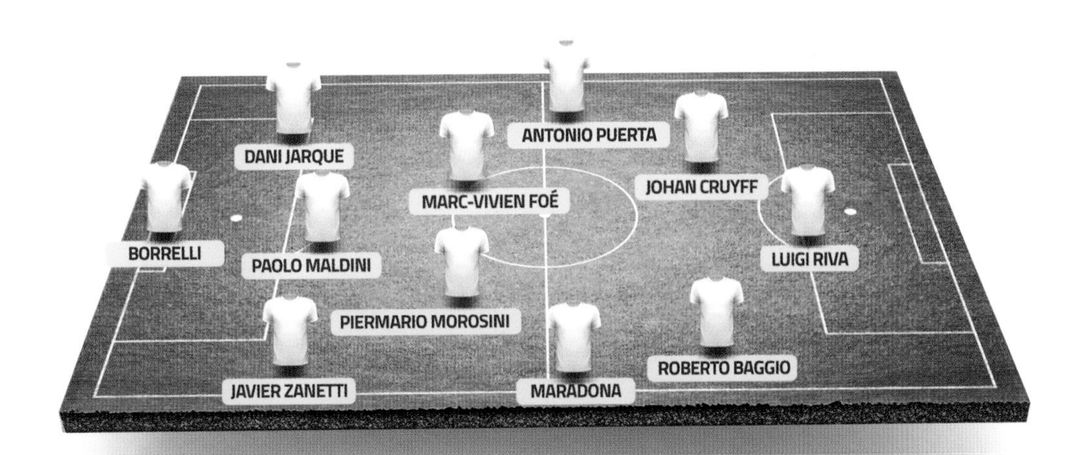

EL DÍA QUE JOCK STEIN SE DEJÓ LA VIDA EN EL CAMPO

Jock Stein nunca fue un hombre normal. Tampoco alguien extraordinario, pero sí inteligente y con la determinación suficiente como para perseguir sus sueños e ideas hasta las últimas consecuencias. Era una persona que amaba el fútbol, y entre el fresco olor de la hierba nació, creció y finalmente murió.

Probablemente, uno de los días más felices de su vida fue cuando el Celtic decidió confiar en él como entrenador del primer equipo. Era 1965 y sus buenas temporadas al frente del Dunfermline Athletic (con el que conquistó una Copa) y del Hibernian, le habían hecho ganarse el puesto en el equipo católico. Fue entonces cuando comenzó la construcción de uno de los mejores conjuntos británicos de todos los tiempos, el equipo que consiguió romper el dominio de los clubes latinos en la Copa de Europa.

Stein decidió romper con el sistema que prevalecía en la época, el *catenaccio*, para dar forma a un estilo rápido, vertical y eléctrico. El pequeño (medía 1,58 m) atacante pelirrojo, Jimmy Johnstone, era su hombre más peligroso. Su obra en el Celtic alcanzó su cénit en 1967. En una soberbia temporada conquistó el campeonato escocés, copa, copa de la liga y redondearon un año levantando la Copa de Europa. Se convertía así en el primer equipo británico campeón de Europa.

Stein consiguió dejar como legado una barbaridad de títulos en la que fue la edad dorada del Celtic de Glasgow. Así, once años después de llevar al equipo escocés al cielo de Lisboa (allí ganaron la final de la Copa de Europa contra el Inter), dejó el club para fichar por el Leeds United, etapa en la que no triunfó, pero que le sirvió de «aperitivo» antes de tomar las riendas de la selección nacional de Escocia. No logró el pase para la Eurocopa, aunque sí para el Mundial de España ´82.

Tiempo después, Jock Stein se fijó en un joven entrenador que había hecho al Aberdeen campeón de Escocia y de la Recopa y la Supercopa europeas. Su nombre era Alex Ferguson. Le llamó y le pidió que fuera su asistente al frente de la selección nacional escocesa, que buscaba clasificarse para su cuarto Mundial consecutivo.

El 10 de septiembre de 1985, Escocia se enfrentaba a Gales en Ninian Park (Cardiff, Gales). Los de Stein necesitaban al menos un empate para acceder a la repesca contra Australia. Todo se complicó desde el principio. Hughes marcó para los galeses y tocó remar a contracorriente. A Stein se le veía incómodo en el banquillo, quizá debido a la delicada situación. A nueve minutos para el final, llegó el penalti a favor de Escocia.

El zurdo Dave Cooper, al que había dado entrada Stein minutos antes, transformaba la pena máxima ajustando el balón a la cepa del poste. En pleno éxtasis de la celebración, Jock Stein sufrió un infarto. El seleccionador galés fue el primero en percatarse y alertó a los servicios médicos. En volandas se llevaron a Stein al túnel, mientras sus hombres, absortos ante lo que estaba ocurriendo fuera, seguían jugando. Entonces sonó el pitido final. Mientras los jugadores celebraban sobre el césped que tenían un pie en la Copa del Mundo, Jock Stein fallecía en los vestuarios junto a su ayudante, Ferguson. El mismo que tuvo que asumir el cargo para certificar la clasificación en la repesca ante Australia. Escocia estaba en el Mundial, como Stein había deseado.

Tal y como aseguró tiempo después Sir Alex Ferguson, algo raro estaba pasando con Jock Stein en los días previos al infarto. No era el mismo. La noche anterior al partido Stein invitó a sus ayudantes, Ferguson y Andy Roxburgh, a la habitación de su hotel. Allí aprovechó para recordar todos sus años en el mundo del fútbol. Algo que no era nada habitual en Stein. Otro de los episodios raros se vivió cuando el propio Stein persuadió a su familia para que no viajasen a Cardiff a ver el partido. Aquel día en el que murió Stein, pero maduró aún más otro glorioso entrenador.

Nunca sabremos qué es lo que les dan a los escoceses para conseguir a tantos y tan exitosos grandes entrenadores. Matt Busby, Bill Shankly o Sir Alex Ferguson son algunos de los ejemplos. Pero no hay que olvidar, por supuesto, al protagonista de esta historia, Jock Stein. Un hombre de fútbol que se dejó la vida sirviendo a su país.

EL DÍA QUE FERGUSON LE ABRIÓ LA CABEZA A BECKHAM

Después de la muerte de Jock Stein a escasos metros de él, Ferguson tomó las riendas de la selección escocesa de cara al Mundial de México ´86.

No le fue muy bien, dejó el cargo (también el del Aberdeen, equipo al que entrenaba) al final del torneo y firmó con el Manchester United. Empezaba así una historia de amor que convertiría al escocés en uno de los personajes más legendarios en la historia de los Red Devils. A punto estuvo de ser despedido en sus primeras campañas, pero una victoria en la FA Cup de 1990 frente al Crystal Palace le hizo salvar el puesto y ganar crédito para construir los cimientos de un equipo campeón. Fue entonces cuando Ferguson empezó a confiar en una serie de juveniles que llegaban apretando fuerte desde abajo. Beckham, Giggs, los hermanos Neville, Nicky Butt y Paul Scholes fueron los Fergie Babes. Con uno de ellos, David Beckham, Ferguson llegó a tener más que palabras. El centrocampista inglés, reconocido por su entrega y por contar con un excepcional pie derecho, se había convertido en un símbolo del United. Especialmente recordados fueron los córners que botó en el descuento de la final de la Champions de 1999 y que sirvieron para remontar de forma agónica frente al Bayern. Pero en 2003, muchas cosas habían cambiado.

La discordia se inició al final de un encuentro copero en el que el United había perdido 2-0 contra el Arsenal. Beckham no había hecho un buen partido y Fergie le señaló como principal culpable en el gol de Wiltord. Al terminar el partido, un furioso Ferguson pateó una bota que estaba tirada en el suelo del vestuario. Esta salió disparada e impactó sobre el ojo izquierdo de Beckham, produciéndole una aparatosa brecha. Beckham notó la sangre corriendo por su cara y perdió el control. Se lanzó a por su entrenador y solo la intervención de sus compañeros impidió que la pelea fuera a mayores. La imagen de la brecha de Beckham dio la vuelta al mundo. Su salida era inminente y una nueva bronca del escocés tras la eliminación de Champions frente al Real Madrid aceleró los acontecimientos.

Precisamente, el Real Madrid sería el siguiente destino de un jugador profesional como pocos que chocó, paradójicamente, con uno de los entrenadores más profesionales.

ONCE IDEAL DE JUGADORES QUE SEGURAMENTE NO RECORDABAS QUE ESTUVIERON EN EL MANCHESTER UNITED

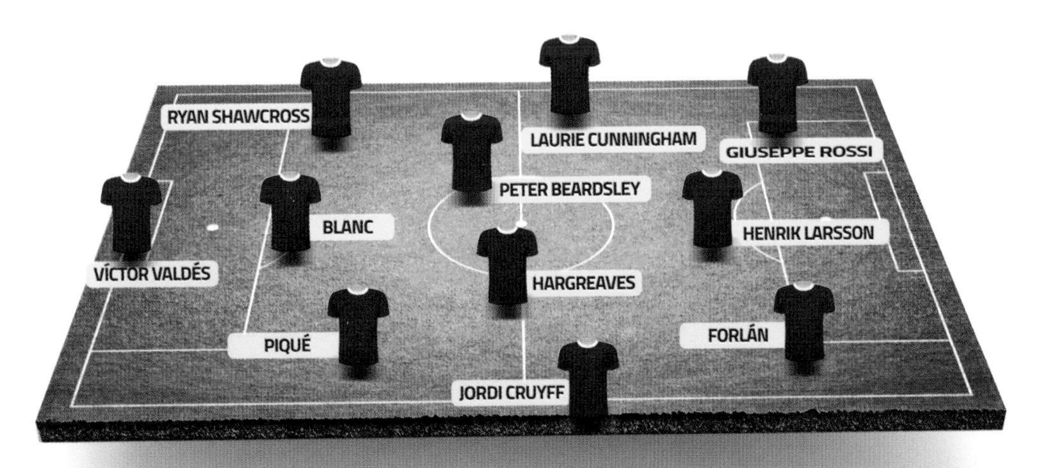

CITA:

El fútbol no es nada sin los fans (Jock Stein)

LA TRÁGICA HISTORIA DE JOHN PAUL

El Liverpool es uno de esos equipos que, durante muchos años, han podido justificar sus éxitos y cualquiera de sus actos. Desde Bob Paisley hasta Kenny Dalglish, pasando por Michael Owen y Steven Gerrard, todos sus jugadores se han sentido comprometidos con una entidad que alcanzaba la grandeza a partir de la humildad. No obstante, hubo una etapa en la que el fútbol británico estuvo mal considerado a consecuencia del fenómeno *hooligan*, también reprimido por las medidas que se adoptaron para combatirlo. Y uno de esos casos fue la tragedia de Hillsborough.

Partido de semifinales de la FA Cup de 1989, entre dos históricos del balompié británico como eran el Liverpool y el Nottingham Forest. Era un encuentro de campeones de Europa y el ambiente correspondía a la categoría. Demasiado aforo quizás para el estadio de Hillsborough, ubicado en la ciudad de Shefflield, en el centro de Inglaterra. Con el partido ya en juego, lo relevante no estaba ocurriendo en el césped, sino en la grada. La excesiva aglomeración en uno de los fondos desencadenó la debacle. Un tiro al palo provocó un movimiento que fue a más hasta convertirse en avalancha. El árbitro paró el partido. Numerosas personas eran aplastadas contra las vallas o asfixiadas por aplastamiento. Desde las gradas superiores intentaban desesperadamente sacar de esa pesadilla a los que estaban abajo. Aquello fue un infierno.

Con el pánico desatado en el terreno de juego y la gente tirada por el césped en busca de aire, el balance fue demoledor. Un total de 96 personas fallecieron. En la investigación de lo ocurrido, no se hizo demasiado hincapié en el aforo, sino que se apuntó a los *hooligans* como principales responsables. La tragedia de Heysel, en Bruselas, donde fallecieron 39 personas, fue el precedente necesario para centrar la responsabilidad en el fanatismo.

Aquel hecho llevó a que el Gobierno de Margaret Thatcher ordenara una investigación orientada a aumentar la seguridad y reducir el vandalismo en los estadios. El Informe Taylor fue el paquete de medidas y recomendaciones resultante de ese estudio. Vallas de seguridad, solo localidades de asiento, mejora de los accesos, cámaras de seguridad..., un sinfín de decisiones que fueron duramente criticadas no solo por los señalados, sino por la afición en general, que veían constreñirse sus hábitos.

Pero aquello no quedó en el olvido. En 2012 se pidió una nueva investigación de los hechos para esclarecer algunos de los puntos no concluyentes, como por ejemplo la cantidad de personas que llegaron a entrar al estadio. El jurado dictaminó finalmente que lo ocurrido no fue un accidente, sino un homicidio imprudente debido a la actuación policial, que reubicaron mal a los aficionados. Además, el propio juez también señaló que el comportamiento de los aficionados del Liverpool no fue la causa del fallecimiento de 96 personas, que serían recordadas todos los años bajo el lema *Justice For The 96*. Y, dada la repercusión, el primer ministro David Cameron pidió disculpas en la Cámara de los Comunes por la injusticia que habían vivido los familiares y aficionados de las víctimas de Hillsborough.

Hasta aquí esta historia que, en cierta manera, acabó en final feliz. O al menos los parientes de los 96 fallecidos sintieron que se había hecho justicia. No obstante, hubo una historia dentro de lo sucedido que sirvió de acicate para que un futbolista cambiara su destino. Entre aquellos aficionados que perdieron la vida, se encontraba John-Paul Gilhooley, uno de los más jóvenes, con 10 años. Ese chico era primo de una de las leyendas del Liverpool, Steven Gerrard, que estaba en casa viendo el partido mientras oía lo que ocurría.

«Desafortunadamente para mí y mi familia, recibimos la noticia de que John-Paul Gilhooley había muerto. Como es lógico, fue difícil asumir que uno de tus primos yacía aplastado, pero gracias a mi madre, padre y familia pude superarlo y convertirme en el jugador que soy», declaró Gerrard años después. El fallecimiento de su primo le ayudó a ser más fuerte y a tener el ímpetu necesario para llegar a ser futbolista de los *reds* y convertirse en una de las estrellas más brillantes del fútbol británico. «Nunca lo había dicho antes: yo juego al fútbol por John-Paul».

CUANDO GERRARD ESTUVO CERCA DE PERDERLO TODO

Steven Gerrard no solo se hizo del Liverpool por John Paul, sino también por lo que vio en casa.

Ser de los *reds*, aunque corra por ahí una foto suya con la camiseta del Everton, era una religión, y siempre lo hizo ver así. Su infancia transcurrió soñando con ser jugador de su equipo, instalado con su familia en el área de Huyton, al final de Ironside Road. Fue ahí donde Gerrard estuvo cerca de perderlo todo, de olvidarse de todos sus sueños, en un instante desafortunado.

Junto a una hilera de edificios, había un vertedero al que la mayoría de los niños de la zona iban a jugar con la pelota. Allí pasaban horas interminables, y uno de ellos era Steven Gerrard. En uno de esos días, la pelota se marcha despedida hacia una maraña de ortigas; imposible saber dónde está el esférico a simple vista. El pequeño Steve se subió los calcetines y se metió en una zona impracticable. Puso el pie derecho en el suelo y sintió un dolor inimaginable. No lo había visto, pero había pisado la punta de un rastrillo y le había atravesado el quinto dedo.

Le llevaron al hospital y Steven Heighway, director de la escuela de Liverpool, impidió que se lo amputaran, lo que supondría todo un cambio en la vida de Steven Gerrard. Con solo nueve años estuvo cerca de decirle adiós a su carrera futbolística.

ONCE IDEAL DEL LIVERPOOL

CITA:

Esta ciudad tiene dos grandes equipos: el Liverpool y los suplentes del Liverpool (Bill Shankly, leyenda y exentrenador del Liverpool)

LA ENFERMEDAD QUE ASOLÓ AL FÚTBOL ITALIANO

No hace muchos años, en las redes sociales se popularizó un *challenge* o reto orientado a participar en un proyecto solidario. Aquello se conoció como *Ice Bucket Challenge*, que consistía en arrojarse sobre la cabeza un cubo de agua repleto de hielos. Con este simbólico gesto se contribuye al estudio de la ELA (esclerosis lateral amiotrófica), un tipo de enfermedad que afecta al sistema neuromuscular al provocar la degeneración de las neuronas que se ocupan del movimiento: su cerebro sigue funcionando, pero los músculos no reaccionan a los impulsos que este le manda. Esta dolencia se conoce también como el mal de Lou Gehrig, un popular jugador de béisbol de los Yankees que falleció a causa de la enfermedad. Y es aquí donde surge el vínculo de esta con el deporte.

La ELA es devastadora y el fútbol, concretamente el Calcio, ha sufrido especialmente sus consecuencias. No existe cura para un mal que afectó a más de 40 futbolistas entre los años sesenta y ochenta. Los equipos que más la sufrieron fueron Fiorentina, Torino, Genoa, Sampdoria, Como y Pisa. El fiscal de Turín Raffaele Guarinello fue uno de los encargados de la investigación del caso, que arrojó unos datos demoledores. La muestra para el estudio, que se llevó a cabo entre 1970 y 2007, alcanzó los 7.325 jugadores (de un total de 24.000). «Esperaba encontrar una media de 1,24 casos, según los parámetros normales, pero salieron 6,45», confesó, haciendo referencia a la diferencia entre futbolistas y el resto de la población. Y en este punto, analizó las razones por las que, afectaba a este nicho.

Uno de las más evidentes era el dopaje. Especialista en la materia, Guarinello creía que era el principal motivo. Por entonces, las normas antidopaje eran distintas y el consumo de ciertos medicamentos estaba permitido. Por ejemplo, el Micoren, que te hacía más resistente a la fatiga, o la Corteza, un potenciador de hormonas que te ayudaba a ganar en masa muscular. Un futbolista de los años sesenta y setenta, Carlo Petrini, aseguró que no hubo otra razón que el dopaje para desarrollar un tumor cerebral. «Además de tomar varios fármacos, sufrí el dopaje, porque *sufrir* es la palabra que representa lo que pasé», confesó, reforzando su argumento con la inyección de medicamentos que te permitían hacer cualquier esfuerzo físico durante un partido, inhumano para una persona. Después del ejercicio, todos aquellos que habían sido medicados caían desplomados en cualquier sitio, por agotamiento.

Varios médicos y periodistas que han investigado o se han documentado sobre el caso, sí que atribuyen una conexión con la ingesta de ciertos medicamentos antiinflamatorios. De hecho, la propia investigación de Guarinello confirmaba que ninguno de los futbolistas afectados había sido portero: la mayoría eran centrocampistas, los más expuestos a recibir golpes en el terreno de juego, contusiones o daños mayores.

Incluso se ha llegado a atribuir la enfermedad a elementos ajenos al juego en sí, como por ejemplo el césped. El campo del Como, el Stadio Giuseppe Sinigaglia, construido sobre una antigua fundición, podría tener alguna concentración de metales bajo el suelo. De ser así, el problema se habría resuelto. Sin embargo, no había afectación en los jugadores de rugby que entrenaban en aquel estadio. El propio Gianluca Vialli, estrella de la Juventus y de la Sampdoria en los noventa, advertía de la desinformación sobre lo estaba sucediendo, pues lo que para muchos era un castigo divino, para otros era una mera casualidad.

El caso más representativo de todos fue Gianluca Signorini, estrella y capitán del Genoa, que padeció la enfermedad nada más acabar su carrera como futbolista. Falleció a los 42 años, la edad en la que, según Guarinello, suele aparecer la enfermedad, frente a los 62 de la población normal. A continuación de Signorini, el más cercano y el que más condenó la ELA fue Stefano Borgonovo, jugador de la Fiorentina y del AC Milan, que murió a los 49 años, no sin antes promover una campaña y crear una asociación para luchar contra la *stronza* (la cabrona), como él la denominaba.

La lucha contra la ELA prosigue hoy en día, a la espera de una cura que resuelva el problema. Ya sea por justicia divina o por dopaje, ninguna maldición merece cobrarse vidas.

EL VIRUS QUE EMPEZÓ EN EL MUNDIAL

La relevancia de un Mundial no solo alcanza al evento deportivo sino también a otros aspectos. Influye en lo económico y en lo social, incluso en la seguridad sanitaria. Esta afirmación podría parecer exagerada, aunque no lo fue así para Dennis Fujita y Felipe Scassi, del Instituto de Medicina Tropical de Sao Paulo. Lula Da Silva, expresidente de Brasil, recibió el encargo de que su país organizara los más importantes eventos deportivos del planeta: la Copa del Mundo de 2014 y los Juegos Olímpicos de 2016. Esto supondría una buena inyección económica y reportaría una buena imagen global.

No obstante, y cuando hacíamos referencia a problemas sanitarios, teníamos en mente al *Aedes aegypti*, un tipo de mosquito portador de enfermedades como la malaria, el dengue o la fiebre amarilla, también responsable de la propagación de una nueva epidemia, el virus del Zika. Los países más afectados se encontraban en Centroamérica, Sudamérica y el Caribe, siendo Brasil uno de los principales perjudicados. Los investigadores Dennis Fujita y Felipe Scassi, al analizar las cifras de turistas de regiones endémicas —posibles portadores— que viajaron a Brasil en 2014, comprobaron que el número de afectados alcanzaba a más de 25.000 personas.

También se analizó la enfermedad sobre la isla de Pascua, en Chile, donde vivía una de las primeras personas afectadas. «Hubo muchos turistas brasileños que viajaron a la isla de Pascua en el momento en que se produjo la epidemia», confirmó Dennis Fujita. Todavía se desconoce el origen de una de las epidemias que más atemorizó a la población, y resulta curioso que un evento deportivo, que concentra a diferentes culturas en espacios muy reducidos, pueda ser uno de los motivos. El fútbol es más importante de lo que parece.

CITA:

Gracias a todos. Juntos hemos hecho nacer algo que servirá para acabar con la stronza (Stefano Borgonovo).

ENFERMEDADES EXTRAÑAS EN EL FÚTBOL

Gennaro Gattuso: Al término de la carrera del futbolista italiano, confesó que padecía una parálisis del sexto nervio craneal. Este problema hacía que, al mirar a la izquierda, viera doble y su visión se distorsionara. Lo afrontó con valentía, asegurando que esto no le iba a impedir seguir jugando: «Estoy luchando como un hombre invisible; ver doble no es bonito, pero hay cosas peores. Lo importante es no desfallecer».

Markus Babbel: El defensa alemán del Liverpool padeció el angustioso síndrome de Guillain-Barré, que afecta al sistema nervioso central. Esta dolencia puede ser mortal, ya que alcanza a los músculos del sistema respiratorio. Tuvo que apartarse de los terrenos de juego para recuperarse. «El deporte ya no es lo más importante para mí. Lo más importante es recuperar la salud», confesó. Esta dolencia la padece una persona de cada millón; de ahí lo extraño de la enfermedad.

Tim Howard: El portero norteamericano, referencia en la selección y exjugador del Everton, padece el conocido síndrome de Tourette, un trastorno neuropsiquiátrico, genético y crónico que se manifiesta por tics motores y fónicos involuntarios. Esta enfermedad, que afecta a la autoestima de quienes la sufren, fue un argumento de superación para el guardameta, que le encontró una ventaja. «Me di cuenta de que era más rápido que el resto cuando se trataba de ciertos movimientos, y esos reflejos estaban relacionados con mi desorden», aseguró.

Jorge Rodríguez: Este futbolista mexicano tuvo que abandonar los terrenos de juego al descubrir que padecía el síndrome de Evans, una enfermedad en la que se generan anticuerpos que combaten con las plaquetas y los glóbulos rojos. Era jugador del Toluca y llegó a ser convocado para el Mundial de 1994 en Estados Unidos.

John Guidetti: Un trozo de carne se pudo convertir en una fatalidad para el futbolista sueco, que jugaba en el Feyenoord cuando todo ocurrió. Su novia organizó una fiesta para él y uno de los alimentos que se ofrecieron contenía un virus que atacaba su sistema inmunológico hasta lisiarlo. Tuvo que empezar desde cero y logró vencer al *bicho* a los dos años.

MIKLOS FEHÉR, LA MAYOR TRAGEDIA DEL FÚTBOL PORTUGUÉS

El autobús del Benfica vuelve a Lisboa. El trayecto desde que salieron de Guimaraes se ha hecho muy duro; lágrimas y llamadas en busca de respuestas se entremezclan con conversaciones y gestos de consuelo entre jugadores. Pero la peor de las noticias estaba a punto de llegar. José Antonio Camacho, entrenador del Benfica, pide al conductor del autobús que se detenga en mitad de la autopista. Algunos jugadores no necesitan escuchar las palabras de Camacho para saber la noticia que acaba de recibir. Miklos Fehér ha fallecido.

Unas horas antes el Benfica estaba jugando su partido de liga ante el Vitoria de Guimaraes en el estadio Dom Alfonso Henriques. Era enero de 2004 y los lisboetas ganaban por la mínima merced al gol de Fernando Aguilar, precisamente a pase del húngaro Fehér. Se habían consumido dos minutos de los cuatro que había descontado el colegiado. El Benfica estaba muy cerca de sellar su victoria en una jornada muy lluviosa en la ciudad portuguesa.

De pronto, un saque de banda del Vitoria es interrumpido por Fehér para perder tiempo. Entre los pitidos del público, al que no le gusta ese intento de ganarle segundos al crono, el árbitro no lo duda y amonesta al jugador húngaro, que se vuelve hacia él con una sonrisa pícara. El Vitoria, ya sí, se dispone a sacar de banda. Fehér se apoya sobre sus rodillas. Lo que parecía el cansancio normal de un partido que ya está en el minuto 93, se torna en una de las mayores tragedias del fútbol. El jugador cae desplomado sobre el empapado césped, su cabeza golpea violentamente contra el suelo. La afición del Vitoria vuelve a pitar pensando que se trata de un nuevo intento de perder tiempo. Pronto el silencio se apoderaría del campo.

Varios jugadores del Benfica corren hacia la posición de Fehér, ya con la mirada perdida, y lo ladean mientras le sujetan la lengua para que no se la trague. Rápidamente, entran los servicios médicos, que intentan reanimarlo sobre el césped. En pocos segundos la desesperación se apodera de los jugadores. Un joven, Tiago, llora desconsoladamente. Ningún jugador del Benfica encuentra consuelo.

De pronto, el estadio ovaciona a un sanitario que porta un desfibrilador, que puede salvar la vida del jugador. Simão levanta la vista entre lágrimas y por unos segundos su mirada se llena de esperanza; sin embargo, el desfibrilador no puede usarse debido a que el jugador está empapado por la fuerte lluvia. El masaje cardíaco de los médicos no es suficiente para reanimarle y el jugador entra en la ambulancia ya en estado de coma.

El partido queda suspendido a falta de un minuto para la conclusión y los jugadores del Benfica acuden también al hospital, aunque, al poco de llegar allí, se toma la decisión de que es mejor viajar a Lisboa. Es en el camino hacia la capital lusa donde reciben la trágica noticia. Camacho relata que fue el momento más duro que ha tenido que vivir en su carrera. La muerte del joven mediocampista impactó a todo el mundo del fútbol, al tratarse de un jugador con una enorme proyección tras haber jugado, en el Oporto y el Benfica. También ya había sido internacional con Hungría.

El Benfica retiró el dorsal que Fehér llevaba en el momento de su fallecimiento, el número 29. Además de destinar buena parte de su museo al jugador, para el que se construyó, incluso, un monumento y se rindió un homenaje dentro del propio estadio, parecido al que se le dedicó a Eusébio años después en el mismo Da Luz, que sabe despedir a aquellos que han dado todo por la camiseta benfiquista.

Camacho cuenta que los días posteriores a la muerte del jugador fueron de una dureza tremenda. Ver en el vestuario su taquilla vacía con su nombre y aun con sus enseres, les rompía el corazón a todos. Sus compañeros saltaban al terreno de juego acordándose de Fehér, cantando su nombre como grito de guerra, antes de cada encuentro, algo que les dio fuerzas para ganar la Copa Portuguesa. También pertenecía a título póstumo a un Fehér que había jugado esa competición esa misma temporada. Un adiós muy duro que hizo recordar las imágenes del año anterior con la muerte de Foé en la Copa Confederaciones. Hasta siempre, Fehér.

LA IMAGEN QUE NOS IMPACTÓ A TODOS

Los ojos en blanco, el cuerpo tenso y una vida que se iba en el césped del Gerland. Marc-Vivien Foé cayó fulminado en el minuto 72 de juego, su corazón no podía más. La imagen del jugador camerunés impactó al mundo del fútbol. Murió poco después debido a un ataque cardíaco por un crecimiento anormal del ventrículo izquierdo de su corazón.

Foé estaba en Francia jugando la Copa Confederaciones de 2003 junto a su selección, Camerún, que acudía como campeona de África. En semifinales se enfrentaría a la Colombia dirigida por Maturana en el estadio del Olympique de Lyon, campo en el que jugó de 2000 al 2002 el gran Foé. Allí, tras la catástrofe acontecida, le homenajearon retirando el número 17, que llevó en su camiseta hasta que Makoun, también camerunés, fichó por el Lyon en 2008 y quiso homenajearle poniéndose su dorsal.

El Lyon no fue el único en homenajear al jugador. El Lens también retiró el dorsal número 17, y el Manchester City, el 23. Aunque el gran homenaje para el jugador se vivió en la final de la Copa Confederaciones cuando Francia y Camerún saltaron juntos con una imagen del jugador y después los franceses invitaron a Camerún a recoger junto a ellos el trofeo de campeones. El mundo del fútbol quedó impactado por la tragedia, pero siempre nos quedará en el recuerdo un jugador que, según dicen los que le conocieron, contagiaba sonrisas allá por donde pasaba.

CITA:

Cuando se habla de Antonio, yo tengo una tristeza impresionante dentro de mi corazón, porque fue uno de mis mejores amigos en el Sevilla (Dragutinovic, primera persona que atendió a Puerta y amigo personal).

OTROS JUGADORES QUE MURIERON EN LA CANCHA

Además de Fehér y Foé, hay otros jugadores que murieron durante la celebración de un partido de fútbol. Aquí rendimos homenaje a otros 10 futbolistas, que nunca caerán en el olvido:

ANTONIO PUERTA (22 años). Una muerte que conmocionó a la sociedad española. El jugador del Sevilla se desplomó en un partido de Liga ante el Getafe (2007/08). Tras recuperar la conciencia, tuvo una recaída en vestuarios. Murió tres días después..

PEDRO BERRUEZO (27 años). La de Puerta no ha sido la única tragedia que ha vivido un jugador del Sevilla en un terreno de juego. En 1973, falleció Pedro Berruezo tras un paro cardíaco en un partido ante el Pontevedra.

JOSÉ ANTONIO GALLARDO (25 años). Otro futbolista español que murió a consecuencia de un lance en un terreno de juego fue Gallardo, portero del Málaga. El jugador recibió un cabezazo de Baltazar, delantero del Celta, en 1987. Pareció recuperarse, pero diecisiete días después del golpe entró en coma, y moriría una semana después. Ganó el Zamora de Segunda División de manera póstuma.

JOHN THOMSON (22 años). La muerte de Thomson fue traumática por cómo se produjo. Thomson murió en un Old Firm de 1931 cuando un delantero del Rangers le dio, de manera fortuita, un rodillazo en la cabeza. Más información en la página 67.

JACOBO URSO (23 años). El jugador argentino de San Lorenzo murió en 1922 tras un golpe en las costillas. Al no existir los cambios en aquella época, no abandonó el terreno de juego y una costilla fracturada le terminó perforando un riñón.

OSCAR VÍCTOR TROSSERO (29 años). Urso no fue el único jugador fallecido tras un encuentro en Argentina. Trossero, jugador del River, murió en 1983 en los vestuarios tras un partido ante Rosario Central por culpa de un aneurisma cerebral.

PIERMARIO MOROSINI (25 años). Una de las historias más trágicas de los últimos años. El mediocampista italiano del Livorno falleció después de que se desplomara en un partido ante el Pescara. La historia completa del jugador en la página 53.

RENATO CURI (24 años). 35 años antes de la muerte de Morosini, en 1977, Renato Curi perdía la vida en un partido entre su equipo, el Perugia, y la Juventus. Curi sufrió un ataque cardíaco.

SAMUEL OKWARAJI (25 años). En cuanto a las selecciones nacionales, además de la muerte de Foé, es especialmente recordada la del nigeriano Okwaraji en un partido entre Nigeria y Angola clasificatorio para el Mundial de Italia '90.

PATRICK EKENG (26 años). El exfutbolista del Córdoba Ekeng falleció tras un fallo cardíaco en el partido de su equipo, el Dinamo de Bucarest y el Viitorul. La ambulancia que le trasladaba al hospital no contaba con los medios apropiados.

CUANDO CRISTIANO PUDO DEJAR EL FÚTBOL

Somos unos privilegiados. Lo decimos así, sin remordimiento alguno. Seguramente, nuestra generación haya sido la más afortunada en años. Nuestros padres crecieron con Di Stéfano-Kubala, con Beckenbauer-Cruyff o con Maradona-Platini..., pero nosotros hemos visto los duelos entre Leo Messi y Cristiano Ronaldo, que no son nada el uno sin el otro. Letales, inteligentes, tan distintos y tan excelentes en su carrera deportiva.

La historia del portugués es la de un futbolista que se ha hecho a sí mismo, como si se hubiera cincelado para perfilar y definir sus condiciones. Imaginaos por un instante que sucede lo que estamos a punto de contar.

Cristiano Ronaldo, nacido en la isla de Madeira, no tuvo una infancia soñada. De condición humilde, pagó algunas de las consecuencias de tener un padre alcohólico, al que amaba y respetaba pero que nunca pudo asegurarle una niñez en plenitud. Empezó en el Andorinha gracias a él, y precisamente allí le empezaron a conocer como «el llorón». Se quejaba porque siempre quería tener la pelota. Era sobresaliente con respecto a la media y Nacional de Madeira, que proyectó su carrera, le fichó en 1995.

Era rápido y ágil para su edad, por lo que un grande de Portugal se interesó por él. El Sporting quiso hacerse con sus servicios mediante un acuerdo: «Tenía 11 años cuando llegó al Sporting en una situación extraña. Su club, el Nacional de Madeira, nos debía 25 000 euros y, por un favor especial hacia un gran sportinguista de Madeira, consentimos que nos enviaran a un jugador para que lo viéramos y decidiéramos en una semana si lo queríamos o no, para saldar la deuda. Nos sobraron cinco días. Fui a verlo al segundo. Era algo increíble, los mismos compañeros se acercaban a él a tocarle», explicó Aurelio Pereira, su descubridor.

Los dos responsables de las categorías inferiores, Paulo Cardoso y Osvaldo Silva, se quedaron prendados de él. Sabían que era el mejor de todos los chicos e incluso hicieron un informe sobre él: «Jugador con un talento fuera de serie y técnicamente muy desarrollado. Hay que destacar su capacidad de regate en movimiento o parado», rezaba el texto, aunque, algo desencaminados, matizaron que le veían como mediapunta o mediocentro.

Le costó despegarse de su familia para hacer vida en Lisboa y tratar de cumplir su sueño. Cuando ya llevaba tres años en el club, algo estuvo cerca de complicarse con su salud. Con tan solo 15 años, se le detectó una cardiopatía, un problema de corazón, que asustó a toda la familia, sobre todo a la madre.

Cristiano era una promesa de la cantera del Sporting cuando los médicos del club descubrieron que su corazón se aceleraba demasiado. Después de una serie de exámenes, decidieron operarle. La intervención se hizo con láser para cauterizar la fuente del latido irregular y esa misma tarde ya estaba fuera del hospital. «Además de la preocupación por conocer la gravedad de la enfermedad, teníamos el temor de que tuviera que dejar de jugar», confesó Maria Dolores, madre del jugador, en una entrevista para el diario *The Sun*.

Por suerte, todo salió bien y, a los pocos días, el chico pudo volver a jugar con su equipo. «Mi hijo no era consciente de la gravedad de la situación, pero por suerte todo fue bien. Se puede decir que después de la operación incluso corría más rápido», bromeaba su preocupada madre, que ahora veía como su hijo superaba cualquier dificultad porque solo había un objetivo que le motivaba: el éxito en el fútbol.

Y corrió fuerte, regateó rápido y marcó un sinfín de goles que, para nuestro placer, hemos podido disfrutar en cada una de sus etapas como futbolista. Somos afortunados de que ese corazón latiera fuerte y le mantuviera cerca de la pelota y, por lo tanto, de nosotros.

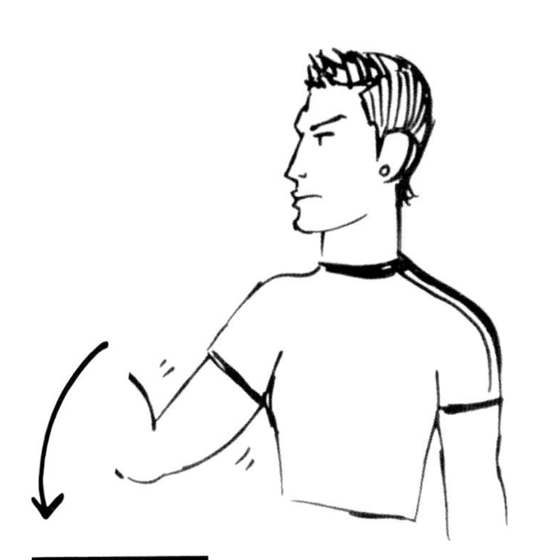

CITA:

No hay nada malo en soñar con ser el mejor jugador del mundo. Se trata de intentar ser el mejor. Seguiré trabajando duro para conseguirlo, está dentro de mis posibilidades (Cristiano Ronaldo).

EL DÍA QUE VAN NISTELROOY HIZO LLORAR A CRISTIANO

Cristiano Ronaldo se ha crecido siempre ante las adversidades, pero también ha sufrido en todos sus inicios. En su etapa en Inglaterra, sobre todo, tuvo que plantar cara a una nueva cultura, desconocida para él.

En la temporada 2005/06, Ruud Van Nistelrooy quería seguir teniendo el beneplácito de Sir Alex Ferguson como referencia en el ataque. Cristiano Ronaldo era un jugador de banda muy individualista y el neerlandés se lo reprochaba. «Es que nunca sé cuándo va a poner el centro. ¿Cómo voy a lanzar desmarque así? Parezco imbécil», le decía a Ferdinand. Durante un entrenamiento, surgió la chispa que hizo saltar a Ruud contra el portugués, en una jugada en la que optó por regatear en vez de pasar.

Se enzarzaron y tuvieron que ser separados por los compañeros. Cristiano Ronaldo se marchaba para hablar con Carlos Queiroz, ayudante de Ferguson, pero Van Nistelrooy soltó un comentario desafortunado. «Sí, sí, ahora vete corriendo con tu papaíto». Llorando, el luso le contestó que, como era evidente, no tenía padre, que estaba muerto. El neerlandés no se refería a él, sino a Queiroz, pero esa frase le condenó. Poco después, saldría de Old Trafford para poner rumbo a Madrid.

LO QUE HEMOS APRENDIDO DEL *DRAW MY LIFE* DE CRISTIANO RONALDO

Seguramente, el *Draw My Life* de Cristiano Ronaldo fue uno de los mejores que ha tenido Campeones en toda su historia. Cuando lo realizamos, todavía no había ganado su cuarto Balón de Oro, ni su segunda Cy tercera Champions League como madridista. Y es que el bueno de CR7 no perdona la temporalidad, porque bate todos sus registros. Desde el Sporting de Portugal hasta el Real Madrid, pasando por el Manchester United. Sin duda, uno de los mejores jugadores de la historia del fútbol.

Sin embargo, todo pudo haber cambiado antes de que llegara a Inglaterra. Por entonces, Francisco Roig, candidato a la presidencia del Valencia, se empeñó para su campaña en dos futbolistas: Ricardo Quaresma y Cristiano Ronaldo. Los dos eran del Sporting de Portugal y la cifra sería un poco mayor a los siete millones de euros. Roig nunca llegó a la presidencia y el contacto, cuando Soler se confirmó como presidente, lo perdieron. Estuvieron más raudos en Manchester, que se enamoraron de él en un partido amistoso donde hizo todo tipo de virguerías. Y Sir Alex Ferguson supo que ese futbolista cambiaría la historia de la Premier League y de todo el mundo.

EL INTENTO DE SUICIDIO DE UN JUGADOR DE LA JUVENTUS

Gianluca Pessotto era un defensa italiano que tuvo sus inicios en la cantera del Milan. Su carrera fue la de un futbolista que, temporada tras temporada, iba superando sus metas. Pasó por todas las divisiones y por distintos equipos: Varese, Massese, Bologna, Verona y Torino, este último su verdadero escaparate. Con el conjunto granata logró convertirse en uno de los defensas más prometedores de Italia, algo de lo que se dio cuenta su vecino, la Juventus. No dudó en fichar por siete millones de liras, bastante para la época.

Pessotto se convirtió en un futbolista importante, sobre todo en cuanto a jerarquía y conocimientos. Sus estudios en Derecho contribuyeron a que fuera un jugador respetado por el vestuario, que le apodaba Professorino. Y recibió la consideración tanto de sus compañeros como de sus entrenadores. Con Carlo Ancelotti llegó a ser imprescindible en el esquema, pero con Marcelo Lippi cambió, y no fue por el entrenador realmente. Sus presencias se irían acabando a partir de 2002, coincidiendo básicamente con la llegada de Gianluca Zambrotta, procedente del Bari.

Menguarían sus participaciones, pero su importancia dentro del equipo era primordial. La Juventus se lo había dado todo, y él a ellos. Una Champions League, cuatro *scudetti*, una Intercontinental... Sin embargo, nadie sabía el calvario que él mismo estaba viviendo. Realmente, el defensa no supo canalizar los cambios y tampoco entendió el motivo de sus aportaciones. Sus conversaciones internas le llevaron a creer que todo era una conspiración contra él. «Sentí que era objeto de una persecución, perseguido como el peor de los villanos. En cada persona que conocía, vi al Diablo o a la Virgen», confesó para la *Gazetta dello Sport*. No existían ni Dios ni el Diablo, pero sí la incipiente depresión de Gianluca.

En 2006, Pessotto confirma su retirada y le asignan un puesto en la dirección, como mánager general en sustitución de Alessi Secco. A su vez, la Azzurra viajó a Alemania para jugar el Mundial, que un mes después ganarían ante Francia. Las aguas fueron convulsas para la Juventus. Aquel año saltaría el caso del Calcio, en el que a los *bianconeri* se les relacionó con los amaños de partidos de Luciano Moggi. La Juve sería condenada al ostracismo de la Serie B y muchos de los futbolistas y miembros de la directiva señalados por aquello, entre ellos Pessotto. Al exjugador le ahogaba el tema, le sumió en una profunda crisis que llegó a convertirse en una obsesión. Quería ponerle fin a todo aquello.

El 27 de junio de 2006, en la propia sede del club, apareció Pessotto desde la ventana del cuarto piso del edificio. Portaba un rosario en la mano. Sin dudarlo, se arrojó al vacío cayendo sobre el Alfa Romeo de una de las leyendas del club, Roberto Bettega. Cuando encontraron su cuerpo, rápidamente le llevaron al hospital Molinette de Turín, donde tuvo que ser operado de urgencia por una hemorragia interna, además de padecer múltiples fracturas en las extremidades. Se le indujo un coma para asegurar su recuperación, que sería lenta. Le realizaron un total de cuatro operaciones y una traqueotomía, pero nada tan evidente como las desgarradoras sensaciones que tuvo durante aquello. «No hay nada, la oscuridad total. Pero recuerdo los momentos en los que pensé que estaba muerto o casi muerto. En la sala de emergencias, creo, o en los momentos de vigilia durante el coma. El cuerpo se iba, me sentí ir».

Mientras tanto, la selección italiana se enteró de lo ocurrido y varios jugadores recibieron el permiso de Marcelo Lippi para ver a Pessotto, entre ellos Del Piero, Zambrotta y Cannavaro. En los partidos siguientes, los futbolistas italianos salieron con camisetas con el rótulo *Pessottino, siamo con te* ('Pessottino, estamos contigo'). Italia ganaría el Mundial y, durante la celebración, los mismos jugadores fueron a verle de nuevo. Le entregaron el trofeo, para su posterior felicidad, pero ese día Pessotto empezó a padecer una fiebre de 40º que los médicos no supieron explicar. Aseguran que todo fue fruto de la emoción. El amor de su familia y de sus compañeros le ayudaron a tener una nueva vida, en la que trabaja con las categorías inferiores de la Juventus. Ahora se ha agarrado a la vida y no piensa abandonarla, ni tampoco a la Vecchia Signora.

LA TRÁGICA MUERTE DE GAETANO SCIREA

Esta tragedia sí que acabó con un final indeseable. A la Juventus, en numerosas ocasiones, también le ha golpeado la tragedia.

Desde el fallecimiento de aficionados en Heysel hasta lo ocurrido con Gianluca Pessotto. Sin embargo, en la mente del hincha *bianconero* Gaetano Scirea, una de las mayores pérdidas que vivió el fútbol italiano, ocupa un lugar esencial. Para los que desconozcan su nombre, hablamos de uno de los mejores líberos de la historia, un defensa jerárquico y fino al corte que colmó de éxitos a la Vecchia Signora durante 14 años. Solo estuvo en el Atalanta dos temporadas antes de fichar por los piamonteses. Lograría siete *scudetti*, dos copas de Italia, la malograda Copa de Europa de Heysel y la Copa del Mundo, con Italia, en 1982. En 1988, se retiró del fútbol para formar parte como segundo del equipo técnico de Dino Zoff. Por entonces la Juventus estaba preparando la Copa de Europa 1989/90 y el rival sería el equipo polaco del Giornik Zabrze. El exfutbolista viajó hasta la ciudad para conocer el juego del club polaco. Cuando se dirigía a ver el partido, su Fiat 125 se estrelló de frente contra un Fiat 126 en el momento en que adelantaba a un camión. El coche empezó arder y tres personas, entre ellos Scirea, perdieron la vida el 3 de septiembre de 1989. Las leyendas de la Juventus no se lo podían creer. Giampiero Boniperti dijo que había sido «una de las mejores personas que había conocido, en todas las facetas de la vida», mientras Giovanni Trapattoni lo consideraba como «un hijo».

Y es que ese mismo año, como bien recoge un artículo del Mundo Deportivo, el asfalto se había llevado a grandes futbolistas. Kazimierz Deyna, estrella de la Polonia de los setenta y ochenta, falleció en las mismas circunstancias dos días antes en San Diego, Estados Unidos. Y meses antes, Laurie Cunningham, futbolista inglés que jugó en el Real Madrid y fue uno de sus fichajes más caros, también murió en la carretera un 15 de julio.

ONCE IDEAL DE LA JUVENTUS

CITA:

He jugado en los dos mejores equipos del mundo. Es difícil igualar el poder de la Juve y del Real Madrid, pero cuando eres de la Juve, lo eres para siempre (Zinedine Zidane).

EL DÍA QUE CAMBIÓ PARA SIEMPRE LA VIDA DE PETR CECH

Corría la temporada 2006/07 y el Chelsea de Mourinho buscaba reeditar el campeonato liguero conseguido el año anterior. Era un equipo plagado de estrellas: Drogba, Lampard, Terry, Shevchenko, Robben, Carvalho, Cech... Sería este último el que protagonizaría uno de los lances más aparatosos de la temporada. El portero checo había llegado a Londres en la temporada 2004/05 procedente del Rennes. Desde su primer año se había hecho con la titularidad en la portería *blue*, pero aquel año hubo que buscar soluciones de urgencia ante la prolongada baja de Cech.

El Chelsea llegaba al Madejski Stadium de Reading en plena lucha con el Manchester United por la primera plaza del campeonato. Tanto el Chelsea, como los *reds devils* habían sumado 16 puntos en siete jornadas; la victoria en Reading era vital y Mourinho lo sabía, pero pronto se empezaron a torcer las cosas. No habían transcurrido ni veinte segundos de partido cuando un balón largo que buscaba a Hunt es atajado por Cech. El jugador del Reading, en parte por la inercia, y en parte por su afán de intentar arrebatarle la pelota al portero, choca con él. En principio, ni el propio árbitro se da cuenta de la gravedad del asunto, ya que lo primero que hace es hablar con Hunt. Pero Cech ha quedado abatido. El jugador del Reading le ha dado con la rodilla en el cráneo. Tras cinco minutos de atenciones en el campo, es llevado al hospital. La tensión es máxima, aunque ahora no por un tema deportivo.

Dentro de la preocupación existente comienzan a llegar buenas noticias y el portero checo está fuera de peligro. Mientras le están atendiendo, su equipo consigue la victoria por la mínima mediante el gol de Ingimarsson en propia puerta tras lanzamiento de falta de Frank Lampard. En el lugar de Cech entró Cudicini, que también sufrió un golpe al final del partido y también tuvo que ser llevado al hospital. Como al Chelsea no le quedaban ni cambios ni porteros, John Terry se tuvo que poner bajo los palos. El central no encajó gol en los tres minutos que ejerció de cancerbero y el Chelsea pudo mantener la victoria pese a la serie de catastróficas desdichas.

Aunque los dos porteros acabaron en el hospital, quien más preocupó por la brusquedad y gravedad del golpe fue Petr Cech. Mourinho declaró al terminar el partido que habían temido por la vida del jugador y no dudó en señalar a Hunt, al que acusó de descerebrado. Mou consideró que la acción fue intencionada por parte del delantero del Reading, aunque matizó sus palabras diciendo que no buscaría mandarle al hospital, pero que podía haber evitado el golpe. Al día siguiente, Cech fue operado en Oxford de una fractura con hundimiento en el cráneo, un golpe que quizás tuvo más consecuencias de las esperadas por culpa de la genética del checo. Y es que muchos no saben que el portero es trillizo y que los trillizos suelen tener la masa ósea más débil. Afortunadamente, todo salió bien. Estuvo apartado de los terrenos de juego durante tres meses, lo que provocó que el mítico portero jugase a partir de entonces con casco.

Los médicos le dijeron que si quería volver a jugar una vez recuperado de la lesión, tenía que ponerse necesariamente este casco de neopreno, muy parecido al que utilizan los jugadores de rugby. El guardameta reaparecería en un encuentro ante el Liverpool que los *blues* perdieron por 2-0. Este partido, disputado el 20 de enero de 2007, fue el primero en el que Cech jugó con casco, aunque la ovación se la llevaría en casa ante el Blackburn a la semana siguiente. Cech volvía a Stamford Bridge tras el aparatoso golpe y la afición lo recibió con una ovación cerrada.

El casco de Cech se volvería igual de distintivo que las gafas de Davids; ya saben aquello de que lo diferente nos hace especiales. Lo cierto es que Cech no necesitaba cambiar su aspecto para suscitar la atención. Sus cualidades como guardameta se bastaban por si solas. Diez temporadas defendiendo la portería del Chelsea y siempre como titular, salvo lesiones, son un argumento de peso. Con el Chelsea consiguió cuatro ligas, cuatro FA Cups, tres copas de la liga, una Europa League y, sobre todas ellas, la Champions de 2012, en cuya final asumió todo el protagonismo al acertar, en la tanda de penaltis, la dirección de los cinco y detener dos de ellos. Un jugador que pudo no volver a jugar por un lance desafortunado en 2006, le daba la primera Champions de su historia al Chelsea. Una leyenda *blue*.

LA IMPACTANTE MUERTE DE JOHN THOMSON

El Old Firm que enfrenta a Rangers y Celtic desde tiempos inmemoriales es uno de los grandes clásicos del fútbol mundial. Dos formas antagónicas de entender el fútbol y la vida se congregan en Glasgow. No solo hay motivos deportivos para ser de uno o de otro equipo. Si eres del Rangers, eres protestante, y si apoyas al Celtic, eres católico. Esto, evidentemente, no se cumple siempre. Pero los aficionados miran con otros ojos a los jugadores cuya opción religiosa es distinta a la de ellos. Les cuesta aceptarlos. Este fue el caso de John Thomson.

Thomson fue un portero educado en el protestantismo que, sin embargo, amaba al Celtic sobre todas las cosas. Su deseo era jugar siempre para los católicos. En 1931, ya le había declarado su amor eterno al club, rechazando una mareante oferta del Arsenal que triplicaba su sueldo. Sería aquel año el que cambiaría la historia de los Old Firm. El partido se disputaba en Ibrox Park, campo del Rangers. En un lance del juego, John Thomson se lanzó al suelo para atrapar un balón. Sam English, jugador del Rangers, llegaba en carrera para tratar de anticiparse al meta. La catástrofe acababa de suceder.

La rodilla de English impactó con brusquedad en el cráneo de Thomson, que cayó fulminado sobre el terreno de juego. El golpe retumbó hasta en el último asiento. El estadio enmudeció. Hinchas y jugadores se temían lo peor al ver el charco de sangre que se formaba en el área. El capitán del Rangers, médico de profesión, fue el primero en atender al portero del Celtic. Pero nada se podía hacer. Thomson fue trasladado al hospital donde perdió la vida. Lo tétrico del asunto es que el partido siguió jugándose con la sangre en el área. Historia trágica la de este chico de 22 años que prometía mucho en el fútbol escocés.

CITA:

En la vida hay cosas más importantes que el dinero. Por ejemplo, el Celtic de Glasgow (John Thomson cuando el Arsenal se interesó por él).

OTROS GOLPES FORTUITOS EN EL FÚTBOL

La lesión de Palermo: La lesión de Palermo: El Villarreal visitaba el Ciutat de Valencia para enfrentarse al Levante en los dieciseisavos de Copa. El partido finalizó 0-0 y se llegó a la prórroga, en la que la estrella del Villarreal, Palermo, marcó el 0-1. Para celebrarlo, se dirigió hacia una veintena de aficionados amarillos. Los hinchas se precipitaron sobre una valla, que terminó cediendo y cayendo sobre Palermo. Como resultado, fractura de tibia y peroné.

Un golpe mortal contra un muro: En un encuentro que enfrentaba a San Martín de Burzaco con Juventud Unida se produjo la catástrofe. Emanuel Ortega, que defendía la camiseta de los primeros, se adelantó en la llegada a un balón. Un jugador rival, que venía lanzado, chocó con él. La mala fortuna quiso que cayera de espaldas, y la mala planificación, que allí hubiese un muro. Emanuel se fracturó el cráneo y fallecería once días después en el hospital.

El gol más amargo de Filipe Luis: Se medían Deportivo y Athletic en Riazor. El partido correspondía a la jornada 19 de la temporada 2009/10 y se emitía en abierto. Al poco de comenzar el segundo tiempo, cae un balón dentro del área pequeña y Filipe lo introduce en la portería bilbaína, pero con la mala fortuna de golpear con Iraizoz en el momento del disparo. El jugador no pudo ni celebrar el gol. Las imágenes lo decían todo; el pie completamente girado a consecuencia de una fractura y luxación del tobillo.

Cuqui Silvani se cae al foso: Walter Silvani fue un atacante argentino que pasó por el fútbol español en los noventa. Su primera escala fue Almendralejo, para jugar en el Extremadura; luego, se iría a Salamanca, y terminaría su andadura en Las Palmas. Para el recuerdo general, dejó una acción atípica cuando defendía los colores de los salmantinos. Era la temporada 1997/98 y el Salamanca visitaba al Mallorca en el Lluís Sitjar. En un lance del juego pasó lo inesperado: Silvani evitó que el balón saliese por el lateral, pero no pudo frenar la carrera a tiempo y se precipitó sobre el foso del estadio. Afortunadamente, Silvani, al ver que iba directo hacia allí, pudo calcular para caer de pie, lo que permitió que no hubiera que lamentar daños mayores.

Taylor se come el poste: Se enfrentaban Newcastle y Sunderland en St. James's Park en el conocido como derbi del noreste, un partido de la jornada 17 de la temporada 2014/15 en el que las Urracas miraban más hacía posiciones europeas, mientras que los Black Cats buscaban salir de la zona baja. La tensión del partido se cortó por un aparatoso golpe de Steven Taylor, defensa del Newcastle. El jugador fue a sacar del área un balón, con la mala fortuna de que la inercia hizo que se golpeara la cabeza con el poste. Como resultado, un corte en la ceja y otro en el pómulo. Pese a que inicialmente parecía más grave, el jugador pudo volver al campo ante la ovación de todo el respetable.

GEOFÚTBOL

Cada punto del planeta esconde historias inauditas, hechos impensables o relatos únicos que afectan al mundo del fútbol. Con mapas o sin ellos, os mostramos historias donde la geografía, la evolución de algunos países o las diferentes culturas afectan a la pelota

EL DÍA QUE GICA HAGI FICHÓ PARA UN ÚNICO PARTIDO

Aunque pueda parecer poco común, son muchos los jugadores que han vestido las camisetas de Real Madrid y Barcelona, más en los últimos tiempos. Uno de ellos es Gheorghe Hagi, más conocido como Gica Hagi. El futbolista rumano firmó por el Real Madrid primero y, previo paso por el Brescia, recaló después en el Barcelona. Pero no les vamos a contar ninguna de sus andanzas en España, sino que les vamos a relatarla historia del contrato más surrealista que tuvo que firmar.

El fútbol en los ochenta en Rumanía era de todo menos un deporte justo. El régimen de los Ceauscescu interfería en los campeonatos y alteraba la competición a su gusto. El Steaua de Bucarest era el equipo por antonomasia del régimen dictatorial comunista de la Rumanía de aquellos años. Valentin Ceausescu, hijo del dictador, era el que controlaba al equipo y en gran medida el campeonato. Los amaños en todos los estratos del fútbol fueron la tónica habitual, como el caso del «prolífico» goleador Camataru (más información en página 170).

Otra de las grandes anécdotas del fútbol rumano de aquella época se produjo en la final de la Copa de Rumanía de 1988. El duelo enfrentaba al Steaua y al Dinamo de Bucarest. Con empate a uno en el marcador, los jugadores del Steaua abandonaron el terreno de juego en protesta por la anulación de un gol que consideraban legal. El Dinamo ganó el título por ausencia de su rival. Sin embargo, la corrupta Federación de Fútbol Rumano dio el título en los despachos al Steaua, validando el gol que el colegiado no había dado. Tras la caída de Ceauscescu en 1989, el Steaua se ofreció a devolver esta Copa al Dinamo, algo que los segundos rechazaron.

En este ambiente tan tenso se desarrolló uno de los mejores talentos que ha dado el fútbol rumano, conocido también como el Maradona de los Cárpatos. Comenzó a destacar muy pronto y, por tanto, también se vio sometido a presiones a pronta edad. Sin ir más lejos, fue obligado a fichar por el Sportul Studentesc, un club que también controlaban los Ceauscescu. Hagi fue máximo goleador del campeonato rumano en dos ocasiones con este equipo. Steaua y Dinamo se interesaron activamente por contratarle. Solo uno podría disfrutarlo finalmente.

En 1986, el Steaua Bucarest culminó su mejor temporada europea ganando la Copa de Europa en Sevilla al Barcelona, una de las mayores sorpresas de la historia de la competición que privaba a los culés de ganar su primera *orejona*. En aquel encuentro se erigió como héroe Duckadam, el guardameta rumano que no concedió ni un solo tanto en la tanda de penaltis. Mientras el Steaua reinaba en la Copa de Europa, el Dinamo de Kiev lo hacía en la Recopa de Europa venciendo al Atlético de Madrid (más información en la página 118). La Supercopa de Europa enfrentaría, por tanto, a Steaua y Dinamo en la que sería la primera final europea entre dos clubes de Europa del Este. La final también sería la primera de la Supercopa de Europa que se jugaría en Mónaco.

El encuentro entre los dos equipos tenía connotaciones políticas, y es que Ceauscescu había buscado el distanciamiento del poder que ejercía Moscú en las potencias comunistas y había tensión entre ambos Gobiernos. El duelo era una cuestión de Estado y por ello había que reclutar a los mejores hombres. Hagi era el más prometedor de todos los futbolistas rumanos de la época y no había dudas, tendría que estar en el partido. El jugador fue llamado a las oficinas de la Federación, donde había un contrato con su nombre. No tenía opción, debía firmar por un partido con el Steaua. El país le necesitaba.

El partido se decidió con un gol de falta. ¿Adivinan de quién? Sí, de Hagi. Rumanía había ganado a la URSS o el Steaua al Dinamo de Kiev, como ustedes prefieran. Lo cierto es que, a su regreso a Rumanía, Hagi tendría un nuevo contrato, también de firma obligatoria. El Steaua había quedado tan encantado que no quería soltarle y le obligaron a firmar por el equipo ya de forma indefinida. Tras la caída de Ceauscescu, Hagi fue ya libre de fichar y de salir de Rumanía. Recaló así en el Real Madrid, pero esa es otra historia.

EL DÍA QUE RONALDINHO JUGÓ PARA EL OTRO BARCELONA

Ronaldinho Gaúcho escribió algunos de los mejores episodios de la historia del Fútbol Club Barcelona. Con el conjunto catalán ganó la Champions y bordó una temporada 2005 en la que fue premiado con un Balón de Oro. Tras salir del Barcelona, su carrera comenzó a decaer, aunque en el Atlético Mineiro vivió una segunda juventud. Lo que no se podía esperar es que Ronaldinho volvería a jugar en el Barcelona. Así fue, pero en el Barcelona Sporting Club de Guayaquil, Ecuador. Solo disputó un partido, pero la historia es bien curiosa.

Ronaldinho había jugado su último encuentro oficial con Fluminense en septiembre de 2015. En esas, en enero de 2016, le llegó una oferta; sería solo para un partido amistoso, pero Ronaldinho accedió. Cada temporada el Barcelona de Guayaquil organiza un partido amistoso a modo de presentación del equipo de cara a la nueva temporada. En ese encuentro jugó con el número 91 a la espalda, que simbolizaba los 91 años de vida del club. La conocida como Noche Amarilla ya había tenido otros jugadores invitados, pero nunca uno con tanto pedigrí.

El club ecuatoriano le llegaría a ofrecer a Ronaldinho la posibilidad de continuar si él quería. Finalmente esto no pasó, pero sí jugó este amistoso ante el Universidad de San Martín peruano. Estuvo en la cancha 78 minutos y se llevó la ovación de todo el Estadio Monumental de Guayaquil, y no solo eso: el colegiado del partido le pidió que le firmara una de sus cartulinas, algo único. Ronaldinho dijo que era alucinante cómo le habían recibido y tratado teniendo en cuenta que nunca antes había jugado para ellos. La presencia del crack brasileño ayudó, además, al club, que estaba en un complicado momento económico y que no tuvo que pagar nada para que Ronaldinho se vistiese de amarillo. Fueron los patrocinadores los que pagaron la presencia del brasileño. Una historia sorprendente.

LO QUE HEMOS APRENDIDO DEL *DRAW MY LIFE* DE RONALDINHO

Ronaldinho Gaúcho fue de los primeros protagonistas en aparecer en nuestros Draw My Life. El jugador brasileño ha tenido una vida apasionante que no podíamos obviar. Lo que no sabíamos y descubrimos en la realización de este vídeo era que la estrella brasileña estuvo muy cerca de jugar en el St. Mirren escocés. Tan cerca que solo un problema con el pasaporte impidió que cambiase Brasil por Escocia.

Era 2001 y el futbolista, por entonces, de Gremio ya tenía un acuerdo para incorporarse a la disciplina del PSG a la temporada siguiente. Aunque los franceses buscaron antes una cesión en Europa, aquí surgió el St. Mirren. Sin embargo, unos problemas en el pasaporte del jugador y la lentitud de la Federación brasileña impidieron el fichaje. El St. Mirren terminó descendiendo aquella temporada. Seguramente todo habría cambiado con Ronaldinho en sus filas.

CITA:

Marcó un antes y un después en el Barcelona. Lo levantó. Siempre te sorprendía con alguna jugada, siempre procuraba traer algo nuevo, algún toque de balón, alguna forma de levantar la bola, algo que solo podía hacer él (Víctor Valdés sobre Ronaldinho).

EL NARCOTRÁFICO, DUEÑO Y SEÑOR DEL FÚTBOL EN LA COLOMBIA DE LOS OCHENTA

El que fuera presidente de Millonarios, Felipe Gaitán, dejó caer en 2012 que el club colombiano estaba estudiando devolver los títulos que ganaron durante la época del narcotráfico. El equipo de Bogotá fue uno de los principales equipos de Colombia dirigido por narcos, aunque no el único. En 1983, el ministro de Justicia, Lara Bonilla, señaló a Millonarios, Atlético Nacional, Independiente Santa Fe, Deportivo Independiente Medellín, América de Calí y Deportivo Pereira como los principales clubes controlados por el narcotráfico. El ministro sería asesinado un año después de estas declaraciones por orden del cartel de Medellín, que dirigía Pablo Escobar.

Pablo Escobar no necesita presentación. El mayor narcotraficante de la historia amasó una enorme fortuna gracias a la venta de cocaína y su historia ha sido mil veces relatada. Al Patrón, como se le conocía, le apasionaba el fútbol. Según cuentan, seguía por la radio los partidos hasta en los momentos más inverosímiles, con la policía pisándole los talones. Y, como no podía ser de otra forma, no dejó pasar la oportunidad de entrar en el mundo del fútbol de forma activa.

Los narcos encontraron en el fútbol la forma de blanquear una parte de su capital, además de llegar a la sociedad colombiana, a la que agasajaban con grandes jugadores y con un campeonato lleno de estrellas latinoamericanas. Pablo Escobar entró en dos equipos, Atlético Nacional y Deportivo Independiente Medellín, los dos principales equipos de su Medellín. Fue el Atlético Nacional al que destinó más recursos y en el que obtuvo más éxitos. Siempre se ha hablado con escepticismo de la Copa Libertadores que ganó el conjunto verdolaga en 1989. Se cree que hubo extorsión a árbitros para que los colombianos reinaran en Sudamérica.

Una de las razones por las que se pensaba que el club de Pablo Escobar era el Atlético Nacional, era que tenía más intereses, y también por el hecho de que algunos jugadores de este equipo le fueran a visitar a la Catedral, su cárcel en Colombia, aunque no fueron los únicos. Llegaron a ir por allí Higuita, Valderrama o, incluso, Maradona. Sin embargo, el propio hijo de Pablo, en una crítica a la serie *Narcos*, refiere muchos fallos de documentación, como por ejemplo que Pablo no era fan del Atlético Nacional, sino del Deportivo Independiente Medellín. Sea como fuere, el cartel de Medellín estuvo muy presente en este equipo, al igual que el de Calí lo estuvo en el América de Calí.

Miguel Rodríguez Orejuela, dirigente del cartel de Calí junto a su hermano, también entró activamente en el fútbol. América de Calí consiguió ganar ocho ligas entre 1979 y 1992. Se convirtió en un gigante del fútbol colombiano y el que mejor pagaba a sus jugadores. Miguel había conseguido lo que su hermano no había podido lograr, ya que fue rechazado por el Deportivo Calí. Orejuela no fue el único gran capo del narcotráfico que utilizó el fútbol como su juguete. Uno de los más sanguinarios era Gonzalo Rodríguez Gacha, más conocido como el Mexicano, que se hizo con el mando de Millonarios asesinando a uno de los dirigentes del club. El hombre al que mató Gacha fue uno de los abogados propietarios del equipo después de que otro narcotraficante, Edmer Tamayo, delegase sus funciones en ellos. El club pasó de un narcotraficante de marihuana a uno de cocaína.

Otro de los grandes del fútbol colombiano, Independiente Santa Fe también estuvo controlado por el cartel de Calí. Sería en 1991 cuando Phanor Arizabaleta, uno de los líderes del cartel, se hiciera con el dominio del club después de comprarle las acciones a otro narco, Fernando Carrillo Vallejo que dirigía el club desde 1989.

Los grandes del fútbol colombiano estaban controlados por narcos, aunque también existieron otros dos clubes vinculados a esta lacra de la sociedad. Serían Unión Magdalena, con los hermanos Dávila Armenta a la cabeza, y Deportivo Pereira, con Octavio Piedrahíta al mando. Este último estuvo vinculado a Pablo Escobar y también tuvo poder sobre el Atlético Nacional. Muchos narcos mancharon el fútbol colombiano, que todavía tratan de limpiar pasados más de 20 años. Una pena.

TODA LA VERDAD SOBRE LA MUERTE DE ANDRÉS ESCOBAR

A Andrés Escobar no le mataron por el gol en propia puerta. Pacho Maturana, internacional por Colombia y su exentrenador, habló claro sobre el error, muy extendido, acerca del asesinato de Andrés Escobar. El defensa colombiano fue acribillado en la madrugada del 2 de julio de 1994 a la salida de la discoteca Padua en Medellín. Unos días antes, la selección colombiana había vuelto de Estados Unidos tras una inesperada eliminación del Mundial. Andrés Escobar se metió un gol en propia meta ante los anfitriones y fue señalado como culpable de la temprana vuelta a casa.

Escobar, que estaba cerca de fichar por el Milan, fue a una discoteca con dos amigos. Allí, los hermanos Gallón Henao, vinculados al narcotráfico, comenzaron a hacerle burlas. El gol en propia era el motivo principal por el que le increpaban. Escobar pidió en reiteradas ocasiones que le dejaran tranquilo. A la salida de la discoteca, el jugador fue hacia su coche, donde se topó de nuevo con los dos maleantes. En un momento dado, uno de los hermanos le dijo que no sabía con quién estaba hablando. Acto seguido el chófer de los hermanos, Humberto Muñoz, salió del coche y descargó su revolver en el futbolista, que fallecería 45 minutos después en el hospital a la pronta edad de 27 años.

Maturana comenta que no fue algo premeditado, nunca se probó tal cosa. El motivo hay que encontrarlo en la situación que vivía el país cafetero. Ciertas personas solucionaban sus problemas a base de disparos y cualquier disputa podía acabar con tu vida. Andrés Escobar estuvo en el lugar equivocado en el momento equivocado. El motivo de las burlas era el gol, pero el asesinato fue debido a la prepotencia de unas personas que se creían por encima de la justicia. Y así era. Ninguno de los hermanos pisó la cárcel por este asesinato. Y el chófer, autor material del crimen, solo cumplió once años de los 43 que le cayeron. Un asesinato cobarde sin el castigo suficiente.

LA COLOMBIA DEL NARCOTRÁFICO

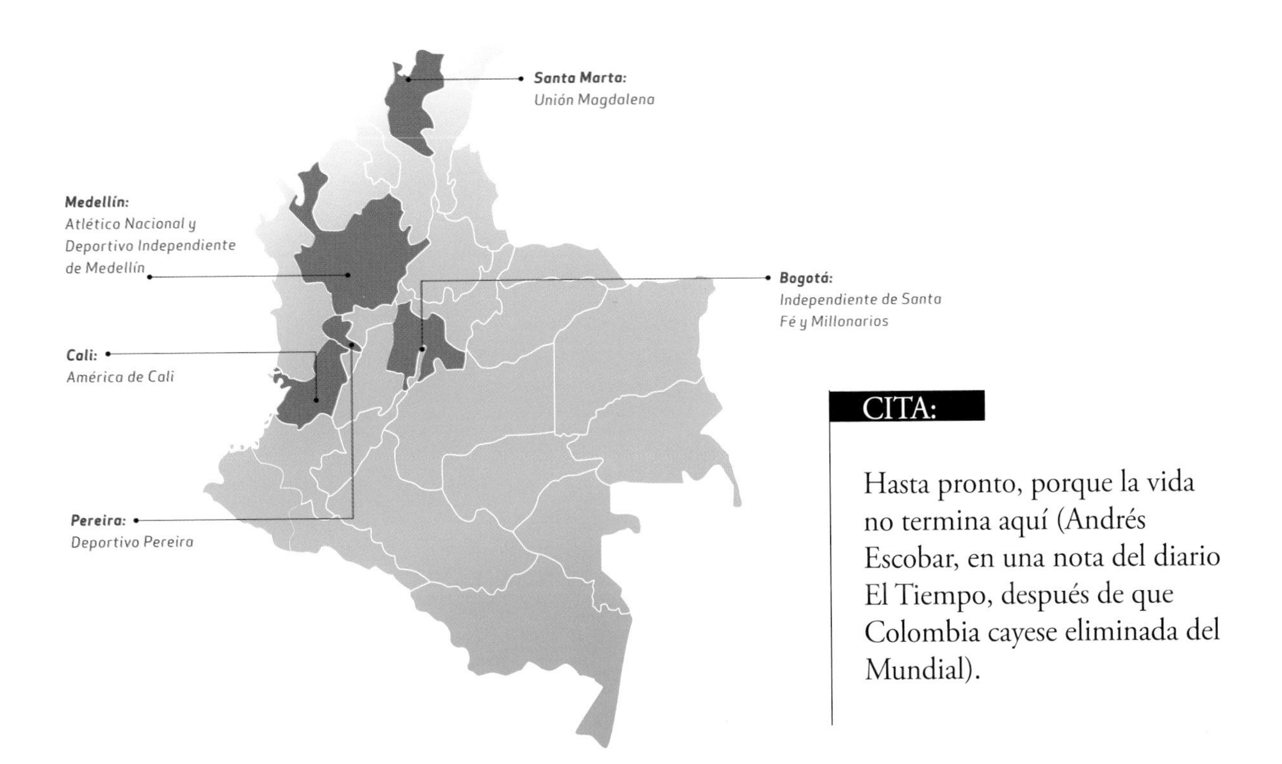

CITA:

Hasta pronto, porque la vida no termina aquí (Andrés Escobar, en una nota del diario El Tiempo, después de que Colombia cayese eliminada del Mundial).

CUANDO MODRIC FUE REFUGIADO DE GUERRA

Hay grandes futbolistas que esconden una historia detrás, a veces amarga, debido a la cual han potenciado más si cabe, su pasión por el fútbol. Puede que esa vía de escape evitara haber tenido una vida muy distinta, o incluso un trágico final. Historias como las de Leo Messi y su tratamiento para crecer, que, de no habérselo aplicado, hubiera cambiado completamente el fútbol. O los orígenes humildes de Pelé, otro niño que en una Brasil racista, se construyó a sí mismo en los barrios más humildes de Minas Gerais. La vida de nuestro siguiente protagonista es la vida de un refugiado de guerra.

Si se habla de Luka Modric, es para describir a uno de los mejores y más completos centrocampistas del mundo. Dio arraigo al talento que ya se advertía en yugoslavos y, sobre todo, croatas, que maravillaron al mundo en el Mundial de 1998 con una tercera posición. En el Dinamo de Zagreb creció, en el Tottenham inició su obra futbolística y en el Real Madrid la culminó para convertirse en uno de los más brillantes jugadores que han vestido de blanco.

Pero, yendo a sus inicios, la vida de Luka no fue la más agradable. Como muchos otros, fue testigo y, en cierto modo víctima de uno de los conflictos bélicos más sangrientos, la guerra de los Balcanes.

Creció en Modrici, un pueblo cercano a Zadar, donde nació realmente. Hijo de un mecánico aéreo y de una trabajadora textil, vivió el momento más álgido del conflicto cuando solo tenía seis años. Dos instantes le marcaron en su infancia. El primero, cuando su padre se unió a filas para combatir con el Ejército croata, y el segundo, cuando su abuelo paterno fue ejecutado por soldados serbios a 500 metros de su casa. Como tantos otros, la familia quiso huir de la zona más peligrosa para buscar refugio.

Sí, Modric fue refugiado y se instaló en Zadar, concretamente en el hotel Kolovare, donde se decía que rompía más cristales con las pelotas que las propias bombas de los serbios. Su infancia no fue fácil y el fútbol era una de sus vías de escape. No obstante, con tan solo ocho años, le llegó la oportunidad en una de las canteras más prolíficas del fútbol europeo, la del Hajduk Split. Llegó a hacer una pequeña gira por Italia, pero, finalmente, sus condiciones físicas le apartaron de aquel sueño. A ojos de los entrenadores, era demasiado pequeño y liviano como para formar parte de la expedición.

La vida de Modric parecía una calamidad continua hasta que apareció Tomislav Basic. En unas palabras recogidas en la web del diario *Marca*, su descubridor describe la situación por la que pasaba la familia: «Eran muy pobres. No tenían dinero para camisetas o espinilleras para Luka. Así que le hice unas de madera». Y en el Zadar comenzó su carrera como futbolista, hasta que, a los 13 años, fichó por el conocido Dinamo de Zagreb, donde ya se empezó a divisar una estrella sin parangón.

Esta es la historia de Luka Modric, que antes de ser futbolista fue superviviente y refugiado. Le cuesta hablar de su pasado pero no olvida de lo vivido. No cabe duda de que su infancia le hizo ser más fuerte. Y de que, de la oscuridad, a veces brotan genios que dan destellos de luz, como los buenos diamantes.

CITA:

La guerra me hizo más fuerte. Fueron tiempos durísimos para mí y para mi familia. No quiero arrastrar este tema para siempre, pero tampoco me quiero olvidar de ello. Ahora tengo la sensación de que estoy listo para cualquier cosa (Luka Modric, jugador del Real Madrid, sobre su infancia y la guerra de los Balcanes).

EL DÍA QUE DZEKO ESTUVO CERCA DE MORIR

Otro de los niños que sufrió y padeció una guerra fue Edin Dzeko, delantero de la Roma y ex del Manchester City. El conflicto bélico que le afectó fue la guerra de Bosnia. Como a Modric, le hizo más duro psicológicamente, aunque también sufrió bastante en este aspecto por su duro trasiego en el fútbol más humilde, donde fue vilipendiado.

Antes de todo aquello, la guerra le privó de su propio hogar, destruido por los bombardeos en Sarajevo. Tuvo que irse a un piso mucho más pequeño, de cuarenta metros cuadrados, con su madre, donde vivían con 12 personas más. En el parque, jugaba al fútbol, y se cuenta que, un día, su madre le llamó para que entrara en casa. De repente, cuando el pequeño Edin estaba dentro, una bomba cayó sobre donde estaba jugando. Así era el clima desde que era niño. Su infancia no fue la más cómoda del mundo, pero tampoco resultó fácil cuando empezó a ganar dinero con el fútbol. En el Zeljeznicar sufrió un verdadero acoso, mal colocado en el terreno de juego, recibiendo insultos y descalificaciones de los aficionados y de sus propios compañeros... «Nunca creyeron en mí. Jugué dos temporadas en la primera plantilla, pero nunca sentí la confianza del técnico ni de los dirigentes. Nunca me dieron la oportunidad de mostrar todo lo que sabía», confesó el bosnio a la agencia EFE.

El Zeljeznicar lo vendió por 80 000 euros al Teplice, de la Segunda División de la República Checa. Y allí confirmó ser un delantero de garantías, que dominaba las áreas y destrozaba las redes rivales. Lo vendieron al Wolfsburgo por cuatro millones de euros, lo que no hacía sino constatar el grave error del Zeljeznicar. Nadie dijo que los inicios fueron fáciles, pero Dzeko resistió para convertirse en uno de los mejores delanteros de Europa.

LOS QUE FUERON LOS EQUIPOS MÁS DESTACADOS DE YUGOSLAVIA

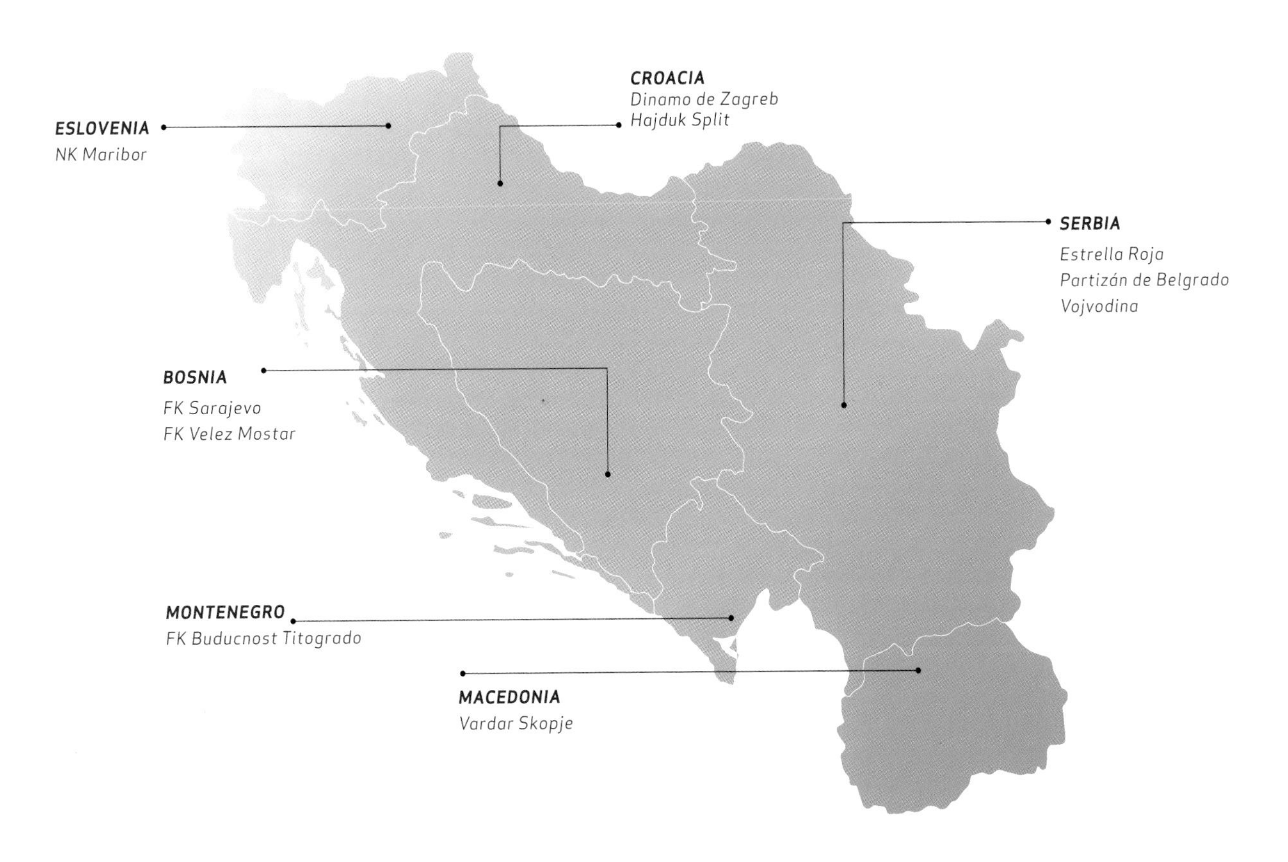

UNA VIDA DE PELÍCULA

Si les decimos el nombre del protagonista de esta historia, pocos eruditos en la materia conocerán por dónde van los tiros, pero, creednos, su vida podría estar en las carteleras de los mejores cines del mundo. Lutz Pfannenstiel tuvo una infancia normal, en la que ya empezó a destacar como portero de fútbol. Pronto debutaría en las categorías inferiores de la selección alemana y, siendo aún un adolescente, el Bayern llegó a contactar con él para ficharle. Él lo desestimó porque quería salirse del camino establecido. Quería dejar de tener una vida normal.

Tras haber descartado su entrada en las categorías inferiores del Bayern, con tan solo 19 años se fue a Malasia, primera escala de una aventura que le llevó a jugar en 25 clubes de 13 países distintos a lo largo de su carrera. Se convertiría en el primer futbolista en jugar en cinco continentes y en las seis confederaciones que componen la FIFA (América tiene dos, la CONMEBOL y la CONCACAF). También tiene el récord de ser el futbolista profesional en jugar en más equipos diferentes, récord que Abreu ha igualado y quiere superar.

Llegados a este punto, dirán: «Vale, ahora nos va a contar vida y milagros de un *culoinquieto* que saltaba de una parte a otra del mundo». Pues sí, pero lo que vivió Lutz merecía ser relatado. Lo que tiene haber vivido en tantos sitios y jugado en más de 600 estadios de fútbol es que la aventura es tu pan de cada día. En Singapur, sin ir más lejos (fina ironía), llegó a estar ciento un días en prisión. Según relata el propio jugador, fueron los peores días de su vida. Lo poco que comía se lo tiraban a la cara, dormía en el suelo y recibió tratos vejatorios. Llegó a tener pensamientos suicidas.

Lutz Pannenstiel fue arrestado por unos supuestos amaños de partidos, que nunca llegaron a esclarecerse. No había pruebas; sin embargo, él pagó. Pasó de tener un programa en la televisión del país y ser modelo de Armani a pudrirse en una lúgubre cárcel de Singapur. Fue un momento muy duro, aunque no el único que ha tenido a lo largo de su carrera, y es que el portero fue dado hasta tres veces como clínicamente muerto en un choque durante un partido en Inglaterra.

En el Boxing Day de la temporada 2002/03, mientras Lutz defendía la portería del Bradford Park Avenue, recibió un fuerte golpe en el pecho y cayó inconsciente sobre el terreno de juego. El corazón se le llegó a parar hasta en tres ocasiones. Afortunadamente, las labores de reanimación consiguieron salvarle la vida y pudo seguir jugando a fútbol y viajando por todo el mundo. Puso fin a su carrera como futbolista en 2009 en el Ramblers de Namibia, pero no detuvo aquí su impulso viajero.

Desde que colgó las botas, ha desempeñado puestos tan variados como entrenador de porteros de la selección cubana, entrenador de un club armenio u ojeador del Hoffenheim. Aunque el mayor proyecto que tiene en mente es la organización de un partido en la Antártida. El continente helado es de los pocos objetivos que le quedan a Lutz y tratará de hacerlo realidad valiéndose de su incansable activismo en todo lo referente a la preservación del planeta .

Lutz fundó en 2009 el Global United Football Club, una organización que trata de concienciar sobre la grave situación derivada del calentamiento global, así como de visibilizar el maltrato constante a que se somete al medio ambiente, y lo hace a través del fútbol. Cuenta con el apoyo de grandes futbolistas, como Zinedine Zidane o Ronaldinho Gaúcho. Un hombre cuya vida da para hacer una película, que perfectamente podría ser una adaptación de su libro *El portero imparable*. Lo tiene todo para ser un éxito en taquilla.

CITA:

Dejaría el fútbol para jugar al críquet si me pagaran lo mismo (Christian Vieri).

LA ÚNICA CAMISETA A LA QUE *EL LOCO* ABREU ES FIEL

Si hablamos de jugadores que cambian más de camiseta que de ropa interior, no podemos dejar fuera a Sebastián *el Loco* Abreu. Un nómada del fútbol que cuando fichó por el Bangú brasileño, ya ha vestido la camiseta de 23 clubes diferentes, además de la de la selección uruguaya. 24 camisetas distintas para un jugador que no sabe quedarse quieto en ningún sitio, pero que sí tiene una camiseta que nunca va a traicionar, la única a la que es fiel.

Para las citas más importantes, el excéntrico delantero uruguayo porta siempre una camiseta interior hecha a base de retales de recuerdos. Se la pone por debajo de la elástica del club que le pague la nómina ese mes. La remera está cosida por la mitad; a un lado, está la camiseta que usó su padre en la selección de Lavalleja (departamento de Uruguay), y al otro, la camiseta que él portaba, con el 13 en medio. El charrúa le es tan fiel a este número que incluso llegó a ponerlo en el gorro que llevó en su boda.

Aunque la camiseta no está hecha solo de estas dos camisetas, también tiene una imagen de su familia, la bandera de Uruguay y el escudo del Nacional cosido en el pecho. Nacional es el club de sus amores. Buena prueba de ello es que ha jugado con el bolso hasta en cinco etapas diferentes. En resumidas cuentas, Abreu, que, además de las 25 camisetas que ha portado como jugador, tiene una colección de más de 800 camisetas, solo le es fiel a esta, a la que él mismo se ha cosido y para la que jugará siempre.

EL PRIMER FUTBOLISTA EN JUGAR EN LOS CINCO CONTINENTES

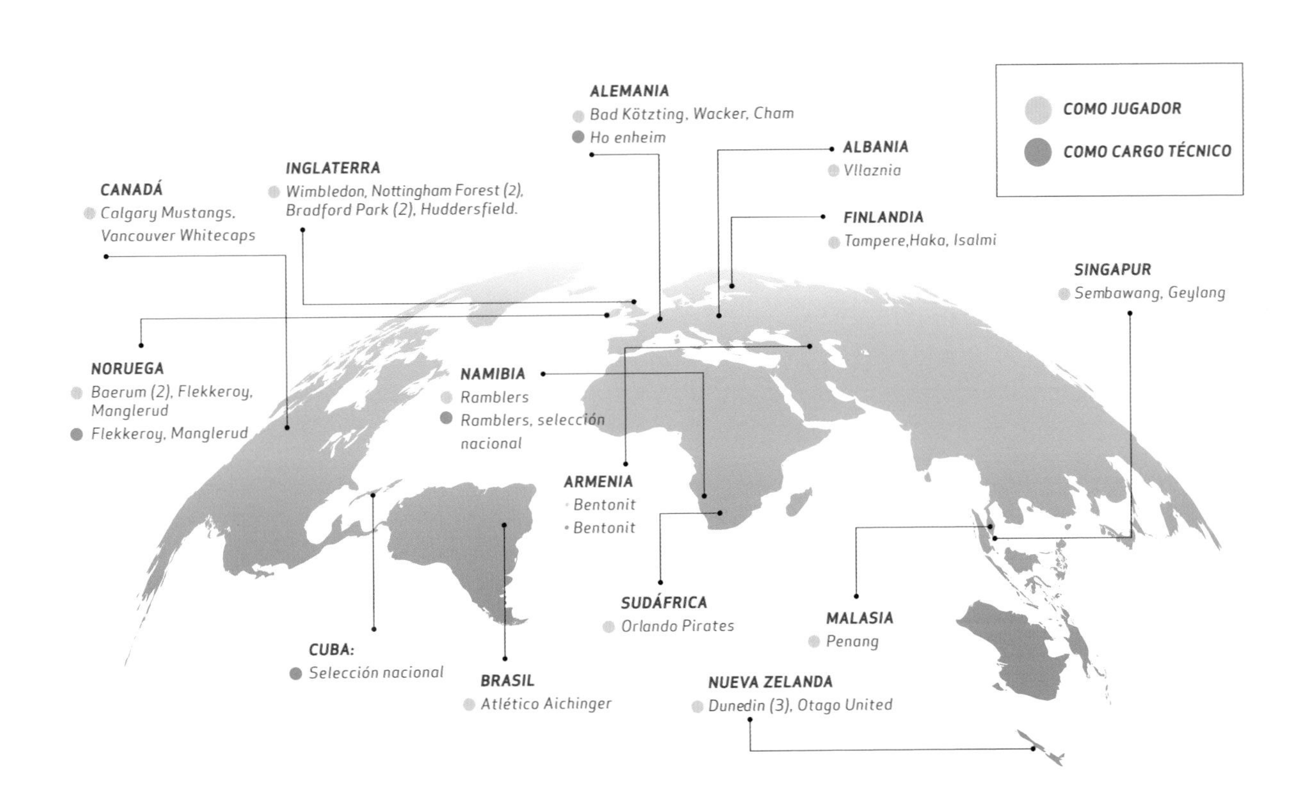

LA MAYOR HUMILLACIÓN DE UNA SELECCIÓN

Oceanía es un continente peculiar. Si tuviéramos que definirlo con una palabra esta sería *isla* y precisamente os vamos a contar la historia de un país compuesto por 607 islas. Poco más de 100 000 habitantes viven en los Estados Federados de Micronesia (EE. FF. de Micronesia). Un país que no se debe confundir con la región geográfica de Micronesia. Esta segunda está compuesta por países tan variados como Guam, Islas Marshall, Kiribati o los propios Estados Federados de Micronesia. Si se han liado, lo entendemos.

La selección de fútbol de este curioso país no es miembro de la FIFA y, por tanto, no puede jugar fases clasificatorias del Mundial. Un combinado, que además de contar con el problema geográfico de estar compuesto por muchas islas, no juega casi partidos, por lo que el nivel de su selección ya podemos imaginar cuál es. Lo que sí puede jugar EE.FF. de Micronesia son los Juegos del Pacífico, una competición que sirve de clasificación, además, para los Juegos Olímpicos. Aunque en el mejor de los casos, no podría ir a la cita olímpica debido a que no esta afiliada al COI. Para colmo, tampoco pertenece a la Confederación de Fútbol de Oceanía (O. F. C.). Nadie les quiere, vamos.

La selección absoluta del país oceánico disputó en 2003 los Juegos del Pacífico Sur, llevándose 52 goles en cuatro partidos y no marcando ni uno. Su resultado más «favorable» fue un 7-0 ante Tahití. Desde aquel año, el equipo de fútbol de aquel país no jugó ningún torneo de importancia continental, hasta que en 2015 llegaron los Juegos del Pacífico. Para esta edición las normas habían cambiado y no podían acudir las selecciones absolutas de los países, sino un combinado sub-23. Si a EE. FF. de Micronesia ya le costaba juntar a 23 futbolistas, imagínense la odisea que sería llevar a jugadores sub-23. Finalmente consiguieron reagrupar a 18 valientes, los suficientes para jugar el torneo.

La cita, que se disputaría en Papúa Nueva Guinea, contaría con la presencia de ocho selecciones sub-23 de Oceanía. Cinco estaban adscritas al COI y podían luchar por clasificarse para los Juegos Olímpicos. Tres, en cambio, solo podrían pelear por intentar ganar los Juegos del Pacífico, pero su victoria no tendría premio en unos supuestos Juegos Olímpicos. Tanto una cosa como la otra le daban un poco igual a los micronesios, que tenían como único objetivo terminar la cita de la forma más honrosa posible.

El partido inaugural del torneo enfrentaría casualmente a los micronesios con Tahití. El Estadio Complejo Bisini de Puerto Moresby vería el debut de la selección sub-23 de EE. FF. de Micronesia y lo que vivió pasaría a ser noticia en todo el mundo. El equipo micronesio se fue al descanso perdiendo por 10-0, pero en la segunda parte se hizo patente el cansancio de unos jugadores para los que la palabra *amateur* se queda corta. El partido terminó 30-0.

El encuentro inaugural de los Juegos del Pacífico 2015 ya era historia, máxima goleada de la historia de la competición. La goleada, por cierto, se quedó a un solo tanto de igualar el Australia-Samoa Americana de 2001, clasificatorio para el Mundial de Corea y Japón. La diferencia es que el primer encuentro era entre selecciones sub-23 y el segundo entre selecciones absolutas.

El segundo encuentro fue ante Fiyi y concluyó con un sonrojante 38-0. Los jugadores micronesios superaban su propio récord de goles encajados y, como era lógico, quedaban eliminados de la competición a falta de un partido. El objetivo para el siguiente partido sería encajar menos goles, pero los micronesios fallaron. En esta ocasión fue Vanuatu la encargada de endosarle un doloroso 46-0. La media de un gol cada dos minutos era escandalosa, y los 114 tantos encajados en tres partidos, más todavía, pero a partir de ahí llegaron las buenas noticias.

Los Estados Federados de Micronesia fueron noticia en todo el mundo. Una selección que había tocado pocas veces un balón antes de disputar el torneo, pasaba a escribir un capítulo en la historia del fútbol. Sí, vale, no era por motivos demasiado positivos que digamos, pero también tuvo su parte buena. La organización del torneo les invitó a participar en la fase final de la edición de 2019 en Tonga.

CITA:

Prefiero perder un partido por nueve goles que perder nueve partidos por un gol (Vujadin Boskov).

LA MAYOR GOLEADA DE LA HISTORIA DEL FÚTBOL Y SU EXPLICACIÓN

Ciento cuarenta y nueve a cero o 149-0. Da igual cómo lo escribas, si con letras o con números. La goleada es apabullante e inconcebible, la mires por dónde la mires. En un partido de 90 minutos, la media es un gol cada 36 segundos. ¿Cómo puede haber un equipo tan sumamente malo que encaje casi dos goles por minuto? La explicación es sencilla, los jugadores de uno de los equipos se marcaron todos los goles en propia puerta de forma deliberada.

La última jornada de la Liga de Madagascar de la temporada 2001/02 ya es historia del fútbol. A priori, la fecha tenía que pasar sin demasiados sobresaltos. El AS Adema ya era campeón de Liga y recibía en el último encuentro de la campaña al SO l'Emyrne, campeón la temporada anterior. Dos de los mejores equipos de Madagascar se iban a enfrentar por poco más que el honor. Pero todo cambió radicalmente; el entrenador del SO l'Emyrne sintió que el colegiado les perjudicaba y, tras protestar una acción, tomó la decisión más inverosímil de todas: les dijo a sus futbolistas que se marcasen goles en su propia portería, y vaya si lo hicieron.

Los jugadores sacaban de centro y se iban corriendo hasta su propia portería para marcar gol. Los teóricos rivales, que ya no pintaban nada en este juego, solo podían observar cómo el otro equipo se metía, uno a uno, los 149 tantos del partido. La goleada pasó a la historia por su abultada cifra, aunque no se debió a los méritos deportivos. La Federación del país africano suspendió durante tres años al entrenador del SO l'Emyrne y a varios de sus jugadores, aunque a estos con penas más leves. El colegiado del encuentro no recibió sanción alguna. No hay documentos gráficos del partido por el escaso nivel de la competición, pero, sin duda, merecía que os contásemos su historia.

LAS MAYORES GOLEADAS DE LA HISTORIA

Mayor goleada en un partido oficial: AS Adema 149-0 SO l'Emyrne Antanarativo (31/10/2002, THB Champions League de Madagascar)

Mayor goleada en un partido entre selecciones absolutas: Australia 31-0 Samoa Americana (11/04/2001, Clasificación de la OFC para el Mundial 2002)

Mayor goleada en un partido en Europa: Arbroath 36-0 Bon Accord (15/09/1885, Copa Escocesa)

Mayor goleada en un partido en América: Pelileo SC 44-1 Indi Native (22/05/2016, Segunda Categoría de Tungurahua, Ecuador)

Mayor goleada en Champions League: Liverpool 8-0 Besiktas (6/11/2007) Real Madrid 8-0 Malmö (8/12/2015)

Mayor goleada en Copa de Europa: Dinamo Bucarest 11-0 Crusaders (3/10/1973)

Mayor goleada en Libertadores: Peñarol 11-2 Valencia (15/03/1970)

Mayor goleada en un Mundial: Hungría 10-1 El Salvador (15/06/1982)*

Mayor goleada en la Eurocopa: Países Bajos 6-1 Yugoslavia (25/06/2000)

Mayor goleada en la Copa América: Argentina 12-0 Ecuador (22/01/1942)

*Más información en la página 169.

**Los datos están actualizados a 30 de junio de 2017.

RIO MAVUBA, EL JUGADOR QUE NACIÓ EN UNA PATERA

La guerra civil de Angola fue una de las más largas y devastadoras de toda África. La Guerra Fría entre Estados Unidos y la URSS vivió en Angola un nuevo episodio. Tras la independencia de la antigua colonia portuguesa en 1974, comenzó una guerra cruenta, con muchos capítulos, que se prolongó hasta 2002. Ante esas circunstancias y cansados de la inestabilidad del país, la familia Mavuba no dudó en abandonar Angola en barca, junto a otros muchos refugiados, para intentar llegar a Europa. Un viaje muy largo y complicado, y más teniendo en cuenta que la madre, Teresa, estaba en la última fase de su embarazo. La familia aumentaría durante el trayecto. Rio Mavuba nunca supo con exactitud en que parte del océano Atlántico nació, quizás porque ni sus propios padres lo sabían.

Finalmente, el viaje tuvo un final feliz y la familia pudo llegar a Francia en 1984 y asentarse allí, pero las complicaciones en la vida de Rio no habían terminado. Su madre falleció cuando él contaba únicamente dos años, por lo que no guarda ningún recuerdo de ella. Una década después, la muerte se llevó a su padre. Rio tenía 12 años. El fútbol se convertiría en su vía de escape.

Vivió su adolescencia junto a su madrastra y sus 10 hermanos, esforzándose por llegar a ser un futbolista profesional, como lo había sido su padre. Y es que, aunque la familia Mavuba vivía en Angola, tierra de su madre, el padre era de Zaire (actual República Democrática del Congo). Mafuila Mavuba, más conocido como Ricky, fue internacional por la selección de su país y acudió al Mundial de Alemania Occidental en 1974.

La primera selección del África subsahariana en clasificarse para un Mundial fue esta exótica Zaire, que ha quedado para siempre en el recuerdo por dos momentos cumbres de la cita mundialista. Por un lado, los 9 goles que encajó ante Yugoslavia, que hicieron de Zaire una de las tres selecciones que mayores goleadas encajaron en la historia de este torneo, y, por otro, la conocida acción de Mwepu Illunga: Brasil se disponía a lanzar una falta cuando este jugador se adelantó de la barrera y golpeó el balón, en un lance que ya es historia del fútbol (más info en la página 164).

Pese a que su padre no disputó ni un minuto de este campeonato, pudo presumir de haber estado presente en un Mundial. También ganó con la selección centroafricana una Copa de África, y con su club, la «Champions» africana. Con estos precedentes Mavuba solo podía ser futbolista. Se formaría en el Girondins de Burdeos y debutaría en el club en 2003. Por aquel entonces, seguía sin tener nacionalidad francesa, que consiguió finalmente en 2005. En su pasaporte se podía y se puede leer: «Nacido en el mar».

Mavuba encandiló a Pellegrini, que lo pidió para el Villarreal. El conjunto castellonense pagó 7 millones de euros para hacerse con sus servicios, pero no tuvo demasiadas oportunidades en el fútbol español. Tendría que volver a Francia, al Lille, para progresar. Y vaya sí lo hizo, pues se acabaría convirtiendo en una estrella de este equipo, culminando su buen hacer con el histórico doblete de la temporada 2010/11.

Mavuba fue internacional por Francia desde 2004. Aunque la República Democrática del Congo había tratado de convencerle para que jugara con ellos, se decantó por la selección europea, cuyo fútbol le había acogido casi desde su nacimiento. Su mayor ilusión era ir a un Mundial con los galos, lo que consiguió en 2014 en Brasil. Mavuba debutaría con 30 años en una Copa del Mundo, ante Honduras. Fueron 25 minutos los que disputó ante el equipo centroamericano. Había superado a su padre. Era el primero de la familia en jugar un Mundial, como primero fue su padre en su recuerdo cuando lo logró.

Mavuba no olvida sus orígenes y son varias las acciones solidarias que ha protagonizado en la tierra de sus ancestros. Precisamente, en el edificio en el que vivió su padre en Kinshasa ha construido un orfanato para recibir a aquellos niños que se han quedado sin nadie. Un jugador con una historia de superación y que siempre será recordado por haber nacido en el mar como consecuencia de una sangrienta guerra.

CITA:

Puskás manejaba la bola con la pierna izquierda mejor que yo con la mano (Di Stéfano sobre Puskás, dos jugadores internacionales por más de un país).

EL FUTBOLISTA QUE JUGÓ EN CUATRO SELECCIONES DIFERENTES... ¡Y NINGUNA ERA LA SUYA!

Si bien antiguamente los jugadores podían cambiar de selección, la FIFA prohibió que se produjera el cambio después de haber debutado con otra. Sin embargo, un futbolista jugó en hasta cuatro selecciones distintas una vez cambiada la ley, y ninguna era la suya. ¿Cómo pudo suceder algo así?

Ájrik Tsveiba nació en Gudauta, ciudad que actualmente pertenece a Georgia o a Abjasia. Y es que la gran mayoría de países no reconocen a Abjasia como Estado independiente, sino que lo consideran una parte de Georgia. No obstante, Rusia, por ejemplo, sí que reconoce este territorio como un Estado autónomo. Sea como fuere, Tsveiba no jugó ni para Georgia ni para Abjasia. Cuando nació, en 1966, no había esta disputa; todo era la URSS, y aquí encontramos la primera selección que defendió.

Tras la disolución de la URSS en 1991, se creó una selección que solo tuvo seis meses de vida, la Comunidad de Estados Independientes (CEI), que, básicamente, correspondía a todo el territorio de la anterior URSS menos Estonia, Letonia y Lituania. Tsveiba jugó la Euro ´92 con la CEI. Tras la disolución de esta, optó por Ucrania, un país que le había acogido y en el que llevaba ya varios años jugando, en el Dinamo de Kiev. Ya llevaba tres selecciones. La última sería Rusia, para la que jugaría en la fase de clasificación del Mundial de 1998. En total, 34 partidos como internacional, pero con cuatro selecciones distintas. Tremenda historia.

ONCE IDEAL DE JUGADORES DE LA LIGA ESPAÑOLA

Portero: Nuno (Santo Tomé y Príncipe): Deportivo de La Coruña y Osasuna.

Defensas: Gerardo (Mauritania): Las Palmas y Barcelona; Djorovic (Kosovo)*: Celta y Deportivo de La Coruña; Koné (Burkina Faso): Málaga.

Centrocampistas: Collet (Madagascar): Real Sociedad; Ordóñez (Puerto Rico): Atlético de Madrid y Real Madrid; Rachimov (Tayikistán)**: Valladolid; Alfonso Vera (Sahara Occidental): Alavés, Osasuna y Sevilla.

Delanteros: Pione Sisto (Uganda): Celta; Tchité (Burundi): Racing; Kasumov (Azerbaiyán)**: Betis y Albacete.

*Cuando Djorovic nació, el país era Yugoslavia.

**Cuando Rachimov y Kasumov nacieron, el país era la URSS.

EL CLUB MÁS REMOTO DEL MUNDO

Napoleón Bonaparte fue desterrado a Santa Elena, una remota isla de ultramar que pertenecía al Imperio británico. Allí, apartada de todo, falleció en 1821 la que en ese momento era la persona más influyente del mundo. Todavía no se ha confirmado si por un cáncer o envenenado. Esta teoría salió reforzada tras el análisis de unos cabellos de Napoleón en los que se descubrió una alta cantidad de arsénico. Sea como fuere, el cuerpo del corso fue repatriado en 1840, para darle sepultura en París. Los franceses querían que, con la salida de la isla de los restos mortales de su exemperador, esa isla remota situada entre América y África, quedase apartada de la mano de Dios y olvidada. Pues bien, vamos a hablarles de otra isla que está a 2440 kilómetros de Santa Elena y, aun así, es su punto habitado más cercano.

La isla que capta nuestra atención es Tristán de Acuña (o Tristan da Cunha, en portugués) y tiene la curiosa característica de ser el punto más remoto del planeta. Es decir, que el lugar habitado más cercano a está más lejos que en cualquier otro lugar del mundo. Tristán de Acuña es un archipiélago de tres islas, pero solo una de ellas está habitada, precisamente la que da nombre al archipiélago. Otra característica que hace de este punto geográfico uno de los más curiosos es que la población de la isla es de cerca de 300 habitantes. Solo siete apellidos de familias originales quedan entre sus habitantes. Curiosamente, el primer asentamiento fijo en la isla se produjo en 1816, por el temor de los británicos de que los franceses se instalasen allí para un posible rescate de Napoleón.

Desde 2009 el archipiélago pasó a tener más poder dentro del territorio de ultramar que forma junto a Santa Elena y Ascensión; de hecho, se conoció en su momento como Santa Elena y dependencias. Entre los tres territorios, que actualmente siguen dependiendo de la Corona británica, no llegan a los 7000 habitantes. Fueron descubiertas por los portugueses.

Como comprenderán, la vida en Tristán de Acuña no es fácil. No tienen un hospital para atender situaciones de urgencia; si estas se producen, tienen que trasladarse hasta Sudáfrica, un viaje arduo incluso en los tiempos que corren, pues pueden tardarse hasta seis días en llegar a Ciudad del Cabo. Tampoco tienen aeropuerto, por lo que solo se pueden desplazar en barco. Lo que sí tienen desde 2001 es televisión, y desde 2006, internet. Entre lo más llamativo está el nombre de su única localidad habitada, Edimburgo de los Siete Mares. Eso, y un equipo de fútbol.

El Tristan da Cunha Football Club o TDCFC fue fundado en 2005 y está compuesto por 15 futbolistas, los únicos con edad para jugar, básicamente. El problema es que este equipo no tiene rival al que enfrentarse y ni siquiera son suficientes para jugar un partido de fútbol 11 entre ellos. Son pocos los partidos que han disputado, pero aun así lo han hecho. Sus rivales han sido marineros, miembros de la marina británica, turistas o trabajadores que paraban en la isla para proveer a los habitantes de productos y alimentos de primera necesidad. Tampoco se quedaban mucho tiempo allí, ya que no se permiten nuevos residentes, sino solo estancias como turistas. En todo caso, hubo un tiempo relativamente cercano en el que nadie habitaba allí.

Los pocos ciudadanos de Tristán de Acuña tuvieron que ser desalojados en 1961 debido a que el volcán sobre el que se asienta la isla entró en erupción. Hasta 1963 no pudieron volver a sus casas. Durante aquel lapso de dos años fueron reubicados en Southampton. Seguro que más de uno aprovechó para ver a los Saints. Y aunque cabría pensar que por aquel entonces fueran desconocedores del bello deporte, no era así. Las primeras huellas documentales sobre el fútbol en la isla datan de los años veinte. Un misionero que estuvo viviendo en la isla escribió que los habitantes jugaban pachangas de fútbol. Puede decirse, por tanto, que el fútbol ha llegado hasta el punto más remoto de la Tierra. Lo que no sabemos, ni los propios jugadores lo saben, es cuando será el próvimo partido del TDCFC.

CITA:

El fútbol no es una cuestión de vida o muerte, es mucho más que eso (Bill Shankly).

LA COPA MÁS GLOBAL DEL MUNDO

Si bien el Mundial acoge a los cinco continentes, con sus seis confederaciones (recordemos que América tiene dos), hay un torneo que puede competir con la cita mundialista en pluralidad. Hasta cuatro continentes participan en una competición que, pese a no acaparar tantos focos mediáticos, está cargada de misticismo. Hablamos de la Copa de Francia. El torneo copero galo cuenta, además de con una inmensa cantidad de escuadras europeas, con equipos de América, Oceanía y África. ¿Cómo es posible algo así?

Los vestigios coloniales de Francia en ultramar siguen vigentes con la Copa de fútbol del país. La federación gala permite a los campeones de antiguas colonias, que aún dependen de Francia, jugar la competición. Así, podemos ver a clubes de la Guayana Francesa (Sudamérica), Guadalupe, San Martín y San Bartolomé (Caribe), San Pedro y Miquelón (Norteamérica), Reunión y Mayotte (África) y Polinesia francesa, Nueva Caledonia, y Wallis y Futuna (Oceanía). Equipos muy exóticos que en más de una ocasión han llegado a jugar contra equipos de la Ligue 1, aunque el resultado de los enfrentamientos, hasta la temporada 2016/17, ha sido de siete victorias en siete duelos para los equipos de la primera francesa y 42 goles a favor por ninguno anotado por los equipos de ultramar.

El equipo de otro continente que mejor participación tuvo en la Copa francesa fue el Geldar Kourou de Guayana, que en la temporada 1989/90 avanzó hasta dieciseisavos de final. Allí le esperaba el Nantes de Ligue 1, que ya en eliminatoria de ida y vuelta le endosó un 11-0 global. Las diferencias todavía son muy grandes entre los equipos y puede que nunca lleguen a estar parejos, pero la federación avala este modelo de campeonato. Tal es el interés que es la propia federación la que asume gran parte del gasto de los viajes intercontinentales de los equipos, tanto de los franceses de categorías inferiores que van a ultramar como a la inversa. Sin duda, un torneo curioso con clubes de todo el mundo.

LA COPA FRANCESA Y EL CLUB MÁS REMOTO DEL MUNDO

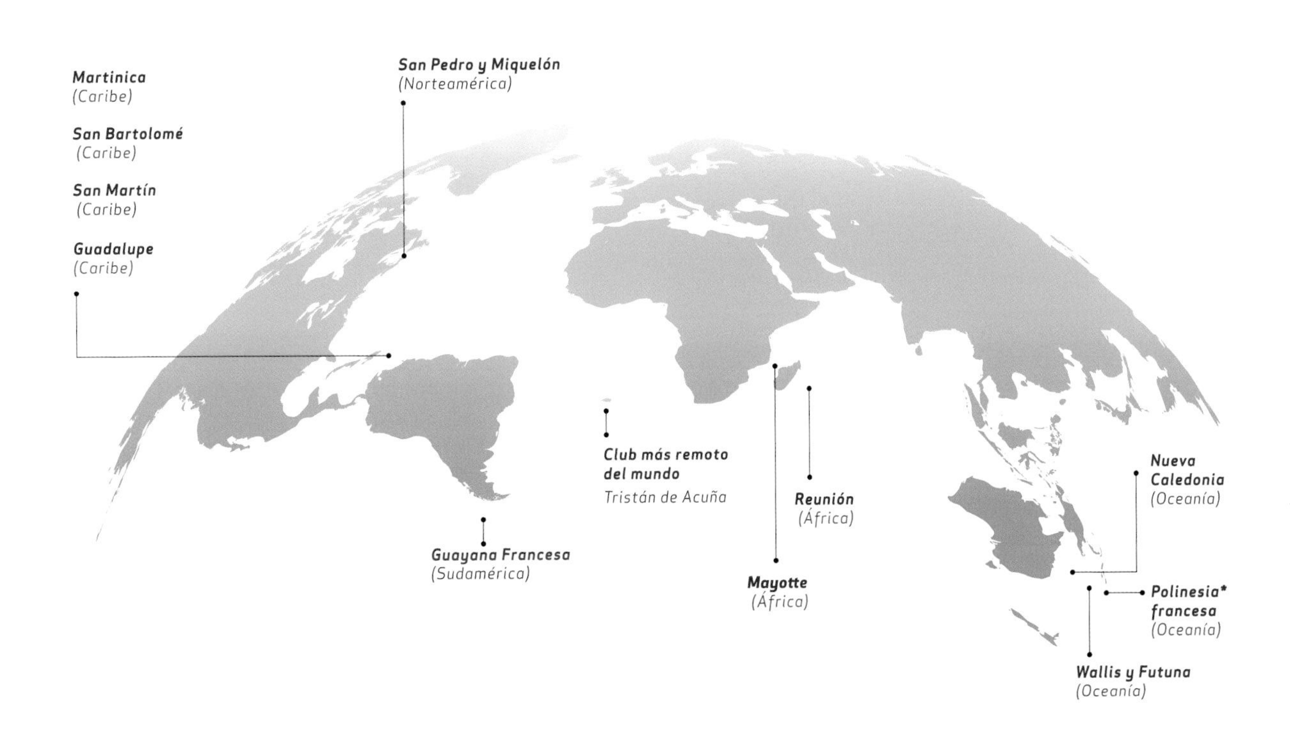

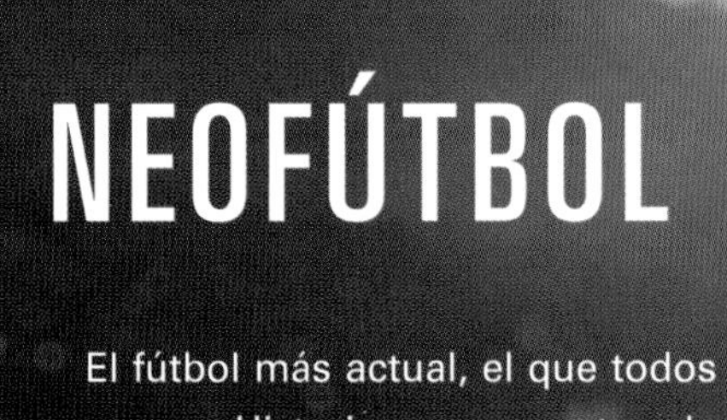

NEOFÚTBOL

El fútbol más actual, el que todos conocemos. Historias que muestran la transcendencia mundial de este deporte y cómo hemos llegado a ello. Ya no existe ese pequeño reducto. Son historias recientes, de las estrellas más actuales y de las que aún no está todo dicho.

EL PRIMER CHOLO SIMEONE NO FUE DIEGO PABLO

Victorio Spinetto bautizó a Diego Pablo Simeone con el sobrenombre *Cholo* cuando este no era más que un chaval en las categorías inferiores de Vélez Sarsfield. Pero para conocer el auténtico porqué de ese apodo, habría que retroceder algunas décadas antes.

En septiembre de 1934 nacía en Columela un argentino también apellidado Simeone. Su nombre era Carmelo, y fue su madre la que le puso el mismo sobrenombre: «Mi apodo me lo puso mi mamá. A ella no le gustaba mi nombre y por eso me llamaba *Cholo*. Al final me quedé con el mote y durante mi carrera siempre me llamaron igual», relataba el veterano Carmelo.

Jugador de Vélez, como Diego Pablo, y de Boca Juniors, Carmelo consiguió tres campeonatos (en 1962, 1964 y 1965) con los xeneizes, en una de las etapas más brillantes de la historia del club. Fue internacional por Argentina y estuvo en un Mundial, el de Inglaterra en 1966, aunque no llegó a debutar. Sus cualidades eran de lateral derecho aguerrido y luchador con gran capacidad para marcar a atacantes correosos, que no dudaba en ir al corte de forma dura y contundente. Durante años, Carmelo Simeone fue uno de los zagueros más respetados del fútbol argentino. Pocos de los que encaraban al *Cholo* salían victoriosos.

En una ocasión, jugando para Boca Juniors frente a Newell's Old Boys, consiguió un hito sin precedentes en la historia de La Bombonera, el estadio del Boca. Aquel día se convirtió en el primer y único jugador que consiguió sacar un balón del mítico estadio bonaerense, y lo mejor de todo es que lo hizo de forma fortuita, yendo al corte ante el avance de un rival y enviando el balón por encima de la tribuna.

Tres décadas después de abandonar Vélez Sarsfield, aparecía por las categorías inferiores del club un centrocampista contundente, duro y llegador. Se llamaba Diego Pablo, aunque lo apodaron *Cholito* por compartir apellido con el, por esos momentos, Simeone más conocido del fútbol argentino. Victorio Spinetto se encontró un día con Carmelo Simeone y le dijo: «¿Ves a este jugador? Se llama Simeone, como vos. Y yo lo apodo *Cholo* por vos. Tiene tu mismo temperamento. Es un ganador nato, va al frente siempre. Como ibas vos». No se equivocaba Spinetto. Y tampoco tenía mal ojo, como después se pudo comprobar.

El Cholito salió de Argentina y cruzó el charco para terminar firmando por el Pisa Calcio, de la liga italiana. Allí, Diego Pablo se fue curtiendo, creció como futbolista y también como persona. De forma casi testimonial, todos dejaron de conocerle como *Cholito* para empezar a llamarle *Cholo*. Su talento le llevó a ser uno de los mejores jugadores del mundo en su puesto y terminó consolidándose como un gran jugador. Si el primer *Cholo* había puesto el listón alto, el nuevo lo había superado. Y lo había hecho de la mejor de las maneras, ganándose el privilegio de ser llamado *Cholo*.

Ahora, décadas después de la aparición del primer *Cholo* Simeone, apenas nadie recuerda a aquel futbolista. «Cuando el *Cholo* se hizo mayor y ya era un futbolista famoso, la gente me felicitaba por la calle. Me decían: "Te felicito por tu hijo". Yo me reía. Tenía que explicarle a todo el mundo que en realidad ni nos conocíamos», decía entre risas Carmelo Simeone. Después de eso, volvía a sus tareas, a cortar el césped de La Bombonera y a arreglar los desperfectos que se dieran en la Ciudad Deportiva de Boca Juniors en Casa Amarilla. Una vida dedicada al fútbol...

EL PORTERO DE BOCA QUE TERMINÓ SIENDO RASTAFARI

¿Se imaginan que un jugador de primera división deja el fútbol y se vuelve rastafari? Pues eso pasó con Sandro Guzmán, uno de los más peculiares arqueros del fútbol argentino en las últimas décadas.

Nacido en Morón, en la provincia de Buenos Aires, Guzmán consiguió levantar la Copa Libertadores y la Intercontinental con la camiseta de Vélez Sarsfield, aunque como suplente del mítico José Luis Chilavert.

Cuando le tocaba jugar, lo hacía realmente bien. Probablemente por eso lo ficho Boca Juniors en 1997. Allí pugnaría por el puesto con Roberto Abbondanzieri. Sin embargo, en Boca las cosas no le fueron del todo bien. En una ocasión, con él bajo los palos, dejaron escapar una renta de 0-3 frente a River Plate en el Monumental. Pero el episodio que más se le recuerda se dio en un partido en La Bombonera contra Deportivo Español. Aquel día, ante sus constantes errores, el entrenador, Héctor *Bambino* Veira, decidió sustituirlo en el descanso. Fue su último partido con Boca.

Y, casualmente, su siguiente equipo fue su rival de aquella tarde, el Español argentino. Solo quince encuentros llegó a defender la meta del club antes de pasar por algunos equipos con más pena que gloria. Para entonces, aunque era joven, ya estaba desencantado del fútbol y tenía otras prioridades. Había adoptado la cultura rastafari, como delataba su *look*. Sandro Guzmán se dedicó entonces a la osteopatía y a la medicina alternativa. También se hizo DJ (se le conoce como Dj Sandro o Jah Sandro) y kioskero. A él no le importa. Dejó el fútbol para buscar la felicidad, que se encontraba lejos de los terrenos de juego.

CITA:

Cuando el Cholo se hizo mayor y ya era un futbolista famoso, la gente me felicitaba por mi hijo. Yo me reía. Tenía que explicarle a todo el mundo que en realidad ni nos conocíamos (Carmelo Cholo Simeone).

OFICIOS RAROS DE EXFUTBOLISTAS

La vida después del fútbol es uno de los principales temores de muchos jugadores que no cuentan con demasiadas habilidades fuera de los terrenos de juego. Algunos consiguen reciclarse y encontrar nuevos oficios. Los hay más o menos pintorescos. Estos son algunos de ellos:

El Billy Elliot del fútbol. La historia de Jairo Ulloa es de lo más curiosa. Era un prometedor futbolista, pero un día, tras acompañar a su hermana a su clase de *ballet*, quedó tan fascinado que decidió probar y terminó consiguiendo una beca en Estados Unidos.

Del fútbol al porno. Jonathan De Falco fue un defensa belga que militó entre 2004 y 2011 en algunos modestos clubes de su país. Como las lesiones le fueron apartando del campo, dejó de vivir de las pelotas de fútbol y recurrió a otras bien distintas. Adoptó el nombre de Stany Falcone, salió del armario y se convirtió en actor porno gay.

Una tienda de disfraces. Ronny Gaspercic fue un portero belga de la década de los noventa que pasó por el fútbol español. Vistió las camisetas del Extremadura, el Betis o el Albacete, entre otros, y cuando se retiró decidió abrir una tienda de disfraces en la ciudad belga de Genk.

Del campo a la fábrica. Juan Pablo Rodríguez fue un futbolista uruguayo que pasó por múltiples equipos de élite en Argentina, Uruguay o México. En 2016, decidió colgar las botas y dedicarse a trabajar a tiempo completo (lo compaginó en sus últimos tiempos como jugador) como encargado de planta de la fábrica de etiquetas de su padre.

Aprovechando su imagen... Algunos futbolistas han decidido aprovechar su imagen después del fútbol para promocionar negocios. Asprilla sacó su propia marca de preservativos, Pelé recomendaba un producto contra la disfunción eréctil, Amunike recordó su saque de banda más famoso para un anuncio de coches y Prosinecki no dudó en mofarse de sí mismo en otro anuncio de coches. El arquero alemán Tim Wiese, en cambio, optó por la WWE, que es como se conoce a la lucha libre ficticia. Finalmente, volvió a octava división alemana.

CUANDO MALBERNAT LE ROMPIÓ LAS GAFAS A UN RIVAL

Hoy en día, las cámaras de televisión lo captan absolutamente todo. Prácticamente ni un solo punto del terreno de juego queda fuera del alcance de ningún objetivo. Pero hubo un tiempo, muchas décadas atrás, en que esto no fue así. Y eran muchos los equipos que, mediante artimañas muy poco deportivas, se aprovechaban de esa situación. Uno de ellos fue el Estudiantes de Zubeldía. Para muchos, el equipo más tramposo de la historia del fútbol.

Enfrentarse a aquella escuadra era una pesadilla para muchos rivales. Y en la final de la Copa Intercontinental de 1970 le tocó sufrirlo al campeón de Europa, el Feyenoord de Róterdam neerlandés. Aquel encuentro enfrentaba al vencedor de la Copa de Europa con el de la Copa Libertadores de Sudamérica. En este caso, el Estudiantes de La Plata, entrenado por Zubeldía.

Los Pincharratas, como es conocido Estudiantes, acababan de conseguir su tercera Copa Libertadores consecutiva. Iba camino de convertirse en un equipo de leyenda. Pero no sería por sus méritos futbolísticos por los que se les recordaría, sino por sus terribles artes para intimidar o desestabilizar a los rivales.

El partido de ida (por entonces se jugaba a doble partido), disputado en La Bombonera,cancha de mejores condiciones que la de Estudiantes, comenzó bien para los argentinos, que se pusieron 2-0 arriba en el minuto 12 de juego. Parecía pan comido. Sin embargo, los neerlandeses, entrenados por Ernst Happel y que practicaban un fútbol de ataque, consiguieron empatar, ante la frustración de los chicos de Zubeldía. Todo se decidiría en Róterdam.

El 9 de septiembre de 1970, Joop van Daele decidía la Copa Intercontinental con un latigazo ajustado desde la frontal del área. En aquel Feyenoord había dos jugadores miopes que utilizaban anteojos, algo que, por otra parte, tampoco era especialmente habitual por entonces. Uno era el propio Van Daele, autor del gol de la victoria. El otro que usaba gafas era un poderoso defensa, Rinus Israël. O eso se creía. Lo cierto es que Israël aparecía en multitud de fotos de la época con lentes, como también lo es que evitaba ponérselas durante los partidos para prevenir cualquier impacto que pudiera causarle una lesión ocular. El que sí las usaba era Van Daele.

Joop van Daele era un hombre de la casa y también actuaba como defensa. Era rubio, alto y delgado, pero difícil de superar. Había debutado solo dos años antes con el primer equipo del Feyenoord y, aunque no había conseguido consolidarse como titular, su entrada en el segundo tiempo fue decisiva.

La frustración de los argentinos era máxima. Veían como se les iba a escapar la Intercontinental y que iba a ser por culpa de un defensa que jugaba con gafas. Lo nunca visto. En esos momentos, Óscar Malbernat (capitán del equipo) se fue enfurecido hacia Van Daele, le quitó las gafas de la cara, las arrojó al suelo y las pisoteó amargamente. «Tú no deberías jugar con gafas. En Sudamérica está prohibido», le espetó el argentino. Joop van Daele no daba crédito. No le importó demasiado, eran campeones del mundo.

Los estigmas de aquella época les persiguieron para siempre. Estudiantes fue recordado como un equipo tramposo y de mal perder. A Joop van Daele, a pesar de haber hecho el gol de la victoria, se le recordaría más por aquella acción en la que el Cacho le rompió las gafas. Y al Feyenoord de Happel se le recuerda, afortunadamente, como el equipo que inició una maravillosa corriente de fútbol en Europa, el *fútbol total*.

CITA:

Tú no deberías jugar con gafas, en Sudamérica está prohibido (Malbernat tras romperle las gafas a Joop van Daele).

¿POR QUÉ LLEVABA GAFAS EDGAR DAVIDS?

Se hace inevitable hablar de futbolistas con gafas sin recordar un nombre propio, el de Edgar Davids.

El neerlandés es, probablemente, uno de los mejores centrocampistas de las últimas décadas. Dotado de una excepcional calidad técnica, Davids era capaz de desbordar, trabajar y llegar al área rival.

En sus primeros años en el Ajax de Ámsterdam no utilizó gafas. Fue después, en su etapa en la Juventus de Turín, cuando se le diagnosticó un glaucoma (aumento de la presión) en el ojo derecho. Era agosto de 1999 y se llegó a temer incluso por su retirada del fútbol. Finalmente, fue sometido a una arriesgada operación y se le permitió seguir jugando bajo dos condiciones: que usara unas gafas protectoras especiales y que se aplicara unas gotas que estaban prohibidas por considerarse sustancia dopante, aunque al final recibió los permisos necesarios.

Aquel aspecto característico contribuyó a que se convirtiera en uno de los jugadores más mediáticos del mundo. Sin buscarlo, el glaucoma que había sufrido Edgar Davids le había proporcionado una imagen única. Numerosas marcas contactaron con él y algo tan simple como unas gafas se convirtieron en un icono del marketing.

ONCE IDEAL FUTBOLISTAS CON GAFAS Y OTROS COMPLEMENTOS

PORTERO
Petr Cech
Casco protector

DEFENSAS
Chendo
Rodillera
Joop van Daele
Gafas
Christian Chivu
Casco protector

CENTROCAMPISTAS
Annibale Frossi
Gafas
Edgar Davids
Gafas
Sócrates
Venda en la cabeza
Jef Jurion
Gafas
Eugenio Leal
Muñequera

DELANTEROS
Leopold Kielholz
Gafas
Gervinho
Cinta en la cabeza

CUANDO UN MALENTENDIDO UNIÓ A DOS AFICIONES..., O ESO SE CREÍA

La historia que vamos a contar es una de las más curiosas que se han dado entre dos aficiones de fútbol. Durante años se vio esta anécdota como algo increíble y a la vez divertido. Aunque para entender todo lo que ocurrió en La Romareda el 6 de abril de 1995, hay que situar los detalles de la historia.

Es frecuente oír en los estadios de fútbol españoles cánticos ofensivos contra jugadores rivales. Uno de estos dice «Písalo, písalo» y se dirige al jugador del equipo rival que cae al césped en un lance del juego. ¿Por qué se entona este cántico?, ¿de dónde viene?, os preguntaréis. Pues bien, este tiene como origen un partido disputado en febrero de 1993 en Riazor, estadio del Deportivo de La Coruña, entre el equipo local y el Sevilla.

En un momento del encuentro, Maradona, por entonces jugador del Sevilla, golpeó fortuitamente el rostro de Albístegui. El defensa se empezó a doler en el suelo mientras el Pelusa se preocupaba por su estado. En el momento en que Djukic pide la entrada de las asistencias del Deportivo para que atiendan a su compañero, aparece el fisio del Sevilla, Domingo Pérez, que había llegado corriendo para asistir a Maradona, pero que terminó asistiendo a Albístegui, que sangraba por la nariz.

Aquello despertó el enojo de Bilardo, entrenador del Sevilla, que salió del banquillo fuera de sí. No podía entender cómo su masajista podía estar atendiendo de forma voluntaria a un jugador rival. «¡Los nuestros son los de colorado!», le gritaba. «En vez de agarrar a Diego, agarra al otro. Me quiero morir, me quiero morir», bramaba desesperado. Cuando el masajista regresó al banquillo y trató de explicarse, recibió una célebre frase del técnico: «Qué carajo me importa a mí el otro. Písalo, písalo». Se lo repetía una y otra vez: «¡Písalo, písalo!» Ellos no lo sabían, pero las cámaras lo habían captado todo. Nacía así un himno, aquel «Písalo, písalo» que hoy en día se sigue oyendo partido tras partido.

Pues bien, una vez explicado el origen de esta frase, podemos volver a nuestra historia. La temporada 1994/95 fue la mejor de la historia del Real Zaragoza, no cabe duda. Los maños terminarían proclamándose campeones de la Recopa después de vencer al Arsenal con el recordado gol de Nayim. Pero para llegar a la final debieron superar múltiples escollos. Uno de ellos, en la semifinal contra el Chelsea. Y fue en el partido de ida, en el que el Zaragoza ganó por 3-0 a los ingleses, donde se produjo una de las historias entre aficionados más curiosas.

En torno a 3000 hinchas británicos se habían desplazado a Zaragoza para apoyar a su equipo. Pronto el partido se puso de cara para el Zaragoza. Pardeza abrió la lata y después llegaron los goles de Esnáider. Los aficionados del Chelsea veían como se les escapaba una final europea a pesar de quedar todavía el partido de vuelta.

Quizás por eso, los *hooligans* ingleses empezaron a provocar algunos destrozos y trifulcas. También las habían provocado en los prolegómenos del encuentro. La policía, viendo que se les podía escapar de las manos la situación, decidió cargar contra los aficionados ingleses más radicales. En ese momento, no se sabe muy bien si fue porque cayó un rival al suelo o si el cántico estaba dirigido a la policía, pero La Romareda comenzó a cantar aquella frase de Bilardo: «Písalo, písalo». Misteriosamente, ante la incredulidad de los allí presentes, los aficionados ingleses se calmaron. Al día siguiente, los medios ingleses abrieron sus portadas elogiando a la ejemplar afición del Zaragoza. ¿Cómo era esto posible? Pues bien, al parecer, cuando los hinchas zaragocistas cantaron el «Písalo, Písalo», los ingleses entendieron algo bien distinto: «Peace and love, Peace and love» (que viene a ser «Paz y amor»).

Una increíble historia, ¿verdad? Lo sería si de verdad se hubiera producido así. Y es que la realidad fue que en ningún momento los hinchas ingleses detuvieron sus disturbios por un cántico de los aficionados maños. Ni un solo medio de comunicación español ni inglés se hizo eco de aquella noticia. Aquella falsa historia nació en internet y fue divulgada por la gente en un boca a boca que, con el tiempo, la volvió real.

CITA:

Todos hemos cometido errores, a Rafa le tocó aquella noche y por mi parte queda todo olvidado (Xavi Aguado).

¡RAFA, NO ME JODAS!

Otra fecha marcada en rojo, aunque esta con un desenlace bien distinto, fue la del 29 de septiembre de 1996. Aquel día, La Romareda se vestía de gala para recibir al Barça de Figo y Ronaldo. El partido ya venía calentito. Y más aún cuando el Barça veía impotentemente cómo los maños se ponían 3-1 en el marcador. Ronaldo Nazário consiguió recortar distancias, 3-2, y el partido se calentó aún más.

Es entonces, en el minuto 72, cuando Mejuto señala un «gilicórner» (como se conoce a las faltas situadas entre el área y el córner). Luis Figo centra y el meta maño atrapa sin mayores complicaciones. En esas, Fernando Couto le deja a Xavi Aguado alguna que otra «caricia» en forma de patada. En una de ellas, este se da la vuelta y le recrimina su acción al portugués. Aquel feo gesto de Couto enciende a Solana, que propina un manotazo al luso. El árbitro no ha visto nada, pero recibe un aviso de su asistente, Rafa Guerrero. Este lo ha visto todo. O eso creía él. Mejuto corre hacia Guerrero en busca de una opinión más certera. Este lo recibe con una contundente frase: «¡Penalti y expulsión!». Mejuto alucina: «Vaya, joder, Rafa, me cago en mi madre… ¿Expulsión de quién?».

Mientras conversan, la afición se va encendiendo más y más. «Del número seis. Le da un golpe con la mano en la cabeza por detrás, claramente, a Couto», asegura Guerrero. «¿Qué número?», pregunta nuevamente Mejuto. «El número seis». El colegiado vuelve en busca de su expulsado, pero le entran dudas, así que decide regresar. Entonces Guerrero se lo confirma: «Penalti y expulsión». Solana, autor del manotazo, era el dorsal 3. La expulsión fue para Xavi Aguado, el que recibió la patada de Couto. La Romareda explotó contra el línea. Los jugadores del Zaragoza también. Solana se dirigió a Guerrero: «He sido yo y no le he dado». Ya era tarde. Popescu lanza y convierte la pena máxima para empatar el partido. Con uno menos solo fue cuestión de tiempo. En los minutos finales, Luis Enrique primero y Ronaldo después, redondearon la victoria culé: 3-5. Uno de los partidos más polémicos que se recuerdan. Lo más curioso es que la frase que más se reproduce de aquella polémica jugada, «Rafa, no me jodas», nunca se llegó a pronunciar.

ONCE IDEAL DE CRACKS QUE NO RECORDABAS EN EL ZARAGOZA

LO QUE NO SABÍAS DEL CONTRATO DE MOURINHO CON EL BARCELONA

En 1996, Josep Lluís Núñez, presidente del Barcelona, decidió fichar a Sir Bobby Robson y poner fin a la exitosa etapa de Johan Cruyff. Un cambio arriesgado, pero que ya era previsible después de años de roces con el técnico neerlandés. El entrenador inglés llegó a Can Barça, pero se encontró con una barrera difícil de superar: la del idioma. Ni podía comunicar sus ideas a los jugadores, ni podía explicarse en las ruedas de prensa. Por eso, Robson le pidió a Núñez que le pusiera a un traductor del club. Sin embargo, el presidente se negó en un principio. Pero ante la insistencia del británico, el máximo mandatario terminó cediendo e hizo un contrato a un joven portugués, el ayudante de Robson, de 10 000 pesetas al mes. Lo que hoy vendrían a ser 60 euros. Una cantidad ridícula.

Es entonces cuando Joan Gaspart, por entonces vicepresidente culé, fue a visitar a aquel joven, que se llamaba José Mourinho, al hotel en el que se alojaba. «Con 10 000 pesetas al mes es imposible vivir, no puedo aceptar esta oferta», le dijo el luso. Al final, Núñez terminaría subiendo la oferta, aunque la cantidad no dejó de ser ínfima, y Mou se tuvo que conformar con pasar los primeros meses de su estancia en Barcelona con poco dinero en el bolsillo.

Gaspart llegó a confesar años después que «Mourinho se alojó gratis en una habitación de un hotel mío, el Arenas, porque apenas tenía dinero para vivir». Pero, como pasa casi siempre en la vida, con el tiempo acabó demostrando su enorme valía y el Barça terminó asignándole un sueldo acorde con su talento. Nadie dijo que el camino hasta el éxito fuera sencillo. Y desde el principio Mou tuvo que lidiar con faltas de respeto como la de aquel contrato. Algunos periodistas se llegaron a inventar un posible romance entre el veterano entrenador inglés y aquel jovencito portugués.

Los jugadores del Barça, eso sí, vieron que no era «un simple traductor», como le consideraban ciertos periodistas. «A José ya se le veía como alguien especial. Un tío con mucha personalidad, con carácter para tratar a los jugadores de tú a tú sin necesidad de ser el primer entrenador. Un tío auténtico», diría de él Luis Enrique, por entonces jugador culé. Robson tenía claro que aquel chico era un tipo especial: «José estuvo detrás de mí día tras día. Miraba, escuchaba, tomaba notas y memorizaba. Día tras día, durante seis años, en el Sporting, en el Oporto y en el Barcelona. Yo jugué al fútbol a nivel internacional, pero José no. Era profesor de escuela, era culto y tenía estudios de fútbol. Pero su gran virtud era que podía dirigirse a Stoichkov, a Figo o a Pep Guardiola y ser duro con ellos. No les tenía miedo. Y hay poca gente capaz de hacer eso. Si cogemos a alguien por la calle y le pedimos que abronque a Figo y le diga que no ha jugado bien, no podrá hacerlo. José podía hacerlo». La ambición de Mourinho fue la que le hizo llegar hasta donde está. Había sido traductor de Robson en Portugal, y cuando este le dijo que tenía una oferta del Barça, le preguntó si también sabía hablar español. «No. Pero en un mes lo hablaré». Al terminar aquella temporada, Robson dejó el Barcelona y le pidió a Mourinho que le acompañara. Pero Louis van Gaal iba a ser el nuevo entrenador y también quiso tener al luso a su lado.

De hecho, el 24 de marzo de 1998, un agradecido Van Gaal decidió darle a Mourinho la oportunidad de estrenarse como primer entrenador. Fue en la Copa Catalunya ante el Lleida. Aquel día, el luso se enfundó la gabardina, se metió un chicle en la boca e ideó por primera vez su propio equipo ante la atenta mirada de van Gaal. En su primer once, entre algunos jugadores del primer equipo, Mou dio la oportunidad a dos adolescentes que años después demostrarían el buen ojo del portugués: Carles Puyol y Xavi. Ese día, por supuesto, ganó. Fue intérprete, preparador, *scouter*, asistente y finalmente entrenador. Desde sus inicios tuvo que luchar para salir adelante, pero el tiempo le acabó dando la razón. José Mourinho siempre fue más que un traductor. José Mourinho es un tipo especial.

CUANDO MOURINHO ENSEÑÓ A NADAR A BABANGIDA

CITA:

No soy el mejor del mundo, pero creo que no hay nadie mejor que yo (Mourinho).

¿Quién no se acuerda de Haruna Babangida? Sí, hablamos de aquel prometedor atacante nigeriano del Barcelona que parecía que se iba a convertir en «el nuevo Pelé» y que se acabó quedando, como tantos otros proyectos de crack, en eterna promesa.

Era julio de 1998 y el Barça de Van Gaal preparaba la pretemporada en Países Bajos. Al concluir un entrenamiento, mandó a sus pupilos a la piscina cubierta del hotel en el que se hospedaban. Todos los jugadores aprovechaban para nadar relajadamente, pero uno de ellos destacaba sobre el resto. Y no era precisamente por su buena brazada. El pequeño Babangida, que apenas hacía pie, tenía serios problemas para mantenerse a flote.

Por aquel entonces, José Mourinho era segundo de Louis van Gaal en el Barcelona, mientras que el nigeriano no era más que una promesa de 16 años. Viendo aquella situación, Mou no dudó en lanzarse a la piscina para «poner» a Babangida en posición horizontal y enseñarle a nadar como el resto de sus compañeros. Un gesto muy humano de un entrenador cuyo carácter y trato con sus jugadores es diferente al que algunos medios han intentado vender de él.

LO QUE HEMOS APRENDIDO DEL DRAW MY LIFE DE MOURINHO

La figura de José Mourinho es una de las más despreciadas del mundo del fútbol. También tiene sus defensores, por supuesto, y son bastantes, pero los detractores del portugués, situados en su mayoría en las cómodas cabinas de prensa, han convertido su imagen en la de un ser malvado y carente de sentimientos.

La realidad es bien distinta. Cuando iniciamos el proceso de documentación para la realización de su *Draw My Life*, descubrimos que la inmensa mayoría de jugadores y compañeros que ha tenido el luso le guardan en buena estima, diciendo de él que es un tipo que actúa muy diferente de cara a las cámaras, mostrándose arrogante, mientras que en el trato personal es cercano y amable.

Quisimos plantear su *Draw My Life* de una forma diferente. Por eso optamos por prepararlo en primera persona y en clave de humor. Nuestro amigo Toniemcee se encargó de la locución gracias a un acento de lo más logrado. Este es uno de los Draw my life que más orgullosos nos hacen sentir; también por lo conseguidos que están los dibujos de Happip y, por supuesto, por tratarse de uno de esos personajes que tanto nos atrae.

CUANDO GUDJOHNSEN DEBUTÓ SUSTITUYENDO A SU PADRE

Aunque no lo parezca, a lo largo de la historia del fútbol hemos podido ver formas muy extrañas de debutar. Y las que se dieron en el mes de abril de 1996 están entre las más curiosas. José Francisco Molina, portero del Atlético de Madrid, había sido convocado por Javier Clemente para el partido amistoso de España frente a Noruega. Eso sí, parecía que no iba a debutar ese día, puesto que el seleccionador había realizado ya todos los cambios de jugadores de campo. En ese momento se lesionó Juanma López. Clemente no lo dudó; no se iban a quedar con un hombre menos lo que restaba de partido y dio entrada a Molina... como interior izquierda. Lo mejor de todo es que a punto estuvo de marcar un gol. Curiosamente, años después, en la Eurocopa de 2000, disputó su último partido con la selección española, precisamente ante la selección noruega. Y, esta vez sí, lo hizo como portero.

Otro debut internacional interesante aquella misma semana fue el de Eidur Gudjohnsen, el futbolista islandés más exitoso de todos los tiempos. A mediados de los noventa, oír ese apellido también suponía pensar en el éxito futbolístico islandés, ya que su padre, Arnór Gudjohnsen, había sido un destacado jugador que hizo carrera principalmente en el fútbol belga. De hecho, disputó más de 130 partidos con el Anderlecht, aunque quizás se le recuerda más por el penalti fallado en la final de la UEFA de 1984 contra el Tottenham, un error que le persiguiría, pero que quedaría eclipsado por otro momento, aún más significativo, que ocurrió en un partido internacional.

El 24 de abril de 1996, un joven Eidur Gudjohnsen es convocado para disputar un partido con su selección, Islandia, frente a Estonia. El entrenador le manda salir a calentar y en la segunda parte decide darle entrada. Aquel encuentro pasó a la historia por ser la primera vez que un padre y su hijo han jugado el mismo partido a nivel internacional. Los islandeses ganaron 3-0, pero del resultado pocos se acordarían.

Sustituir a su padre, el gran Arnór Gudjohnsen, de 34 años, que por entonces era uno de los tres máximos goleadores históricos de la selección islandesa, iba a ser todo un reto para el espigado jugador rubio. Por aquel entonces tenía solo 17 años y Eidur trataba de labrarse un hueco en el primer equipo del PSV Eindhoven. Era un prometedor delantero, pero en aquellos momentos los focos se centraban en otro chaval que había venido de Brasil pisando muy fuerte, Ronaldo Nazário. Además, una desgraciada lesión en el tobillo le costó siete operaciones y que estuviera a punto de dejar el fútbol. Pero Gudjohnsen se mostró fuerte y superó aquel bache.

En 2015, Islandia consigue un hito histórico, clasificarse por primera vez para un gran campeonato, la Eurocopa de Francia del año siguiente. Las lágrimas de emoción de Gudjohnsen eran las de toda una nación. Y fue en el país galo, veinte años después de hacer historia y debutar sustituyendo a su padre, donde el bueno de Gudjohnsen cerraba el círculo al debutar con su país en una Eurocopa. Dos debuts para la historia, con veinte años de separación.

En una ocasión, jugando para el Chelsea, en el tiempo de descanso José Mourinho se acercó a él y le dijo que iba a saltar al campo. En la segunda mitad sería centrocampista. «No he jugado nunca ahí, siempre he sido delantero», respondió Gudjohnsen. Al portugués poco le importó aquello; confiaba en el islandés y en sus posibilidades. El experimento funcionó y el Chelsea consiguió ganar aquel partido. El rival de aquel día era el Liverpool de Rafa Benítez. Y el partido no era otro que la final de la Copa de la Liga. No son muchos los que lo saben, pero aquel fue el primer título de Mourinho al frente del Chelsea, y en parte fue gracias a Eidur.

Mourinho le guarda un cariño especial. Lo mismo que Pep Guardiola. No es casualidad que dos de los más grandes de los banquillos le tengan en tan alta consideración. Él fue otro de los futbolistas que se ofreció para jugar en el Chapecoense tras el desgraciado accidente de avión que costó la vida a la mayoría de los jugadores del club brasileño. Un tipo especial, Eidur Gudjohnsen.

EL ABUELO QUE JUGÓ UN MUNDIAL

Elías Figueroa tiene una vida increíble. Durante su infancia sufrió algunos problemas de salud que le impedían realizar cualquier actividad física, pero él nunca se rindió y se propuso superar cualquier barrera. Así pues, el chileno comenzó a jugar y terminó consagrándose como uno de los mejores defensas de todos los tiempos.

Pero una de las anécdotas más curiosas cuando se habla de Figueroa es la que se dio durante el Mundial de España (1982), cuando tenía 35 años. El chileno, que jugaba su tercera Copa del Mundo y ya estaba consagrado como uno de los mejores defensas sudamericanos de la historia, se convirtió en el primer jugador que disputaba un Mundial siendo abuelo.

¿Cómo es esto posible? Pues bien, el bueno de Elías se casó con solo 15 años. Después, su hija lo haría con solo 18 años. Y al llegar a la cita mundialista, claro, el bueno de Figueroa ya tenía un nieto. Un dato increíble de un jugador de leyenda. Tal fue la dimensión de Figueroa como futbolista que uno de los más grandes, Franz Beckenbauer, no dudó en poner al chileno por encima de él en alguna ocasión y en dejar para la historia una frase: «Yo soy el Figueroa de Europa». Don Elías Figueroa está en el olimpo del fútbol y, aunque seguramente su nieto no recuerde nada de aquello, puede presumir de ser el único en haber visto en directo a su abuelo en un Mundial.

CITA:

Yo soy el Figueroa de Europa (Franz Beckenbauer).

CINCO CURIOSIDADES FAMILIARES DEL FÚTBOL

El fútbol es uno de esos deportes que suele transmitirse por herencia familiar, de padres a hijos. Y no solo entre aficionados, sino también entre los propios futbolistas. Aunque estas son curiosidades familiares, no todas tuvieron como protagonistas a padres e hijos...

Johan Cruyff entrenó a su yerno. Jesús Mariano Angoy fue portero suplente en el Barça de Cruyff. Siempre a la sombra, las malas lenguas dicen que aguantó en el club culé por estar con la hija mayor del Flaco. Como curiosidad, dejó el fútbol antes de los 30 y se pasó al fútbol americano. Y no le fue mal, hasta el punto de permitirse rechazar la posibilidad de jugar en los Denver Broncos.

Valentino Mazzola, Sandro y Puskás. Los que vieron jugar a Valentino dicen que no hubo otro igual. El crack del Torino murió en la tragedia de Superga. Su hijo Sandro triunfó en el Inter de los sesenta y le ganó una Copa de Europa al Real Madrid. En esta, se cruzó sobre el campo con el veterano Puskás, que le dijo: «Yo jugué contra tu padre. Tú eres digno hijo de Valentino».

Una familia de fútbol. Paco Gento es hermano de Julio y Antonio. También es tío de los hermanos Paco (casado con la hija de Ramón Grosso, excompañero de Paco) y Julio Llorente. Lo cierto es que Paco también es tío abuelo de Marcos Llorente, nieto de Grosso. Todos tienen una cosa en común, han sido o son futbolistas de élite. Pocas familias de fútbol como esta...

Emery, pasado y presente futbolero. Su tío, Román, fue centrocampista, y su padre, Juan María, fue un pequeño (medía poco más de 1,70 m) guardameta de los años cincuenta y sesenta. Y ahora viene lo mejor. El padre de ambos, el abuelo de Unai, se llamaba Antonio y fue el portero que encajó con el Real Unión de Irún, en 1929, el primer gol en la historia de la Liga.

Los hermanos Boateng. Un ghanés llamado Prince Boateng llegó a Alemania en 1981, donde tendría varios hijos. En 1987, nació Kevin. Y solo un año después, Jerome, de madre distinta a la de Kevin. Dos chicos diferentes; uno (Kevin) díscolo y ofensivo defiende los colores de Ghana. El otro, Jerome, obediente y defensivo, los de Alemania. Esto les llevó a ser los primeros hermanos en enfrentarse con dos selecciones diferentes en un Mundial. Lo más curioso es que tienen otro hermano, George, que es un reconocido rapero alemán.

El SORPRENDENTE FICHAJE DE IBRAHIMOVIC POR EL ARSENAL

Zlatan Ibrahimovic tiene la herencia del ego de Best y Cantona. La particularidad de estos futbolistas es que nadie les ha ayudado a orientarse. Simplemente han sido ellos mismos y han sido excelentes por ello. Lo contrario hubiera sido como encerrar a una fiera, no sería natural.

Hijo de un padre bosnio y una madre croata, emigran a Suecia para que el pequeño Zlatan Ibrahimovic nazca en Malmö, la tercera ciudad más grande del país. Pero ellos no vivieron en un vecindario rico, sino más bien peligroso, excesivamente humilde en la ciudad. Rosengard fue el hogar de Ibra. «Puedes sacar al chico de Rosengard. Pero no puedes sacar a Rosengard del chico», diría años después. El barrio es peculiar por su cantidad de familias inmigrantes. Era un sitio conflictivo, pero, para él, siempre fue su hogar, donde podía vivir tranquilo. Ni la separación de sus padres le afectó para ser un joven con un futuro enorme. Se prometió a sí mismo que llegaría a lo más alto para ayudar, sobre todo, a su madre, que trabajaba como limpiadora.

No era un chico malo, pero sí bastante rebelde. Le gustaba hacer bromas, reírse de sus compañeros... Y parecía que, sumado a su práctica del taekwondo, era una persona a la que había que respetar. Dicen que podría haber llegado lejos en las artes marciales, pero siempre prefirió el fútbol; decía que iba a ser el mejor del mundo. Empezó en el Balkan, a tres kilómetros de su casa, aunque no duró mucho en este. Una anécdota destaca sobre las demás. Cuando un ojeador del Malmö se acercó a verle, el equipo iba perdiendo 0-3 y Zlatan estaba en el banquillo. Ganaron 8-3 y él había marcado todos los goles. Dio buenas razones para que fuera fichado por el mejor equipo de la ciudad.

En el Malmö demostró sus condiciones técnicas, aunque también su individualismo. Llegó a debutar en el primer equipo en la temporada en que el club descendió a la segunda categoría, división que no tocaba desde hacía 64 años. Sus propios compañeros le tachaban de egoísta en la misma medida en que su objetivo de ser el mejor menguaba. No obstante, el fútbol europeo ya había puesto el nombre de Ibrahimovic en la libreta, entre ellos Arsène Wenger. Por entonces, el Arsenal era uno de los equipos punteros de Inglaterra y el francés necesitaba a un joven para reforzar la delantera. Qué mejor que Zlatan, al que regalarle oídos era lo mejor que se podía hacer. Le llamó varias veces, le regaló una camiseta de los *gunners* con su nombre y el nueve a la espalda, y le aseguró que el Malmö y el Arsenal llegarían a un acuerdo que se cerraría por tres millones de euros. Hasta que ocurrió lo inesperado.

«Yo estaba feliz por fichar por el Arsenal. Tenían un gran equipo y era fantástico para mí poder jugar con ellos, pero yo no sabía que Wenger quería probarme antes. Dijo que primero quería ver si era realmente bueno y que debía pasar una prueba. No me lo podía creer. Pensé que me conocían, y si no me conocían, es que realmente no me querían fichar», dijo Zlatan. Sí, el alsaciano se quería asegurar de que la inversión merecería la pena, pues su ego también había traspasado fronteras. Asumir ese coste solo podía justificarse con mucho talento. Pero Ibrahimovic no le perdonó.

Otra de las grandes canteras de Europa era la del Ajax de Ámsterdam, que había sido campeona de Europa en 1995 gracias a la gran labor llevada a cabo con las categorías inferiores. Allí cuidaban a los más jóvenes y Zlatan supo que era su mejor futuro, a pesar de tener varias opciones. Y fue en Ámsterdam donde maravilló a todos e hizo que Italia, concretamente la Juventus, le contratara años después. Aunque antes, cómo no, dejó detalles preciosos, como uno de sus últimos goles al NAC Breda, o actuaciones pésimas, como sus peleas con la estrella del equipo, Rafael van der Vaart. Pese a todo lo vivido, no cabe duda de que Ibrahimovic siempre ha ido de frente. Con su verdad y su forma de ser, le ha valido para convertirse en uno de los mejores delanteros. Y nadie ha podido domarle.

AMABA A RONALDO NAZÁRIO

Una de las razones por las que Zlatan Ibrahimovic tenía debilidad por Italia resultaba evidente y tenía que ver con la propia competición. En los noventa, el Calcio era la mejor liga del mundo y allí iban a parar los mejores futbolistas, entre ellos un delantero brasileño procedente del F. C. Barcelona que enamoró a todos, Ronaldo Nazário. Era difícil creer que un jugador como el sueco, que poseía un ego desproporcionado como para considerarse superior a cualquiera, tuviera devoción absoluta por el brasileño. No obstante, sus gustos no eran nada malos.

Desde joven quería jugar en el Inter de Milán por él, por el Fenómeno. Era la referencia mundial y estaba convencido de que llegaría a jugar codo con codo con Ronaldo Nazário. Y, por supuesto, su objetivo era ser mejor que su ídolo. Al cabo de los años, Zlatan se convertiría en jugador del Inter de Milán, tras su paso por la Juventus. Y en un Derby della Madonnina, las cámaras recogieron un instante que ejemplifica esta historia. El objetivo apuntaba a Ibrahimovic, que estaba esperando a que el árbitro diera el pitido inicial. El sueco observaba atento todos los movimientos de Ronaldo, que por entonces estaba en el AC Milan tras su paso por el Real Madrid.

CITA:

Una cosa está clara: No merece la pena ver un Mundial sin mí. (Zlatan Ibrahimovic tras caer Suecia en la fase de clasificación para el Mundial de 2014).

Ya se habían enfrentado en octavos de final de la Champions League, uno con los blancos y el otro con los *bianconeri*. Pero ese partido fue especial. Ibrahimovic miraba a su ídolo enfundado en la camiseta del Inter, que tanto deseó de pequeño. Se estaba midiendo a uno de los mejores delanteros de la historia. Aquel encuentro acabó en tablas, aunque ganaron los *neroazzurri*. Hubo empate porque tanto uno como otro marcaron para sus equipos. Por un día, Zlatan fue igual que Ronaldo, aunque no superior.

LO QUE HEMOS APRENDIDO DEL *DRAW MY LIFE* DE IBRAHIMOVIC

Uno de los *Draw My Life* más interesantes fue el de Zlatan Ibrahimovic. No solo por su historia, que es apasionante, sino también por el interés popular que suscita. Su personalidad le convierte en deseado y odiado, por lo que todo el mundo quiere saber de él. Su vídeo llegó rápido al millón de reproducciones. En la fase de documentación, que tuvo que ser minuciosa, nos dimos cuenta de detalles muy particulares, como las estrategias de Mino Raiola, su representante, para inflar su precio. Llegó a vender que el Real Madrid lo quiso por 70 millones. Todo era mentira. Su récord sí que era verdad. Logró ocho ligas consecutivas con cinco equipos distintos (Ajax, Juventus, Inter de Milán, Barcelona y A. C. Milan) en tres países diferentes. Nada es casualidad en Zlatan. Lo dicho, sinónimo de éxito.

EL DÍA QUE SE ROMPIÓ LA PORTERÍA DEL BERNABÉU

Cándido estaba cenando tranquilamente junto a su sobrino. Había sido un duro día de trabajo desmontando una feria que se había hecho en la Ciudad Deportiva del Real Madrid. Pasaban las nueve de la noche y la zona estaba tranquila. Esa sensación de calma se debía a que a escasos dos kilómetros se estaban jugando las semifinales de la Champions League. De pronto, llega la tempestad. Un hombre mayor les pide ayuda. Lo que este señor les va a contar cambiará su plan de noche y el de muchas otras personas.

El partido que debía estar jugándose en el Santiago Bernabéu entre el Real Madrid y el Borussia Dortmund en 1998, no había comenzado. Cinco minutos antes de la hora fijada para que empezase sucedió lo inesperado. Los Ultras Sur, hinchas radicales del Real Madrid, se situaban detrás de una de las porterías. Del campo les separaba una valla, que más de uno se atrevió a escalar. Lo que no sabían los ultras es que la portería que se situaba delante de ellos estaba amarrada mediante unas cuerdas tensoras que llegaban hasta la valla. El sobrepeso provocado por los hinchas hizo que la valla cediese tirando de la portería hasta partirla por ambos postes.

Los operarios del Real Madrid intentaron de todas las formas posibles poner solución a este fallo organizativo. Incluso trataron de colocar unos listones de madera dentro de los palos para que estos, a su vez, se sujetasen al suelo. Las soluciones de urgencia no dieron resultado y en aquella época no había porterías de repuesto en los estadios. El comienzo del encuentro se estaba retrasando más de la cuenta y los jugadores del Borussia comenzaron a pedirle al árbitro que suspendiera el partido. Entre el caos creado salió una voz que dio algo de cordura al asunto. El que fuera delegado durante varios años del Real Madrid, Agustín Herrerín, propuso ir hasta la Ciudad Deportiva a por la portería. Los campos de entrenamiento estaban muy cerca del estadio por aquel entonces. Concretamente, donde se sitúa actualmente la Ciudad Financiera de Madrid con sus cuatro rascacielos característicos.

A su llegada, Agustín Herrerín se encontró con un problema: no tenía las llaves, por lo que tuvo que saltar una valla (vaya día con las vallas). A sus 63 años estaba hecho un figurín. Dentro del recinto, más problemas: el lugar en el que estaban las porterías de repuesto estaba cerrado con llave, y aquí ya sí que no había forma de pasar. De pronto, escuchó a un par de personas. Allí estaba Cándido junto a su sobrino y, con ellos, la posibilidad de que el partido siguiese adelante.

Los trabajadores que habían estado todo el día desmontando un escenario de una feria, tenían una camioneta para ello. La camioneta desempeñaría ahora un papel muy importante. En primer lugar gracias a su función de abrecandados. Con unos golpes del vehículo consiguieron forzar la puerta. Una vez abierta, tocaba subir la portería a la camioneta. La policía, que ya había llegado al lugar, ayudo a subir el arco, y no solo eso, escoltó a Cándido en su viaje hasta el Bernabéu.

Con la policía acompañándoles, se saltaron semáforos y llegaron a ir en dirección contraria durante un tramo. Las prisas por llegar al templo blanco eran máximas. Una vez allí, se encontraron una nueva complicación, y es que la portería no entraba con facilidad por los accesos al campo. Finalmente, con algo de ingenio, entró la sustituta de la portería «lesionada». La ovación del respetable fue tremenda. El partido comenzaría 45 minutos tarde, pero se jugaría.

El equipo merengue ganó por 2-0 con goles de Morientes y Karembeu. El resultado de la ida, sumado al 0-0 que se registró en el Westfalenstadion, significaba la vuelta del Real Madrid a una final de la Copa de Europa 17 años después. La consecuencia de la rotura del arco sería una sanción económica de 115 millones de pesetas para los blancos y la imposibilidad de jugar el siguiente encuentro de Champions en casa. Casualmente, este partido fue ante el Inter de Milán de Ronaldo y se jugó en el Sánchez-Pizjuán de Sevilla. Para entonces, el Real Madrid ya era campeón de Europa gracias a la victoria en la final ante la Juventus. Un premio que estuvo a punto de frustrarse por una portería maldita.

EL DÍA QUE DOS AFICIONADOS SE ESPOSARON A LA PORTERÍA DEL CAMP NOU

El balón acaba de echar a rodar en el Camp Nou. Barcelona y Real Madrid se enfrentan en un partido trascendental por la Liga de la temporada 2001/02. Los culés son, en aquella jornada, la 30ª, los quintos clasificados del campeonato, pero aún con opciones, ya que estaban a siete puntos del líder, el Valencia. El Real Madrid está mejor posicionado y es segundo a solo un punto del equipo che. Lo que aquella noche acontecería sería trascendental en la Liga. La tensión era máxima.

Los jugadores aún están fríos, cuando algo pasa: un ruido proveniente de las gradas les alerta y al instante ven a tres personas saltar al campo. Dos salen por detrás de una de las porterías, concretamente en la que se sitúa el portero blaugrana Bonano. El otro individuo salta por la otra parte del campo con una pancarta en la que puede leerse un mensaje en contra del trasvase del río Ebro. Los otros dos hombres que se colocaron detrás de Bonano llevaban mensajes contra la Europa del capital, pero lo que preocupó a todos no fue eso, sino que cada uno se esposó a un poste.

Varios miembros de seguridad saltan para tratar de poner solución al problema, pero no encuentran las llaves de las esposas. El mundo del fútbol observa atónito la situación. Tras casi diez minutos de tensión, consiguen abrir las esposas de los dos manifestantes antiglobalización. Tras este suceso se reanudó el partido, que finalizó 1-1. Que el Valencia terminase llevándose aquella Liga no sorprendió a nadie. ¿Y qué fue de los esposados?

CITA:

Si estás en el área y no estás seguro de qué hacer con el balón, mételo en la portería y luego discutimoslas opciones (Bill Shankly).

OTRAS FORMAS SURREALISTAS DE PARAR UN PARTIDO

Otro esposado. Esposarse a una portería no es exclusivo del Camp Nou. En 2012, en Goodison Park, un aficionado saltó al campo y se dirigió hacia una de las porterías durante el Everton- Manchester City. El hombre pensó que el dueño de Ryanair estaba en el estadio y quería protestar por el despido de su hija amarrándose al poste. Tardaron cinco minutos en soltarle.

Aviso de atentado. Todas las incógnitas se desataban cuando Lizondo Cortés, colegiado del partido, pedía a los jugadores que abandonasen el campo. Los futbolistas del Real Madrid y la Real Sociedad no entendían qué estaba pasando. Al instante se informaba por megafonía que los aficionados debían abandonar de forma ordenada el estadio. Ocho minutos después, el campo estaba vacío. El Real Madrid acababa de recibir un aviso de bomba en unos tiempos en los que los atentados de ETA sembraban el temor entre la sociedad española. Finalmente, no había ningún artefacto en el estadio y los seis minutos que quedaban se jugaron unos días después. Lo curioso es que en esos escasos minutos Zidane marcó de penalti el gol de la victoria.

Gas pimienta. El azar quiso que en los octavos de final de la Copa Libertadores 2015 se enfrentasen Boca y River. Dos rivales antagónicos se encontrarían en una eliminatoria cargada de tensión, pero que tuvo un final que nadie esperaba. En la ida River venció por 1-0 gracias al gol de Carlos Sánchez. En la vuelta, en la Bombonera, estaba todo muy abierto, con empate a cero al descanso, cuando unos hinchas, si es que se pueden llamar así, rociaron con gas pimienta a los jugadores de River que en ese momento estaban en el túnel de vestuarios. El partido quedó suspendido y River pasó en los despachos.

Pelotas de tenis. Uno de los medios más habituales para detener un encuentro por parte de los aficionados es el lanzamiento de objetos a la cancha. En 2016, los seguidores del Dortmund arrojaron pelotas de tenis en protesta por lo que consideraban un precio abusivo de las entradas para los cuartos de Copa ante el Stuttgart. Algo que también hicieron en 2012 los hinchas del Sevilla en protesta por el cambio del horario de su partido por culpa del Real Madrid-Barcelona y dado que las televisiones querían emitir un resumen de este.

Jimmy Jump. Y quién se lleva la palma en cuanto a interrupciones es Jimmy Jump, un personaje que se hizo ilustre en el fútbol español debido a sus saltos a los terrenos de juego. Siempre acompañado de su típica barretina, que llegó a colocar a personajes tan ilustres como Eto'o. Jump también arrojó a la cara de Figo una bandera del Barcelona tras su fichaje por el Real Madrid. Además, saltó antes de la final del Mundial 2010 y también en Eurovision. Preguntado por los motivos que le llevaban a saltar, Jump dijo que era incontrolable y que incluso venía de arriba, que era una misión divina...

LA GRAN VICTORIA DE RONALDO NAZÁRIO

Ya es de noche en el hotel de concentración de Brasil. Los jugadores acaban de cenar y se van a sus habitaciones para descansar antes del gran partido. El nerviosismo es latente. Aunque algunos allí presentes ya estuvieron en la final del Mundial de Estados Unidos, para otros es la primera final de un Mundial. Ronaldo Nazário estuvo en 1994, aunque no disputó ni un minuto, solo tenía 17 años. Ahora, en Francia ´98, era la estrella de su selección. En la noche parisina del día siguiente estaba llamado a brillar.

Ronaldo estaba nervioso, sometido a gran presión, tenía mucha responsabilidad en sus botas. Roberto Carlos, compañero de habitación, le notaba tenso, pero era algo normal, una final de un Mundial no se juega todos los días. Ronaldo encendió la tele para desconectar, para relajarse. Ese fin de semana se celebraba el Gran Premio de Gran Bretaña de Fórmula 1 y Ronaldo quería ver cómo había transcurrido la jornada clasificatoria. Roberto Carlos también se relajó viendo a Ronaldo más calmado.

Pero, sin previo aviso, todo devino en un caos. Poco a poco, Ronaldo se empezó a encontrar mal, hasta el punto de caerse y tener serias dificultades para respirar. Parecía, incluso, que le salía espuma por la boca. Roberto Carlos salió corriendo de la habitación pidiendo ayuda: «A Ronaldo le está dando un ataque de epilepsia». El resto de compañeros de Brasil salieron de sus habitaciones alarmados. César Sampaio sujetó a Ronaldo la lengua para que no se la tragase, a la espera de que llegasen las asistencias médicas.

Fue llevado rápidamente al hospital. Allí, sin pruebas médicas para evaluar lo que tenía, le recetaron unos medicamentos muy fuertes contra la epilepsia. La vida del jugador no parecía estar en peligro, pese a los instantes de crisis vividos. El jugador no solo se recuperaría, sino que estaría *presente* en la final. Decimos lo de *presente* porque allí estuvo, aunque no en las condiciones más idóneas para jugar. El medicamento le dejó adormecido y no pudo completar un buen partido. Francia ganaría 3-0 y se proclamaría campeona del mundo por primera vez en su historia.

A su llegada a Brasil, Ronaldo bajó del avión medio tropezándose. Los medicamentos que estaba tomando le hacían tener esta sensación constante de mareo, justificación más que suficiente para entender su partido en la cancha. En Brasil habló con la prensa y dejó un titular que a más de uno sorprendió, ya que todavía no se sabía con claridad qué había pasado en la noche parisina: «Perdimos el Mundial, pero yo gané otra copa, la de la vida».

Durante mucho tiempo se pensó que Ronaldo había tenido un ataque de epilepsia, por más que las pruebas médicas realizadas no permitieran arrojar ese diagnóstico. ¿Qué pasó entonces aquella noche en el hotel? Recientemente, el médico italiano Bruno Caru relató en la televisión italiana lo sucedido. El jugador no había tenido un ataque de epilepsia, sino un importante problema cardíaco.

La confusión se produjo porque Roberto Carlos gritó que le estaba dando un ataque de epilepsia y los médicos que atendieron a Ronaldo en primer término creyeron la versión sin hacerle pruebas al jugador. Por ello le dieron unos medicamentos que no se ajustaban al problema que Ronaldo tenía. La tragedia pudo ser mayor debido a una negligencia médica. Este médico italiano tuvo acceso a los informes que realizaron los médicos del Inter de Milán, club al que pertenecía Ronaldo en 1998 y que elaboraron a su llegada del Mundial.

El problema se debió a que, recostado en la cama mientras veía la televisión, había comprimido un órgano secretor encargado de regular el ritmo cardíaco y la presión arterial. Así, hubo una caída de frecuencia cardíaca que provocó el desmayo y las convulsiones. Pese a la versión oficial de la época, Ronaldo nunca tuvo un ataque de epilepsia en la víspera de su primera final de un Mundial.

Afortunadamente todo se quedó en un susto y Ronaldo no ganó aquel Mundial, pero, como él dijo, consiguió un trofeo más importante. Aunque tendría la oportunidad de redimirse en el siguiente Mundial, el de Corea y Japón 2002, cita en la que sí que se pudo ver al mejor Ronaldo, que además dio el título a Brasil con dos goles suyos en la final. Lo había pasado muy mal con lesiones en los años previos, pero acababa de tocar el cielo. El destino le tenía guardado el mejor de los regalos.

LOS JUGADORES DEL COMPOSTELA DENUNCIARON EL GOL DE RONALDO

Ronaldo Nazário llegó al fútbol español en el verano de 1996. Una de las mayores promesas mundiales recalaba en la Liga para brindar espectáculo a los aficionados en cada cancha. Los hinchas culés disfrutaron de 34 goles del crack brasileño aquella temporada, aunque el mejor de sus tantos se produjo lejos del Camp Nou. Los cerca de 12.000 aficionados que se congregaron en el Multiusos de San Lázaro en Santiago de Compostela pudieron ver uno de los mejores goles de la historia del fútbol español. Ronaldo marcó un tanto *maradoniano*, sorteando a todos y cada uno de los jugadores que salieron a su paso. Bueno, a todos no. Fernando Peralta, el portero, dijo con orgullo, y con algo de sorna, que a él fue al único al que no regateó.

También fue el único de los implicados en la jugada del Compostela que no denunció a la marca Nike por vulneración del derecho al honor. Y es que el gol, que se produjo en 1996, fue motivo de un anuncio durante 1997. Los jugadores salían siendo regateados por Ronaldo y no cobraron por sus derechos de imagen en este *spot*.

Finalmente, el Supremo desestimó el recurso de los implicados, ya que consideraba que su presencia en el anuncio era accesoria y que lo que se buscaba con él era alabar a Ronaldo, destacar la gran calidad futbolística de quien, en un lance del encuentro, realiza una jugada espectacular, apreciable y apreciada por los espectadores del partido y por el público en general destinatario de la información deportiva. El organismo alabó a Ronaldo en su sentencia, dejando sin compensación a unos jugadores que pasaron a la historia por aquel gol de leyenda y por perder nuevamente en los tribunales.

CITA:

Para mí Ronaldo, el Fenómeno, ha sido el jugador más completo que ha dado este planeta. Lo tenía todo. No he visto a nadie mover el balón con la velocidad con la que él lo hacía. Era fenomenal, por eso era el Fenómeno (Zlatan Ibrahimovic).

LO QUE HEMOS APRENDIDO DEL DRAW MY LIFE DE RONALDO

Los que hemos visto jugar a Ronaldo Nazário somos unos privilegiados. Pocos delanteros ha habido en la historia del fútbol con tanta clase, con tanta calidad, con tanto desparpajo para buscar el gol. Por ello, no podíamos dejarle sin su *Draw My Life*. Realizándolo entendimos mejor de dónde le venía esa imaginación, esa magia, de cara a la portería. Uno de sus referentes, y a quien más consejos pidió, fue un tal Romário, con el cual tuvo la suerte de coincidir en la selección brasileña.

Ronaldo fue al Mundial de Estados Unidos, pero no jugó ni un minuto; tenía 17 años. Lo que sí hizo es aprender de Romário, y no paró de hacerlo. Además, hay un paralelismo en los caminos seguidos por uno y otro. Romário abandonó Brasil para irse al PSV; Ronaldo hizo exactamente lo mismo. Después, ambos tomaron el camino de Can Barça y no estuvieron mucho allí, pero dejaron muestras de su calidad. Los dos fueron pichichis de la Liga con el Barcelona. Dos delanteros que marcaron una época y de los que tenemos un recuerdo imborrable.

LOS GRANDES ACUERDOS SE HACEN EN SERVILLETAS

Muchos recordarán siempre el fichaje de Zinedine Zidane y cómo empezó aquel idilio: una cena a la que asistieron Florentino Pérez y el crack madrileño. En francés, el presidente blanco le puso en una servilleta: «¿Quieres venir a jugar al Madrid?». A lo que el galo, contestó, también por escrito, «Yes», con rotundidad. Así se cerró uno de los fichajes más trascendentes del siglo XXI, que condicionaría el devenir del Real Madrid en sus años posteriores. No obstante, hubo otro contrato igual o más importante, pero con el mismo procedimiento.

Ponemos el ojo en Leo Messi, que se encuentra triste viendo el rechazo del equipo de su ídolo, Pablo Aimar. River Plate les dio la negativa y pocas eran las oportunidades de un niño al que le detectaron un problema de crecimiento, que requería un tratamiento hormonal demasiado costoso, más para una familia de condición humilde. Porque la familia Messi Cuccittini no era rica y tuvieron que hacer no pocos esfuerzos para que el pequeño Leo cumpliera su sueño. El más grande de todos debían hacerlo al otro lado del charco, en España.

Leo viajó con su padre, Jorge, a Barcelona y allí les esperaba Horacio Gaggioli, representante de Josep Maria Minguella. Fue el primero en avalar al argentino, del que esperaba muchas cosas por lo que había oído. Lo vital, lo primordial del asunto era conseguir una audiencia con Carles Rexach, leyenda blaugrana, responsable de las categorías inferiores y entrenador del primer equipo meses después, para que le hiciera una prueba al rosarino.

La familia Messi se alojó junto al Camp Nou para que todo se llevara a cabo lo antes posible. Citan a Leo el 18 de septiembre del 2000 para hacer su primera prueba en las categorías inferiores, pero finalmente se cancela porque Carles Rexach no puede acudir. Días después, vuelven a convocarle, esta vez ya con el directivo presente. Cuando le vio, dicen que no le dio tiempo ni a sentarse para captar lo que veían sus ojos. Joan Lacueva, ejecutivo de la cantera y persona importante en la historia de Messi, resumió así el partido: «Marcó seis goles, disparó dos veces al poste y a la mitad tuvieron que cambiarle de equipo para equilibrar el amistoso».

Joan Lacueva fue el responsable de hacer tiempo y de convencer a la familia Messi para que se quedaran. De hecho, pagó de su propio bolsillo la primera parte del tratamiento hormonal que le enviaban desde Buenos Aires a una farmacia cercana al Camp Nou. Josep María Minguella siempre ha destacado la labor de Lacueva, pues de no ser por él, Messi se hubiera largado a otro equipo.

Horacio Gaggioli consiguió el compromiso de Carles Rexach para fichar a Leo Messi, asegurándose, con un escrito llevado a cabo en una servilleta, lo que venía a ser un contrato con una cláusula definitoria. «En Barcelona, a 14 de diciembre de 2000 y en presencia de los Sres. Minguella y Horacio (Gaggioli), Carles Rexach, secretario técnico del F. C. B., se compromete, bajo su responsabilidad y a pesar de algunas opiniones en contra, a fichar al jugador Lionel Messi, siempre y cuando nos mantengamos en las cantidades acordadas», reza el mensaje.

Y a pesar de la optimización de recursos de Gaspar para fichar cracks, finalmente cedió para que Messi fuera jugador blaugrana y así pudiera cambiar la historia. Aquel escrito, para los curiosos, está expuesto en el museo del Camp Nou, para que todos los culés y los seguidores del fútbol sepan cuándo y de qué manera cambió el futuro del F. C. Barcelona. Porque los grandes contratos se hacen en servilletas, que no haya ninguna duda sobre eso.

LOS OTROS EQUIPOS DE LEO MESSI

En el apartado anterior, se anticipa uno de los equipos que estuvo cerca de fichar a Leo Messi tras su paso por Newell's Old Boys, equipo que no pudo hacerse cargo del costoso tratamiento del rosarino. River Plate fue el primero que tuvo la oportunidad de contar con el mejor jugador del mundo, pero le faltó el arrojo de apostar por un niño único. De ahí, marcharon a Barcelona para encontrar una suerte que sí les llegó. Sin embargo, lo más curioso de toda la historia de Messi es que estuvo cerca de fichar por un equipo muy humilde de España. Ya consagrado en las categorías inferiores del F. C. Barcelona, Rijkaard tuvo la oportunidad de hacerle debutar en el primer equipo. Sin embargo, no podía contar con Messi como quería porque las plazas de extracomunitarios, limitadas a dos, estaban asignadas. Además, Leo no tenía la nacionalidad española, que conseguiría poco después, y por ello valoró una salida en busca de minutos. Por entonces, los dos únicos equipos que tenían plazas eran el Cádiz y el Betis, y fueron los gaditanos los que intentaron una cesión del argentino, enamorados de él por un Trofeo Carranza en el que le vieron jugar.

Finalmente, Frank Rijkaard se convenció en un Trofeo Joan Gamper de lo que tenía en sus manos, con el añadido de la nacionalidad española, de la que ya gozaba Leo Messi. En ese duelo contra la Juventus, Fabio Capello quedó prendado del argentino e incluso llegó a preguntar por él al técnico neerlandés. Pero ya era demasiado tarde para todo, el destino del que sería el mejor jugador del mundo tenía un camino marcado y era vestido de azulgrana.

CITA:

No escribas sobre él, no trates de describir lo que hace; simplemente, míralo (Pep Guardiola, exentrenador del F. C. Barcelona y ahora del Manchester City).

LO QUE HEMOS APRENDIDO DEL *DRAW MY LIFE* DE MESSI

Messi y la selección argentina han tenido una relación de amor-odio. Pero pocos se acuerdan de lo que costó que el rosarino llegara a jugar con la albiceleste, dado el interés de España por convocarle y hacerle suyo. De hecho, la AFA organizó un partido a propósito para no dejarle escapar. Pero esta no es la historia. Es un dato que seguro que estará en la memoria de cualquier argentino. Leo Messi llegó a la absoluta de la mano de José Pékerman, que le hizo debutar en un partido ante Hungría el 17 de agosto de 2005. Salió en el minuto 63 por Lisandro López, pero volvió a los pocos segundos al banquillo. Fue expulsado por el árbitro alemán Markus Merk tras darle un codazo a un defensor húngaro del que se quería zafar. Y sí, la historia de Lionel con Argentina no empezó bien, aunque pocas veces ha ido como se esperaba, ¿no?

¿POR QUÉ TENÍA BERGKAMP MIEDO A VOLAR?

«Última llamada para los pasajeros del vuelo 764 de Surinam Airways con destino Paramaribo». Esta frase sonaba por la megafonía del Aeropuerto Schiphol, en Ámsterdam, el 6 de junio de 1989. Eran las 22:55 y la práctica totalidad de los 178 pasajeros (además de los 9 miembros de la tripulación) ya estaban a bordo de aquel avión que saldría media hora después rumbo a la capital de Surinam. A mediados del siglo XX, multitud de familias habían llegado a los Países Bajos en busca de un mejor futuro procedentes de aquella antigua colonia neerlandesa situada al norte de Brasil.

El fútbol corre por la sangre de un pequeño país en el que viven poco más de medio millón de personas. Rijkaard, Gullit, Hasselbaink o Kluivert son algunos ejemplos de futbolistas neerlandeses con antepasados de Surinam. Y otros como Seedorf, Davids o Stanley Menzo, de cracks que nacieron en el pequeño país sudamericano.

En el pobre barrio de Bijlmermeer, en el sudeste de Ámsterdam, se empleaba Sonny Hasnoe, un trabajador social que se decidió a crear un equipo de fútbol formado por jugadores de origen surinamés, el Colourful-11. Aquella labor buscaba fomentar la integración de los surinameses en la sociedad neerlandesa. Una iniciativa en la que participaron muchos futbolistas de élite.

Cada cierto tiempo, aquellos jugadores con raíces en Surinam se reunían para disputar partidos de exhibición, pero ese día ninguno de los mencionados recibió el permiso de sus clubes para viajar al primer partido que disputaría el Colourful-11 en la tierra de sus ancestros. Era un partido histórico y se lo perderían. Pues bien, en aquella expedición 764 de Surinam Airways viajaban los jugadores del Colourful-11. Stanley Menzo, eso sí, decidió desobedecer la prohibición del Ajax y viajó en un vuelo aparte.

En aquellos momentos, un prometedor Dennis Bergkamp acababa de cumplir 20 años. Había terminado la temporada con el Ajax, que al final no había podido dar caza al PSV de Guus Hiddink y Romário. El 7 de junio de 1989 una desgraciada noticia salpica a la sociedad neerlandesa. El avión que transportaba a los jugadores del Colourful-11 se había estrellado cuando se disponía a aterrizar en Paramaribo, capital de Surinam. 176 muertos. Lloyd Doesburg, compañero de Bergkamp en el Arsenal y portero suplente de Menzo, estaba entre los fallecidos. Aquella noticia impactó a Dennis Bergkamp. La semilla de la aerofobia había aterrizado en su cabeza.

Aun así, su temor no fue a más y, después de brillar con el Ajax, Bergkamp pondría rumbo a Italia. El Inter le esperaba con los brazos abiertos. Pero, a pesar de su inmenso talento, nunca llegó a adaptarse al exigente fútbol italiano, por lo que terminaría buscando una salida hacia Inglaterra al término de la temporada 1994/95.

Para entonces, algo había cambiado en Bergkamp. Ya no era el mismo. Y para conocer qué cambio se había producido en su interior habría que retroceder al verano anterior a su marcha de Italia. Era 1994 y la selección neerlandesa viajaba por Estados Unidos mientras disputaba la Copa del Mundo. El avión que les transportaba antes de un encuentro sufrió algunos problemas para aterrizar. En ese momento, un periodista neerlandés que acompañaba al equipo tuvo la «brillante» idea de gastar una broma a una azafata diciendo que llevaba una bomba en su equipaje de mano. Aquello levantó un enorme revuelo en el interior del avión. El nerviosismo era palpable, no solo por la broma, sino también por las turbulencias que había sufrido el avión. Ese suceso impactó a Bergkamp, que durante unos minutos de pánico se acordó de los miembros del Colourful-11 y de su excompañero, Lloyd Doesburg.

Cuando firmó por el Arsenal, insistió en recoger en el contrato que podría negarse a coger vuelos. Perdió algo de dinero, pero poco le importó. A pesar de aquello, Bergkamp dejó allí su huella durante 11 años y formó parte de uno de los mejores equipos de las últimas décadas. Thierry Henry, Pirés, Ljungberg, Vieira... Grandes futbolistas que han pasado más horas a bordo de un avión que jugando partidos de fútbol, algo de lo que Bergkamp no puede presumir. Y es que si no hemos disfrutado más veces de uno de los jugadores más elegantes de la historia, ha sido por aquel miedo que nació, desgraciadamente, un 7 de junio de 1989.

CITA:

Un equipo de fútbol es como una mujer bonita; cuando no se lo dices, olvida que es bonita (Arsène Wenger).

CUANDO WENGER PIDIÓ REPETIR UN PARTIDO... QUE HABÍA GANADO

El 13 de febrero de 1999, el Arsenal recibía en Highbury al Sheffield United. Iban a disputar la quinta ronda de la FA Cup. Los pupilos de Wenger se terminaron imponiendo (2-1) gracias a los tantos de Patrick Vieira y Marc Overmars. Sin embargo, el gol de la victoria *gunner* había causado algo de controversia...

En una acción del partido, con empate a uno en el marcador, el portero del Sheffield lanzó el balón fuera para que uno de sus compañeros, Lee Morris, fuera atendido por las asistencias. Ray Parlour, como es normal en estos casos, decidió devolver el balón al United. Sin embargo, el que siguió la acción fue su compañero, el nigeriano Nwankwo Kanu, que debutaba ese día y no se debió enterar de que su equipo en realidad le estaba devolviendo el balón al rival y encaró al portero para dejarle el balón a Overmars, que remató a placer y puso el 2-1 definitivo. Se lió.

Los jugadores del Sheffield United corrieron enloquecidos a increpar a los *gunners*. Steve Bruce, técnico de los de Yorkshire, instó a sus jugadores a abandonar el terreno de juego. La indignación era máxima. Finalmente, el Arsenal iba a pasar de ronda gracias a una acción antideportiva. Pero al término del encuentro, Wenger, consciente de las circunstancias, ofreció a Bruce la repetición del partido en Highbury, algo que la Federación Inglesa consintió. El partido se repitió diez días después y el Arsenal volvió a ganar, esta vez de forma limpia, por 2-1. El gesto de Wenger, pidiendo repetir un partido que no había ganado limpiamente, quedó para el recuerdo.

ENTRENADORES QUE MÁS TIEMPO HAN ENTRENADO A UN CLUB

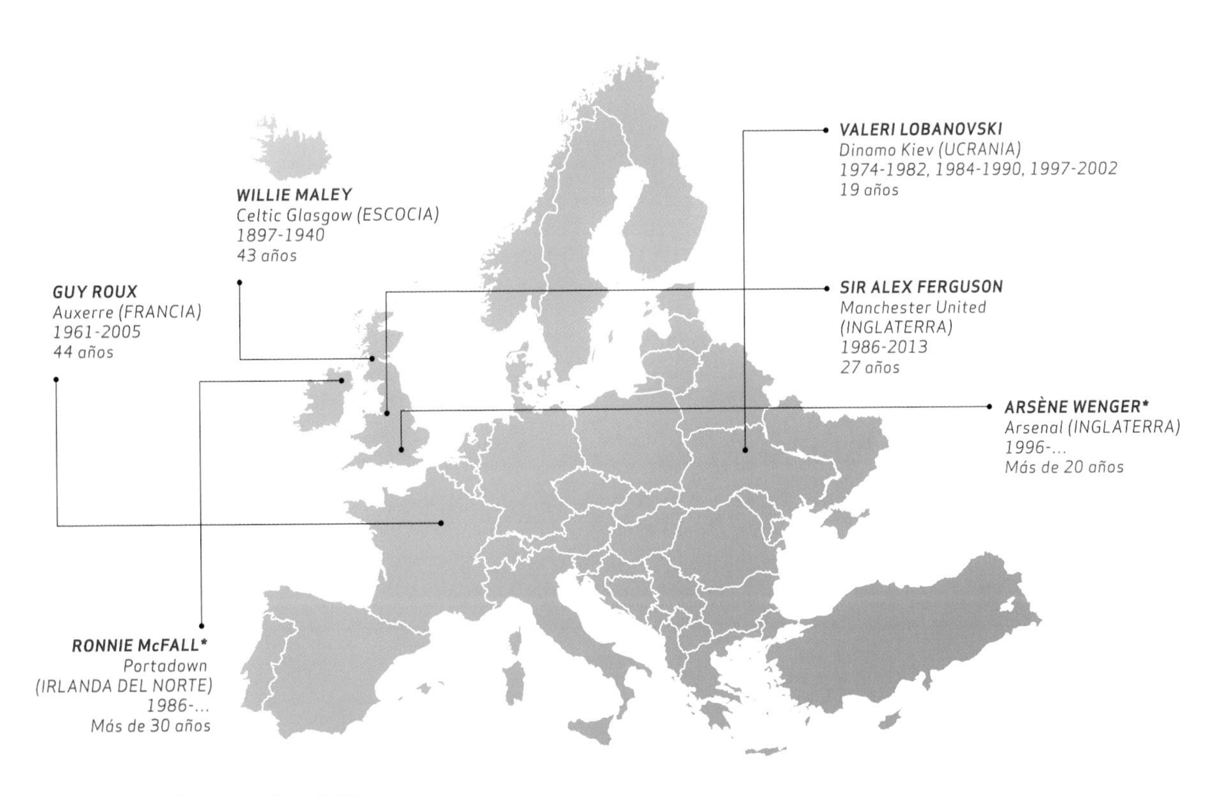

*Vigente durante la temporada 2017/18

DE CAMPEÓN DEL MUNDO A LIMPIAR LETRINAS

Cuando se menciona a Brehme se habla de uno de los mejores laterales zurdos de su época. Era elegante y con un gran dominio de las dos piernas. De hecho, usaba una u otra indistintamente, lo que contribuía a que tuviera un buen desplazamiento de balón y un considerable disparo a portería. Sus inicios profesionales fueron en el F. C. Saarbrücken pero pronto, un año después, daría el salto al Kaiserslautern, donde consiguió importantes cotas de popularidad. El Bayern se hizo con sus servicios para elevarle a la categoría de insuperable en el flanco izquierdo. Sin embargo, en 1988, el Inter de Milán se había propuesto fichar a los mejores alemanes y, junto a Lothar Matthäus y Jürgen Klinsmann, formó el «Inter de los alemanes», que rivalizaría en el norte de Italia con el Milan de los holandeses.

La trayectoria a nivel de clubes era magnífica pero el *summum* de su carrera, por lo que se le recuerda especialmente, es por el Mundial de Italia de 1990, en el que Alemania recibió la recompensa por tantos años de besar la lona en la final, primero ante Italia en España ´82 y después ante Argentina en México ´86. Dirigidos por Franz Beckenbauer, lo de los teutones fue toda una proeza. Pasaron de grupo y llegaron a octavos ante Países Bajos; después, ante Checoslavaquia, para, a continuación, jugar las semifinales ante Inglaterra, favorita pero eliminada en penaltis.

Los alemanes volvían a una final, donde les esperaba la Argentina de Maradona y Bilardo, muy distinta a la que se encontraron en el Azteca cuatro años antes. Y en este encuentro fue decisivo Andreas Brehme. Tras una retahíla de patadas por parte de los argentinos, en el minuto 85, el colegiado mexicano pita penalti a favor de Alemania. El encargado era el lateral, por su poderoso golpeo, pero al otro lado se encontraba Sergio Goycochea, todo un parapenaltis. Brehme fue más inteligente a la hora de ejecutar, sabiendo que su rival tenía estudiada su manera de golpear. Por ello, cambió de pierna, la derecha, para disparar desde los 11 metros. El guardameta no se esperó esa decisión y la pelota acabó en el fondo de la portería. Alemania pudo coronarse por fin.

Andreas Brehme lo tuvo todo para ser considerado uno de los mejores laterales zurdos de la historia. Proveniente del Inter de Milán, fichó por el Real Zaragoza —su mujer era de Utebo—. Y acabó su carrera en el Kaiserslautern, para terminar ganando un título liguero que le supo a oro. En 1998, con 38 años, se retiró.

La vida puede dar mil vueltas y uno no sabe dónde puede acabar tras haber tenido una carrera esplendorosa, casi envidiable. Andreas Brehme estuvo siempre cerca del fútbol, llegó a ser técnico en el Kaiserslautern e incluso asistente del Stuttgart. Y todo dio un vuelco cuando Franz Beckenbauer, que había sido su entrenador, pidió ayuda para él. El problema de Brehme fue económico, al endeudarse por unos 200 000 euros, lo que le obligó a hipotecar su casa. «Tenemos la responsabilidad de ayudar a Andreas Brehme, él hizo mucho por el fútbol alemán, le dio un título, y ahora es el turno del fútbol alemán de hacer algo por él. Quizás podemos crear un fondo para proteger a los jugadores que atraviesan emergencias», dijo la leyenda.

Un exjugador del Nüremberg, Olivier Sträube, que nunca fue una estrella del fútbol alemán, fue tajante con Andreas Brehme por no saber gestionar su vida. Le tendió la mano de una manera sorprendente. «Estamos dispuestos a emplear a Andreas Brehme en nuestra empresa. Así se enterará de lo que es trabajar de verdad, haciendo el aseo de los sanitarios e inodoros. Eso le servirá para enterarse de cómo es la vida y mejorar su imagen. Eso sí es ayudar a Brehme», confesó. Esto no quiere decir que el futbolista limpiara letrinas, como se vendió a los grandes medios de comunicación.

Y así, de la noche a la mañana, la vida de Brehme cambió por completo. Y queda clara una cosa con la vida de los futbolistas: Puedes llegar a ser el Rey Midas, pero siempre con cabeza. Ir demasiado deprisa puede ser peligroso, por mucho que puedas ser el mejor lateral izquierdo del mundo.

CITA:

Son poquitos los jugadores que tienen la suerte de hacer goles en la final de un Mundial; a mí me tocó (Zinedine Zidane, exjugador del Real Madrid y de la selección de Francia).

UN DELANTERO BASTANTE PERDIDO

Gerd Müller ha tenido momentos de auténtica gloria, aunque también vivió un proceso amargo. No obstante, su ejercicio de superación le llevó, una vez retirado, a volver a enrolarse en el mundo de la pelota. Pero el veterano futbolista dio un susto que encogió el corazón de media Baviera, al menos la que se vestía de corto y salía al pasto.

Sus compañeros, entre ellos Franz Beckenbauer, quisieron que, una vez superada la depresión, volviera a llevar el escudo del Bayern de Múnich, pero esta vez controlando las categorías inferiores. El delantero, tajante, no dudó en confesar que, tras su rehabilitación, «no hay nada mejor que estar en el Bayern». No obstante, en julio de 2011, el exjugador dio un susto que invitaba a pensar lo peor: una recaída en el alcohol y las drogas.

El equipo B del Bayern de Múnich estaba haciendo pretemporada en Trento, Italia, y el exfutbolista era uno de los encargados de la expedición. Müller decidió abandonar el hotel Villa Madruzzo a las cinco de la mañana y cogió un taxi para tomar un tren con dirección a Múnich. Esas fueron las últimas noticias del alemán. El equipo muniqués, sin saber sobre su paradero, denunció la desaparición del jugador a la policía, e incluso los propios jugadores del equipo decidieron buscarle por los alrededores de la ciudad o en bosques cercanos. Pasadas 13 horas de la denuncia, Müller fue encontrado en el centro de Trento, desorientado y en estado de confusión. Su mujer, Uschi Ebenbock, viajó a Italia para recogerlo y llevarlo a casa. Por un momento, el mundo del fútbol temió la recaída.

MAPA DE GOLEADORES DEL MUNDIAL

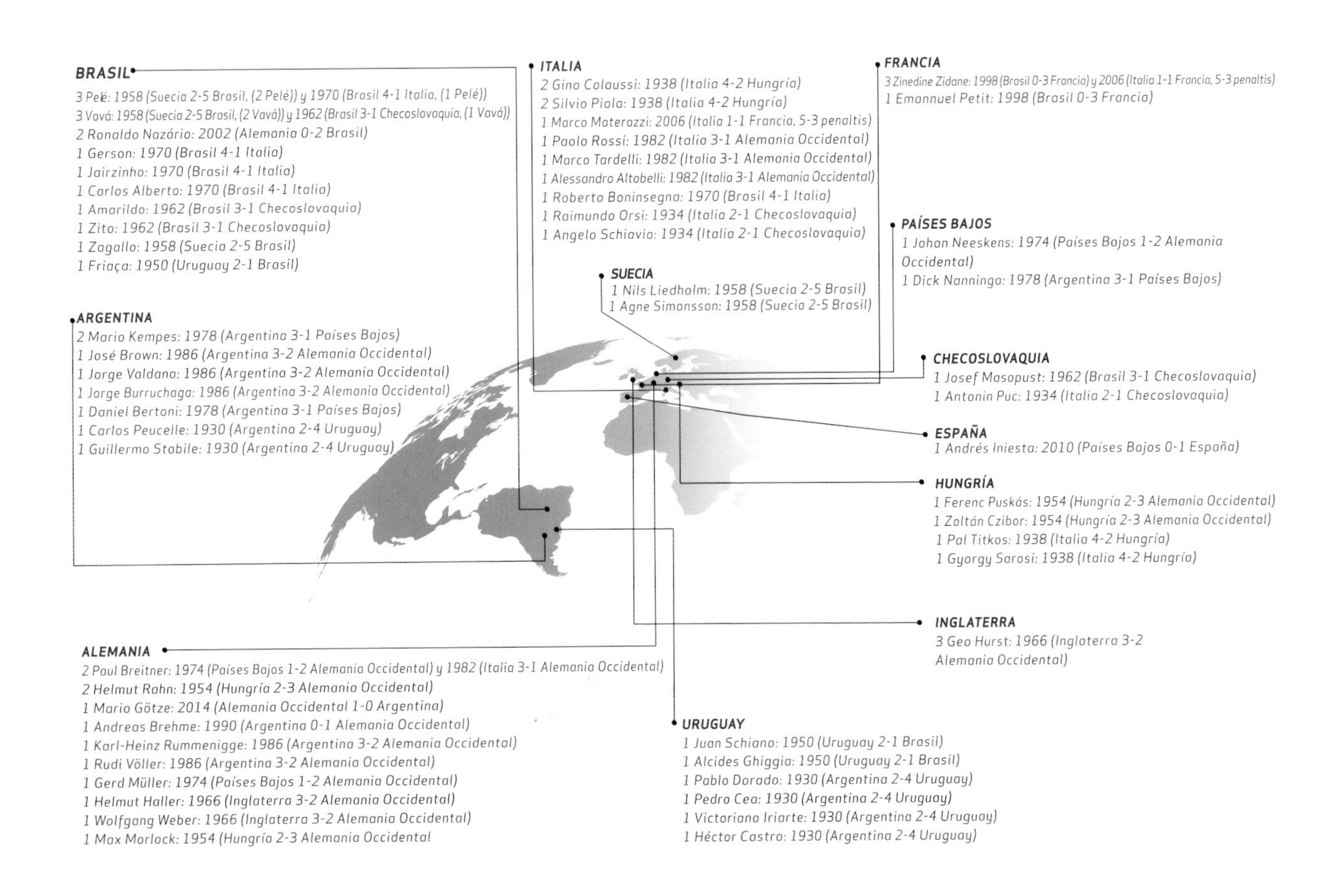

¿DE QUÉ EQUIPO DE FÚTBOL HAN SIDO LOS PAPAS?

El 13 de marzo de 2013, el mismo día que la fumata blanca anunciaba al nuevo pontífice en el Vaticano, el Club Atlético San Lorenzo de Almagro, histórico del fútbol argentino, publicaba en su página web un comunicado. En él presumían de ser el equipo del que era socio el nuevo papa, el argentino Jorge Bergoglio (el papa Francisco I).

El cardenal Jorge Bergoglio, que de joven había sido portero de discoteca, era el socio 88 235 del Ciclón y un apasionado hincha del club. Casualidad o no, solo un año después de su designación como pontífice, Francisco I celebraba el mayor hito en la historia del club: la consecución de la Copa Libertadores de América.

La historia de amor entre Bergoglio y San Lorenzo viene de lejos, y más concretamente del año 1946, cuando el argentino solo contaba 10 años de edad. Los hinchas de San Lorenzo todavía hablan de aquel equipo campeón como el mejor de su historia, una escuadra que estaba liderada sobre el césped por el Terceto de Oro, conformado por Farro, Pontoni y Martino, jugadores que, acompañados por cracks como el español Ángel Zubieta, hicieron historia al coronarse campeones de Argentina. Y allí, en la grada del viejo Gasómetro, estuvo, partido tras partido, aquel niño de 10 años. Fue allí donde nació su pasión por el fútbol y, muy especialmente, por el Ciclón, aquel club que había sido fundado algunas décadas antes por un sacerdote salesiano, el padre Lorenzo Massa.

El antecesor de Francisco I fue un alemán, Joseph Ratzinger, que fue proclamado Pontífice en 2005 bajo el nombre de Benedicto XVI, aunque terminó renunciando al papado ocho años después. Siempre dijo ser hincha del Bayern de Múnich, club que le nombró socio honorífico y le entregó el carnet número 100 000. Antes del Mundial de 2006, se encontró con el presidente del comité organizador, Franz Beckenbauer, que dejó una frase para la historia: «Hablar de fútbol con el Papa ha sido uno de los momentos más emocionantes de mi vida». Bajo el papado de Benedicto XVI, además, nació la Clericus Cup, conocida por muchos como la Champions del Vaticano, que acoge en un mismo torneo futbolero a las distintas universidades eclesiásticas.

Antes de Benedicto XVI, fue papa Juan Pablo II, nombre elegido por el polaco Karol Wojtyla. Su nombramiento fue sorprendente. Era la primera vez en 400 años que el papa de Roma no era italiano. Su pontificado se extendió desde octubre de 1978 hasta su muerte en 2005. Había nacido en Wadowice, un pequeño pueblo del sur de Polonia. Creció practicando todo tipo de deportes, incluido el fútbol, en el que actuaba generalmente como guardameta... o delantero. De enorme polivalencia, le apodaban Martyna, en honor a Henryk *Martyna*, un defensa que destacó en el Legia Varsovia y en la selección polaca durante la década de los treinta. Tal era la pasión de Wojtyla por el deporte (no solo el fútbol) que cuando le comunicaron que iba a ser obispo, estaba esquiando.

De joven llegó a formar parte de las categorías inferiores del MSK Crackovia. Y si bien en muchas ocasiones se ha debatido sobre el equipo al que verdaderamente animaba (muchas veces se habló del Wisla), hay motivos para creer que Wojtyla era hincha de la Roma, escuadra en la que jugaba a finales de los ´80 un compatriota suyo, Zbigniew Boniek. Otro equipo con el que siempre se le vinculó fue con el Barça. De hecho, en noviembre de 1982, el Barcelona de Josep Luis Núñez le hizo entrega del carnet de socio número 108 000 con carácter vitalicio, aunque, años después, una actualización del censo de socios hizo que el número del papa pasara a ser el 103 350. Historias curiosas las hay de todos los colores, no cabe duda.

Está claro que la relación entre el fútbol y la religión siempre ha sido importante. De un deporte de masas como el fútbol nacen increíbles valores que muchos religiosos, hoy en día, se atreven a aplicar a la vida. Por que, como dijo en su momento Manuel Vázquez Montalbán, «el fútbol es la religión del Siglo XXI».

EL DÍA QUE BASILE ECHÓ AL PAPA DEL VESTUARIO

Hablar de Alfio Basile en Argentina supone hacerlo de uno de los personajes futbolísticos más peculiares del país en el siglo XX. El Coco, como se le conoce, destacó como zaguero en el Racing de Avellaneda primero y en el Huracán después. A continuación, comenzaría una larga y exitosa carrera en los banquillos, en la que ha dejado incontables anécdotas. Como la que vivió antes de su debut como entrenador en el vestuario de San Lorenzo.

En 1998, el Coco había asumido las riendas del San Lorenzo de Almagro. Todo estaba preparado para su primer partido con el Ciclón. Basile da la última arenga a sus futbolistas y se prepara para salir de su vestuario. En ese momento, se abre la puerta y entra un hombre con sotana que empieza a saludar a todos los jugadores. Basile se queda estupefacto. «¿Quién es este?», pregunta. Le explican que es el arzobispo de Buenos Aires, seguidor de San Lorenzo, que suele desear suerte a los jugadores antes de cada encuentro.

Al Coco aquello le importó poco: «Echalo de acá, no quiero ver a ningún cura en el vestuario. No quiero a nadie que distraiga a los jugadores. Que se vaya el cura». Miele, presidente del club, que estaba presente en la charla de Basile, tuvo que mediar y le pidió al arzobispo que abandonase el vestuario. Años después, Basile se encontró de nuevo con Fernando Miele, que le volvió a recordar aquella anécdota. «¿No sabes quién era?», le preguntó. «No», respondió el Coco, que, acto seguido, se mostró incrédulo al comprobar que el hombre al que había echado del vestuario en su primer día con los Cuervos no era otro que el nuevo Papa, Francisco I.

CITA:

Lo único que conmueve a Jorge Bergoglio es San Lorenzo (Guillermo Karcher, asistente del papa).

CINCO GRANDES FUTBOLISTAS MUY RELIGIOSOS

Si la historia de Phil Mulryne les ha llamado la atención (ver página 149), seguramente también les parezca interesante conocer algunos otros casos de grandes futbolistas que sintieron cerca la llamada de Dios.

Kaká. Entre las frases más controvertidas de Ricardo Kaká, está la siguiente: «Si no fuera futbolista, sería pastor evangélico. Siempre he sido muy religioso». De hecho, cuando consiguió la Champions frente al Liverpool en 2007, Kaká no dudó en celebrar el título con una camiseta cuyo rótulo rezaba *I belong to Jesus* ('Pertenezco a Jesús').

Keylor Navas. El portero costarricense conoció a su mujer en una congregación evangélica y no duda cuando le preguntan por sus convicciones religiosas. Para él la religión es un pilar esencial en su vida y, antes del pitido inicial de cada partido, suele arrodillarse y rezar algunas plegarias.

Frédéric Kanouté. Para muchos, uno de los más grandes de la historia del Sevilla, decidió, por motivos puramente religiosos, tapar el logo de una casa de apuestas que se anunciaba en la camiseta de su equipo. Y es que los musulmanes tienen prohibido el juego.

Taribo West. ¿Quién no se acuerda del mítico defensor de trenzas verdes? Pues bien, el nigeriano, que pasó por el Milan o el Inter, terminó siendo pastor de la Iglesia pentecostal. En una ocasión, le dijo a Lippi: «Dios me ha dicho que debo jugar», a lo que el técnico italiano le respondió: «Qué raro, a mí no me ha dicho nada».

Carlos Roa. El portero argentino estaba en su mejor momento. Jugaba con la selección argentina, era el titular con el Mallorca subcampeón de la Recopa de Europa, había ganado el Trofeo Zamora al menos goleado de la Liga y tenía una oferta del Manchester United. En ese momento, con solo 29 años, Roa decidió tomarse un año sabático para «vivir plenamente el compromiso religioso» con la Iglesia adventista.

EL DÍA QUE EL BAYERN SALVÓ AL BORUSSIA DORTMUND

El fútbol es negocio y viceversa. Cuantos más rincones encuentren para sacarle partido, más rentable será el deporte rey. Derechos televisivos, *merchandising*, patrocinios, entrada en bolsa... Es muy complicado no sacarle beneficio. Sin embargo, el hecho de que uno se enriquezca ha traído, a veces, ventajas para todos. No suele ser recomendable que una potencia focalice toda la economía, a modo de tiburón en un mar repleto de peces. El Bayern de Múnich arrambla con todo allá por donde pasa, tanto deportivamente como empresarialmente, pero ha demostrado generosidad en varios aspectos.

El Borussia Dortmund y el Bayern de Múnich son los dos grandes equipos de la Bundesliga. Dos modelos de negocio distintos pero muy competentes. Bien es cierto que los bávaros suelen tomar la delantera, lo que puede apreciarse en un ejemplo muy esclarecedor. Y tienen nombres propios: Mario Götze, Mats Hummels o Robert Lewandowski. Ellos han sido la demostración de que, para triunfar en Alemania o en Europa, hay que fichar por el Bayern de Múnich. Y la final de 2013 en Wembley hace más palpable si cabe el argumento.

Cambiando las tornas, hablar del Borussia Dortmund es hablar de una fábrica de futbolistas. Cuidadosos en el *scouting*, han peinado las mejores canteras, además de la propia, para tener a las futuras promesas del fútbol. Jürgen Klopp, uno de los técnicos más célebres de la entidad, cuidó este fundamento, pero hay razones de peso para creer que esta mentalidad no solo era cosa del entrenador, uno de los muchos pilares con que cuenta el conjunto *borusser*.

Entre finales de los noventa y comienzos de siglo, el Borussia Dortmund fue una verdadera potencia. En 1997, le plantó cara a la Juventus en la final de la Champions League, logrando la *orejona* con un Matthias Sammer, que también sería Balón de Oro, como principal estrella. Previamente, dos Bundesligas llevaron su nombre (1995 y 1996). Los éxitos proporcionaron una confianza excesiva, que les hizo creer que podían entrar en bolsa en el año 2000. Esto ponía al club frente a una notable dependencia del accionariado, de cómo fluctuara el equipo y cómo se fuera desarrollando. Y todo invitaba a creer que lo hicieron bien, al lograr su sexto título de liga con Jan Koller y Amoroso en el ataque, Tomas Rosicky en la media, Christoph Metzelder en la zaga y Jens Lehmann guardando la portería. Además, llegaron a la final de la Copa de la UEFA, en la que cayeron ante el Feyenoord.

Todo cambió con los resultados posteriores. Las posiciones en la Bundesliga no fueron las esperadas y una eliminación en la previa de la Champions League impidieron que el Borussia Dortmund gozara de unos ingresos necesarios. Eso, sumado a la ingente cantidad de dinero que invertían en salarios, provocó que las acciones de la entidad cayeran, llevándoles a una bancarrota de más de 200 millones de euros. «Hemos gastado más de lo que teníamos», aseguró la directiva.

Precisamente, uno de los equipos que ayudó al Borussia para que no desapareciera fue el Bayern de Múnich, que en 2003 les prestó un total de dos millones de euros para evitar en la bancarrota. Cuando Hans-Joachim Watzke asumió la presidencia, logró que los inversores aprobaran un saneamiento de la institución, reduciendo los salarios en un 20 %, incentivando la venta de jugadores emblemáticos y cediendo el nombre del estadio a una empresa como Signal Iduna, al tiempo que se abandonaba la denominación de Westfalenstadion.

Pero los bávaros no solo han ofrecido su mano a rivales directos, sino también a sus hermanos más cercanos. En 2006, asumieron un gasto de 11 millones de euros para que el 1860 Múnich tuviera un estadio como el Allianz Arena, dada la deuda que contrajeron sus vecinos años antes. El propio presidente del club en quiebra aseguró que ese gesto supuso la salvación de la entidad.

No fueron estas las únicas acciones en las que se pudo ver la generosidad del Bayern de Múnich. Y todo tiene su lógica. Una de las leyes de la competencia empresarial defiende que cuanto más fuertes sean tus rivales, más grande podrás ser tú.

CITA:

El alemán siempre ha sido generoso, y en el fútbol, también (Miguel Gutiérrez, periodista).

BOMBAS EN DORTMUND

Los románticos del fútbol se niegan a llamar al Signal Iduna Park de esa manera. Prefieren Westfalenstadion porque, si bien el Borussia Dortmund ha hecho por adaptarse a las nuevas generaciones, no hay que olvidar que ha sido uno de los dinosaurios del deporte rey. Junto a Bayern, Hamburgo, Borussia Mönchengladbach o Stuttgart, siempre se reconoce al Dortmund como un equipo temido.

El Borussia Dortmund es tan reconocido que la historia del mundo ha hecho mella sobre su propio campo. Sí, nuestro Westfalenstadion, y no Signal Iduna Park, tenía bombas de la Segunda Guerra Mundial sepultadas bajo el terreno de juego. Este descubrimiento se dio en 2015, cuando el club reparó en que había un explosivo de la aviación británica en su propio estadio, lo que obligó a evacuar la zona en un radio de 250 metros. La bomba fue encontrada en la zona VIP de la tribuna oeste, a una profundidad de cinco metros. La policía programó la detonación del artefacto y pidió a los aficionados que no se acercaran ni siquiera a la tienda del club.

Aquellos que piensan que el Borussia Dortmund es de hace dos días y llaman a su campo Signal Iduna Park han de saber que son muy pocos los equipos que pueden decir que han tenido artefactos de la historia contemporánea en su propio estadio.

CINCO GRANDES EQUIPOS QUE QUEBRARON

Fiorentina: La Fiorentina se declaró en quiebra el 27 de septiembre de 2002 y el expresidente del club, Vittorio Cecchi Gori, fue acusado de bancarrota fraudulenta. Tuvieron una deuda de más de 50 millones de euros que obligó a la venta de grandes futbolistas, como Batistuta o Rui Costa. Fueron descendidos a la Serie B y, posteriormente, obligados a desaparecer. Con la refundación recuperaron el escudo con el nombre de Associazione Calcio Firenze Fiorentina

Portsmouth: El equipo inglés llegó a declarar, en dos ocasiones, que se encontraba en un serio problema financiero. La primera fue en 2010, lo que le supuso el descenso a la Championship y alimentó la posterior debacle. En la segunda, en 2012, la deuda, que alcanzó los 70 millones de libras, se mantenía. Cayó a los infiernos del fútbol inglés, perdió a todos sus jugadores y tuvo que empezar desde cero.

Glasgow Rangers: En 2012, el Glasgow Rangers no pudo asumir la cantidad de 26 millones que adeudaba a la Hacienda del Reino Unido. Llegó a entrar en suspensión de pagos y fue penalizado con 10 puntos en la competición escocesa. Se rechazaron todas las propuestas para mantener el equipo y, finalmente, tuvo que desaparecer para resurgir con el nombre de Rangers CF, esta vez desde la cuarta categoría.

Napoli: El Napoli llegó a los 80 millones de deuda en 2004. Como muchos equipos italianos, tuvo que declararse en quiebra y empezar desde cero. Fue Aurelio De Laurentiis, actual presidente (publicación de 2017), el que reflotó la entidad inyéctandole 40 millones de euros. Cambió el nombre por Napoli Soccer, aunque lo volvió a recuperar años después, y empezó desde la Serie C, tercera categoría italiana.

Parma: El último gran caso del fútbol italiano. El Parma, que vivió de la empresa Parmalat toda su vida, no pudo costear los gastos de un partido contra Udinese. Fue el detonante de la quiebra, cifrada en una cantidad que sobrepasaba los 100 millones de euros. El presidente, Giampietro Manenti, fue encarcelado por fraude y el club hubo de refundarse con el nombre de Parma Calcio 1913.

REVOLUCIONES EN EL FÚTBOL

Somos románticos por naturaleza y cualquier cambio nos chirría o nos molesta. Sin embargo, el fútbol ha vivido muchos a lo largo de su historia, algunos de ellos con vistas a evolucionarlo y, otros tantos, para denigrarlo. Desde la primera retransmisión de radio hasta la aparición de las «primas» para los jugadores.

LA CURIOSA FORMA DE HACER FICHAJES DE HERBERT CHAPMAN

Si les dijéramos que la persona más importante de la historia del Arsenal murió en 1934, muchos nos tomarían por locos. Aquel fútbol todavía no había evolucionado lo suficiente y podría parecer una locura considerar tan grande a alguien anterior a la Segunda Guerra Mundial, pero quizá la cosa cambie si decimos que Chapman no solo revolucionó al Arsenal, sino al mundo del fútbol, y es que el entrenador *gunner* fue el primer gran referente en la historia de los banquillos.

Chapman fue un futbolista de finales de siglo XIX y comienzos del XX que, si bien se desempeñó en grandes clubes, no destacó en las canchas, sino fuera de ellas. Con el Huddersfield empezaron a verse sus ideas innovadoras y consiguió dos ligas allí, comenzando así a ganar fama por toda Inglaterra mediados los veinte. Fue entonces cuando le llegó la oferta del Arsenal, que le convertiría en el entrenador mejor pagado del campeonato. La única condición que puso era que le dejasen cinco años para crear el equipo.

La principal innovación por la que se recuerda a Herbert es la formación empleada en el Arsenal. En el club londinense comenzó a jugar con la conocida como «WM», sigla que simbolizaba el modo en que se disponían los jugadores en el campo, formando una W en la delantera y una M en la defensa. Un 3-4-3 con un cuadrado en el medio, para que nos entendamos. Con esta revolución táctica, el Arsenal ganó dos ligas y una FA Cup, pero no solo eso, puso los cimientos del fútbol que se aplicarían durante toda la década de los años treinta. Vittorio Pozzo, seleccionador de Italia y campeón del Mundo con la Nazionale, se inspiró en Chapman.

Más allá de innovaciones tácticas, Herbert realizó otros cambios en el Arsenal. Añadió a la equipación los toques blancos de las mangas, característicos del club y quitó el artículo *The*, que precedía a Arsenal en el nombre del club. Decía que de esta forma ganaba la primera guerra psicológica de la temporada. El Arsenal se situaba el primero antes de empezar la campaña por la colocación alfabética de los equipos. También consiguió cambiar el nombre de la estación de metro más cercana al estadio, para pasar a llamarla Arsenal.

Chapman no solo cambiaría al club que le encumbró, sino que dejó un gran legado para el mundo del fútbol. Introdujo la figura de masajistas o fisioterapeutas en un fútbol que, por entonces, ni se planteaba la importancia de estos hombres. Por otra parte, planteó los incentivos económicos en los fichajes, además de ayudar en la creación del fútbol nocturno, algo impensable hasta hacía bien poco. Pero si hay algo de Chapman no demasiado conocido, son sus artimañas a la hora de fichar.

Como se ha explicado antes, Chapman pidió al Arsenal cinco años para construir su equipo campeón. Para ello tenía que hacer varios fichajes clave en posiciones que necesitaban un refuerzo. La media punta del equipo quedaba vacía después de la retirada de Buchan, y Chapman ya había puesto sus ojos en David Jack, jugador del Bolton, para sustituirle.Tras pedir una primera estimación del precio por el que le venderían, la cifra rondaba las 13 000 libras, algo más de lo que el Arsenal podía afrontar, pero aquí surgió el ingenio de Chapman. Habría una reunión entre los dirigentes del Bolton y él, que acudió acompañado de su ayudante Bob Wall. Fue este quien contó, tiempo después, los detalles de una pícara negociación.

La cita entre ambas partes sería en un hotel de Londres. Chapman y Wall llegaron media hora antes de la hora acordada. El entrenador *gunner* se fue directo al bar y tras darle dos libras al camarero le espetó: «Este es el señor Wall, mi ayudante. Tomará un *whisky* con *dry ginger*. Yo tomaré un *gin-tonic*. Van a venir unos invitados. Tomarán lo que quieran. Ocúpate de que les den el doble de todo, pero al *whisky* con *dry ginger* del señor Wall no le pongáis *whisky*, y a mi gin-tonic no le pongáis ginebra». Finalmente, Chapman cerró el acuerdo por 11 000 libras. Había rebajado 2000 libras debido a la cabeza fría, tanto la suya como la de su ayudante, mientras los dirigentes del Bolton iban perdiendo, trago a trago, el control.

CUANDO LE TOMARON EL PELO A QUIQUE PINA

Uno de los presidentes de los que más se ha hablado en el fútbol español en los últimos años es Quique Pina. El que fuera presidente del Granada tiene una dilatada carrera dentro del mundo futbolístico. También presidió el Ciudad de Murcia hasta que este club vendió su plaza al Granada 74 en 2007, única vez que ha pasado algo así en el fútbol español. Tras dejar el Granada, se fue a Cádiz, aunque sigue vinculado a la familia Pozzo, dueña de Udinese, Watford y, en su día, también del Granada.

Un hombre con poder dentro del fútbol que fue engañado por Kevin Parienté, un jugador sin mucho que contar. Era una gran promesa del fútbol galo en su adolescencia, donde despuntaba en el PSG, pero nunca se llegó a producir el despegue meteórico esperado. Tras pasar por el Levante B, terminó jugando en Israel, pero quería volver a intentarlo en el fútbol español. Para ello se hizo pasar por su propio agente y, tras conseguir la confianza de Pina en una compraventa que le salió rentable al Granada y recomendarle a Brahimi, un jugador que lo hizo muy bien en Granada, le dijo que tenía un jugador para él.

Kevin Parienté se hacía llamar por teléfono Eddy. Así lo confesó en la televisión francesa, donde hizo público el engañó, mientras Gallas y Leboeuf, leyendas del fútbol galo, se desternillaban. Kevin le dijo a Pina que le hiciera una prueba y que si no le convencía, sería el propio Eddy el que pagaría el vuelo de vuelta de Kevin. Pina confió en Eddy y lo aceptó en el Granada B durante 6 meses. Nunca sospechó que Eddy era el propio Kevin Parienté. El jugador explicaba que delante de Pina trataba de estar muy callado para que no le reconociese la voz. Parienté no creía que Pina conociera la historia y que si llegaba a enterarse, probablemente no le molestaría, ya que aún le debía dinero. Todo un genio el amigo Kevin, o, Eddy, como ustedes prefieran.

ONCE IDEAL HISTÓRICO DEL ARSENAL EN WM

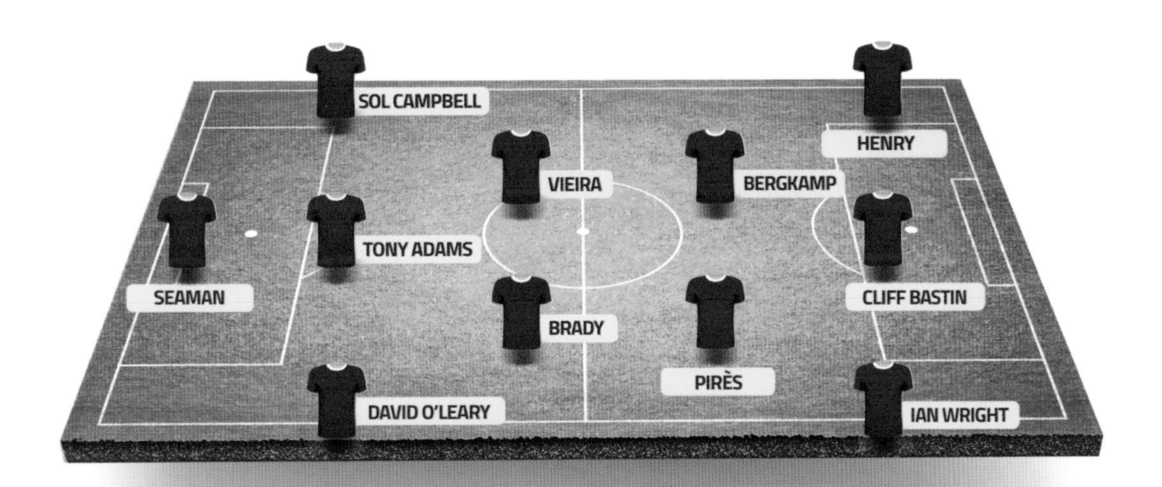

CITA:

Voy a hacer a este club el más grande del mundo (Herbert Chapman a su llegada al Arsenal).

¿QUIÉN INVENTÓ LA TANDA DE PENALTIS?

Durante años, en el fútbol se conocían dos formas de resolver el empate en los partidos de rondas eliminatorias: con un partido de desempate, o, de forma menos ortodoxa, mediante el lanzamiento de una moneda. De esta forma, cientos de partidos se decidieron con el azar de la moneda.

Durante la fase de clasificación para el Mundial de 1954, fue la mano de un niño llamado Franco Gemma la que sacó la papeleta de la selección que se clasificaría para la Copa del Mundo.

España había goleado a Turquía por 4-1, pero los otomanos vencieron 1-0 en la vuelta. Y como por aquel entonces no contaba la diferencia de goles, se decidió que aquel niño sacara, con los ojos vendados, una papeleta con el nombre del país que participaría en Suiza 1954. Salió Turquía (más información en la página 18).

No son pocos los que consideran que fueron los ingleses los que inventaron el fútbol; los franceses, los que idearon la Copa de Europa, y un alemán el que patentó en 1970 la idea de la tanda de penaltis. Sin embargo, sería unos años antes y en el sur de España, más concretamente en la provincia de Cádiz, donde se disputó por primera vez una tanda de penaltis. En los años sesenta y setenta, era habitual ver a los grandes equipos europeos y sudamericanos de gira por los torneos veraniegos españoles, a los cuales se les daba más valor que en la actualidad.

En 1962, durante la disputa del prestigioso Trofeo Ramón de Carranza, se instauró por primera vez una innovación propuesta por Rafael Ballester, directivo del Cádiz. Se dictaminó que los encuentros finalizados con empate en el marcador se resolverían desde el punto de castigo. Casualmente, ninguno de los partidos terminó en empate..., hasta la final. Zaragoza y Fútbol Club Barcelona llegaron al final de la prórroga empatados a un gol.

Lo curioso fue la forma de materializar los lanzamientos. Ballester determinó que fueran cinco, pero no de forma alterna como, conocemos actualmente, sino consecutivamente. De esta manera, el Zaragoza realizó los primeros lanzamientos (Duca ejecutó el primer lanzamiento desde el punto de penalti en una tanda), consiguiendo materializar tres. Después, turno para los culés, que convirtieron otras tres dianas. Ante el empate, se ejecutaron cinco lanzamientos más por cada lado. Esta vez comenzaba el Barcelona, que anotó sus cinco disparos. Entonces, turno para el Zaragoza. Nuevamente, Duca sería el encargado de lanzar, aunque esta vez su penalti se vería repelido por la madera. No harían falta más lanzamientos, el Barça era campeón de la primera tanda de penaltis de la historia.

Los aficionados allí presentes acababan de contemplar un hecho histórico y sin precedentes. El mundo del fútbol había cambiado ese día y ellos no eran conscientes de la forma en que lo había hecho.

Gracias a aquella idea de Ballester, todos conocemos el nombre de Antonín Panenka. El primer campeonato de importancia resuelto desde la tanda de penaltis lo decidió aquel checoslovaco bigotudo en 1976, al transformar una pena máxima nada más y nada menos que frente a Sepp Maier y con un lanzamiento de parábola que imitarían desde entonces grandes futbolistas frente a millones de personas y todos nosotros, bajo la atenta mirada de un puñado de compañeros, en el patio del colegio.

Oficialmente, la idea del histórico cambio en el fútbol le es atribuida a Karl Wald, un árbitro alemán que la patentó en 1970 con el apoyo de la Federación alemana. Sin embargo, los verdaderos amantes del balompié saben que fue en realidad un español, Rafael Ballester, quien terminó con las caprichosas monedas al aire para darle al fútbol unos finales más justos. El fútbol le debe mucho.

CITA:

Un penalti es una manera cobarde de marcar (Pelé).

LA LISTA DE LEHMANN

Cuando Argentina y Alemania llegaron a la tanda de penaltis en los cuartos de final del Mundial de 2006, pocos imaginaron lo que estaba a punto de suceder. Un hecho que demostrara que en los penaltis, como en la vida, la suerte no tiene cabida. Defendiendo la portería de la selección germana estaba el veterano Jens Lehmann. La tensión era máxima y, para incredulidad de medio planeta, expectantes ante el televisor, Jens Lehmann se sacó un papel de la media.

En una servilleta del hotel en el que se hospedaban, su preparador, Urs Siegenthaler, le había apuntado hacia dónde era más probable que tirasen los habituales lanzadores de penalti de la selección argentina. Había estudiado a los argentinos durante los últimos meses. En un momento de tensión como los cuartos de final de una Copa del Mundo, los jugadores tienden a lanzar al lado que más confianza les ofrece. Y esto lo sabía el preparador de porteros.

Uno tras otro, Lehmann consiguió adivinar la dirección de los disparos de los argentinos. Detuvo el tiro de Ayala, que aparecía en la lista. Pero el nombre de Cambiasso, uno de los lanzadores, no aparecía. Probablemente, Lehmann ya lo sabía, pero volvió a sacar la lista, aunque fuera para desestabilizar al argentino, que pensaba que su nombre aparecía en la servilleta. Su lanzamiento fue detenido fácilmente por Lehmann y Alemania pasó a cuartos de final. Demostrando, una vez más, la importancia de saber mantener la cabeza fría en los momentos más importantes.

CURIOSIDADES DE LOS PENALTIS

Primer partido con tanda de penaltis:

Barcelona vs Zaragoza-Final del Trofeo Ramón de Carranza (Cádiz, 1962).

Inicialmente no se alternaban los tiros:

Un equipo tiraba 5 seguidos, y a continuación el otro. Los penaltis alternos se introdujeron en 1976.

El primer penalti oficial en una tanda:

George Best, Hull City-Manchester United (Copa Watney, 1970).

Primera competición internacional definida por penaltis:

Euro ´76, Antonin Panenka marcó el definitivo, RFA 2-2 (3-5) Checoslovaquia (Eurocopa, 1976).

La tanda de penaltis más larga:

KK Palace 17-16 Civics, 48 penaltis (Copa de Namibia, 2005).

Más penaltis anotados en una tanda:

Argentinos Juniors 20-19 Racing Club, 44 penaltis (Torneo de Argentina 1988/89).

Más penaltis fallados en un partido internacional:

Martín Palermo (3) en un Argentina-Colombia (Copa América, 1999).

Mejor porcentaje de acierto:

Matt Le Tissier, 50 penaltis lanzados, 49 anotados. Falló el 24/03/1993 en un Southampton-Nottingham Forest.

LOS REVOLUCIONARIOS MÉTODOS DEL DINAMO DE LOBANOVSKIY

El optimismo reinaba entre los aficionados del Atlético de Madrid en los días previos a la final de la Recopa de Europa de 1986. Tras eliminar al Bayer Uerdingen alemán, se habían plantado en la final de aquel torneo que disputaban los campeones de Copa. Dicho esto, más de 25 000 personas se iban a desplazar hasta Lyon (Francia) para apoyar al equipo en un momento histórico. El título parecía cerca.

Luis Aragonés, en cambio, se mostraba más cauto. El entrenador colchonero veía al Dinamo como el más fuerte de los finalistas europeos que se enfrentarían a los equipos españoles (aquel año, Barça —Copa de Europa—, Real Madrid —UEFA— y Atlético —Recopa— habían llegado a las tres finales europeas), estudió con sus jugadores los últimos partidos de los soviéticos y creyó dar con la clave para llevarse la victoria: dominar el centro del campo. Se equivocaba.

El Dinamo demostró ser un torbellino de fútbol, un equipo que jugó a un ritmo inusual y compuesto por jugadores incansables que sabían lo que tenían que hacer en cada momento. Con unos tremendos automatismos, cambiaban de puesto una y otra vez dando una sensación de caos controlado que desbordó por completo el sistema trabajado por Aragonés.

Desde el pitido inicial, el Dinamo se impuso a los rojiblancos en todos los aspectos del juego. Primero marcó Zavarov, a los cinco minutos. Y en la recta final del encuentro, con los colchoneros ya abatidos, el legendario Oleg Blokhin y Yevtushenko cerraron un sonrojante 3-0. «El Dinamo destrozó en cinco minutos los diez días de preparación mental del Atlético». Así iniciaba la crónica de la final el diario *El País* un día después de la debacle. «El Dinamo demostró que el fútbol soviético no se queda ya en las cualidades de disciplina y trabajo rígido de su mecanizado juego». Se confirmaba que era algo más de lo que se había creído hasta entonces. En ese momento apareció una pregunta: ¿Cuándo había cambiado todo?

Lo que no se sabía era que cada una de las jugadas había sido ensayada una y otra vez hasta mecanizarla en la mente de los jugadores. Solo así podía explicarse que el segundo y tercer gol soviético fueran jugadas prácticamente calcadas.

El entrenador Valeriy Lobanovskiy era uno de los grandes culpables de aquel equipo. Se trataba de un hombre de ciencia y que despreciaba las individualidades que brillasen por encima del colectivo. Junto a él trabajaba Anatoliy Zelentsov, un científico al que encomendó la preparación de sus jugadores con el objetivo de crear una máquina colectiva perfectamente engrasada. De esta manera, pasaban horas y horas ensayando los mismos movimientos para que los jugadores pudieran actuar hasta con los ojos cerrados.

Otra de sus premisas consistía en no dar ni un segundo de tregua a los rivales. Los delanteros presionaban hasta la extenuación, intercambiaban su posición con los centrocampistas para coger aire y que estos prosiguieran con el *pressing*, y volvían a recuperar la posición después.

Todos los jugadores debían estar igualmente preparados. De esta manera, los gigantescos ordenadores de Zelentsov registraban innumerables datos de sus jugadores. Cuando captaban que uno bajaba el nivel, se le aplicaba un entrenamiento específico hasta que recuperaba en el área en el que había bajado y se volvía a poner al nivel de sus compañeros. De tal manera que todos los jugadores eran pequeños engranajes que formaban parte de una máquina perfectamente engrasada.

Dos Recopas de Europa, una Supercopa europea y un buen puñado de títulos nacionales fueron a parar a las arcas del Dinamo durante aquellas décadas. Pero lo que Lobanovskiy nunca consiguió fue la Copa de Europa. Siempre caía contra el equipo finalista y, ni contar con grandes jugadores como Blokhin, Shevchenko o Rebrov, ni estudiar el fútbol hasta la extenuación científica le hizo cosechar el gran título continental. Porque en el fútbol, como en la vida, no todo son cálculos, matemáticas ni colectivos; hay algunos factores, como las emociones de los individuos, que no se pueden llegar a medir ni controlar, la asignatura pendiente de Lobanovskiy...

¿QUIÉN INVENTÓ REALMENTE EL *CATENACCIO*?

Durante muchos años se ha pensado que el germen del estilo de juego más famoso del mundo está en Italia. Esto, sin embargo, es incorrecto. La palabra italiana *catenaccio* significa 'cerrojo', pero en su contexto futbolístico no es más que una adaptación de la palabra francesa *verrou*. El origen real de este estilo de fútbol, cuya premisa principal es defender antes que atacar, se sitúa en Suiza.

Fue Karl Rappan, un entrenador austriaco, el primero en emplear este entramado táctico durante la Copa del Mundo de Francia de 1938. Gracias a un férreo y organizado sistema, consiguió que la selección suiza eliminase a la Alemania nazi. Aquel hito hizo que Rappan fuera nombrado poco después ciudadano suizo de forma honorífica.

Poco después, el fútbol defensivo llegaría a Italia de la mano de la Salernitana de Gipo Viani, quien adaptó dicho método para competir contra escuadras más poderosas física y técnicamente.

Después, la llegada de los exitosos Milan de Nereo Rocco y del Inter de Helenio Herrera, equipos que cosecharon grandes títulos internacionales, extendieron la idea del *catenaccio* como invento italiano.

Alguien que también influyó en este mito fue Gianni Brera, uno de los más reputados periodistas deportivos italianos y orgulloso defensor de aquel símbolo patrio, a partir del cual había que defenderse de todo como sentido de pertenencia. Pero no se engañen: el fútbol defensivo, señores, tuvo su origen en aquel austriaco que logró que Suiza compitiera con las más grandes.

CITA:

Un partido con muchos goles está lleno de goles imperdonables (Gianni Brera, periodista italiano inventor del término catenaccio).

CINCO GRANDES INNOVACIONES EN EL FÚTBOL

Desde sus orígenes, el fútbol ha ido evolucionando hasta convertirse en el deporte que conocemos hoy en día. Los cambios no han variado la esencia del juego, pero han ido puliéndolo cada vez más. Estas son algunas de las innovaciones más importantes.

La regla del fuera de juego. No siempre fue tal y como la conocemos. En sus orígenes se usaba la misma regla que en el rugby: todo balón debía ir hacia atrás. Después se cambió por la regla de los tres oponentes, y en 1925 se llegó a la actual.

Cesión al portero. Los defensivos planteamientos del Mundial de Italia de 1990 motivaron la introducción, en 1992, de esta regla que impide a un jugador pasar el balón a las manos de su guardameta. Desde 1997 se impide también que el portero reciba con la mano un saque de banda.

La tanda de penaltis. Durante muchos años, los partidos que acababan empatados se decidían con el lanzamiento al aire de una moneda o mediante la repetición del partido. En 1962, el español Rafael Ballester ideó la tanda de penaltis. (La historia completa en el capítulo X).

Las sustituciones. Pensamos que los cambios siempre han estado ahí, pero esta normativa se introdujo en realidad en 1958, aunque solo en caso de lesiones. Fue a final de los sesenta cuando se permitieron las sustituciones como las conocemos hoy en día.

Tarjeta amarilla y tarjeta roja. Antiguamente solo el árbitro sabía si algún jugador estaba amonestado verbalmente o no. Por eso hubo que inventar un gesto que salvase la barrera del idioma.. Ken Aston lo ideó inspirándose en los colores de un semáforo y la FIFA lo adoptó por primera vez en el Mundial de México 1970.

KEVIN KEEGAN, EL PRIMER BECKHAM

El fenómeno de David Beckham, el niño bonito de Manchester, dueño de un don natural para el golpeo del balón, se fundamentó en una serie de factores que van desde su belleza hasta el matrimonio con Victoria, la «pija» de las Spice Girls. Fue un excepcional deportista, comprometido en el terreno de juego, pero también un gran reclamo para las marcas. El propio inglés llegó a facturar, solo por una empresa como Gillette, 34 millones de euros. Se mataban por sus derechos de imagen, hasta el punto de luchar por la totalidad de ellos en 2006. Tres años antes disponía del 50 % junto al Real Madrid, como ocurrió con Cristiano Ronaldo. Es decir, los fichajes y sus grandes salarios suelen suponer una nimiedad comparado con lo que puede ganar por ese concepto. Se dice que su salida del conjunto blanco vino incentivada precisamente por compartir en exceso su imagen. Cuando se marchó a Los Ángeles Galaxy, logró una gran fortuna: 275 millones de euros en cinco temporadas. Era el hombre dólar.

Sin embargo, no todo comenzó con caras bonitas y con futbolistas excesivamente mediáticos. El fútbol, como se ha dicho anteriormente, es negocio y se abarca desde lo más amplio hasta lo más recóndito. Y todo esto ocurre en épocas de relumbrón, tanto económicas como futbolísticas. En los años setenta, una de las referencias del momento era el Liverpool de Bob Paisley, exultante en su feudo peleando con el Leeds United de Don Revie y con Brian Clough, tanto en el Derby County —el título de 1975 lo ganó Dave Mackay— como en el Nottingham Forest. Indudablemente, aquella época lucía de rojo y tenía una cara reconocible más allá de su extravagante técnico. Kevin Keegan, un chico robusto de Doncaster, era la figura del club.

Deportivamente, en Liverpool, la carrera de KK era inigualable. Había ganado la First Division y la Copa de la UEFA —esta al Borussia Mönchengladbach— en 1973, la FA Cup en 1974 contra el Newcastle, el subcampeonato en 1975 por debajo del Derby County, aunque se haría de nuevo con la liga en 1976, junto a otra Copa de la UEFA ante el Brujas. Toda esta cantidad de éxitos parecía tener fin, pero más exitosa fue la consumación, en 1977. Repitieron como campeones de la First Division, la segunda consecutiva, y ganaron la Copa de Europa, otra vez al malogrado Borussia Mönchengladbach, equipo que más sufrió ante los ingleses. De hecho, estuvieron cerca de ser el primer equipo de Inglaterra en hacer triplete. La FA Cup se les escapó ante el Manchester United, que dos décadas después, en 1999, sería el primero. El odio entre ambos clubes se fragua por estos pequeños detalles.

La estrella del Liverpool lo había conseguido absolutamente todo, ya que esa misma temporada lograría el Balón de Oro. Había quemado una etapa en Anfield y quería buscar nuevos retos y, sobre todo, mejores pretensiones económicas. Muchos clubes se interesaron, aunque España e Italia fueron bastante reacios a contratar a un «inglés». El mejor posicionado era el HSV Hamburgo, que, por entonces, recibió una poderosa inversión de los fabricantes japoneses de la empresa Hitachi. Kevin Keegan calculó la diferencia entre Liverpool y Hamburgo en las condiciones contractuales, aceptadas todas por parte de los hanseáticos. Lo más esencial sería la contraprestación, siendo notoria la diferencia. El salario de 12 000 libras anuales no tenía nada que ver con los 250 000 que cobraría en Alemania. Sin embargo, había una particularidad nueva. Fue el primero en llevar a cabo un *face deal*, es decir, una cesión de sus derechos de imagen, que serían explotadas por el Hamburgo. Kevin Keegan fue el pionero.

Esto provocó que la cara del inglés saliera en todos los escaparates de Alemania, dada la libertad ofrecida. Barney Ronay, autor de *The Manager*, investigó sobre todas sus campañas publicitarias. «Él puso su nombre en todo, desde las recién lanzadas y moribundas botas de Patrick hasta una aterradora y didáctica campaña de seguridad en la carretera», explicó. Incluso había conseguido crear su propia marca, la KK, para potenciar más, si cabe, su valor. Como ocurriría con la Beatlemanía, que nació en Hamburgo con las primeras giras de los Beatles, Keegan se convirtió en la estrella, poniendo su rostro en todos los lugares.

Esta generosa oferta contractual provocó celos en los futbolistas del Hamburgo, que al principio no le pasaban la pelota, según cuentan, por ser la estrella con un contrato de tales pretensiones. Nada más lejos de la realidad; bien es cierto que el estado físico y deportivo de Keegan no acompañó en su primera temporada, pero sí en las siguientes, al lograr la Bundesliga en 1979 y alcanzar la final de la Copa de Europa en 1980 contra el Forest de Brian Clough.

Kevin Keegan se ganó el cariño de la ciudad de Hamburgo por su juego y también por su poder publicitario. El vínculo deporte-publicidad empezó en los años setenta con una estrella de Liverpool que triunfó en la ciudad alemana. De eso pueden presumir los Beatles y él. Cristiano Ronaldo y David Beckham, en cambio, solo se subieron a la cresta de la ola.

JAGER, UNA BEBIDA FUTBOLERA

No se puede criticar al Jager. No por el sabor a hierbas que tiene —que o gusta mucho o gusta poco—, sino por lo que ha contribuido al mundo del fútbol. Su ciervo pisó la hierba de los terrenos de juego en los años setenta, cuando se produjo el *boom* publicitario. Todo era vendible y esta marca quiso entrar en el deporte rey. Se aprovechó entonces de la debilidad económica del Eintracht Braunschweig, cuyo presidente necesitaba un flujo financiero para no caer en quiebra.

Günter Mast, dueño de Jägermeister, se puso en contacto con él con la intención de publicitarse en las camisetas de los jugadores, ya que el público lo tomaría como algo identificativo tratándose de un licor creado en la Baja Sajonia, de donde son la empresa y el club. No obstante, la oferta sorprendería al presidente del equipo, que recibiría 100 000 marcos anuales por la campaña. La Federación Alemana de Fútbol (DFB) tenía que consentir el acuerdo, pues no quería que tuviera una influencia en los colores identitarios del club. Definitivamente, creyeron que lo oportuno sería que los aficionados fueran los que eligieran el modo de profanación de su camiseta. Un parcial de 145 contra 7 favoreció la presencia del ciervo. Sería el primer club en lucir patrocinador en su zamarra.

Según cuentan, las intenciones fueron incluso más morrocotudas, pues se consideró el cambio de nombre por el de Eintracht Jägermeister. La Federación se lo impediría. Poco después, iniciados los setenta, otros clubes se sumaron a estas nuevas vías de negocio. El Hamburgo (Campari), el Eintracht de Frankfurt (Remington), el Fortuna Düsseldorf (Allkauf) y el Duisburgo (Brian Scott). De lo que siempre se acordará uno que haya visto fotos setenteras será de la cara de Paul Breitner, exjugador del Real Madrid, luciendo la camiseta del Braunschweig con el logo de Jägermeister. Sin duda, historia de nuestro fútbol.

CITA:

El juego se ha convertido en espectáculo, con pocos protagonistas y muchos espectadores, fútbol para mirar, y el espectáculo se ha convertido en uno de los negocios más lucrativos del mundo, que no se organiza para jugar, sino para impedir que se juegue. (Eduardo Galeano).

OTROS ANUNCIOS DE FUTBOLISTAS PIONEROS

Alfredo Di Stéfano: Uno de los mejores futbolistas que ha visto España y Argentina hizo lo que pocos se atreverían a hacer ahora. Se embolsaría unas 125 000 de las antiguas pesetas por aparecer en un anuncio de medias para mujer. «Si yo fuera mi mujer, luciría medias Berkshire», decía. Cuando Santiago Bernabéu se enteró y vio la imagen, quiso acabar con la campaña, buscando algún resquicio legal para así evitar la presión que estaba recibiendo. No se pudo agarrar a nada, ya que, por entonces, los derechos de imagen no aparecían como tal en las cláusulas.

Eusébio: Cuando los hermanos Dassler se separaron y cada uno montó una empresa deportiva, de aquella decisión surgieron Adidas y Puma. La historia no cuenta que también utilizaron a los futbolistas como reclamo publicitario. Uno de ellos fue Eusébio, antes que Johan Cruyff. Y usaron un gancho ahora conocido. «Si quieres ser como él, cómprate sus botas» para la marca Puma. Las reglas del *marketing* son como la historia, que se repite.

Johan Cruyff: El holandés fue un icono mediático al que asaltaron las grandes marcas. La más pintoresca fue la de ropa interior JIM, con la que llegó a hacer algún que otro anuncio de calzoncillos. «Yo soy deportista. Para mí, las horas de descanso son muy importantes. Por eso uso pijamas JIM. Con los pijamas Jim me siento cómodo. Me ayudan a descansar».

Pelé: Esta campaña no corresponde a la etapa más lozana de Pelé. Ya mayor, entró en la campaña de laboratorios Pfizer, que querían «potenciar» su producto estrella contra la impotencia sexual, la famosa Viagra. «Son numerosos los hombres con problemas de erección que, muchas veces, evitan recurrir a un médico por vergüenza. Espero que esta campaña pueda ayudar a mucha gente», declaró.

Leónidas Da Silva: Uno de los primeros grandes jugadores de Brasil fue Leónidas Da Silva, también conocido como el *Diamante Negro*. Ese apodo estaba muy arraigado hasta que una marca de chocolates le pidió, a cambio de una retribución económica, que le cediera su seudónimo. Aceptó encantado.

Stanley Matthews: El primer Balón de Oro llegó a hacer campañas publicitarias de una conocida empresa tabacalera. La marca Craven A le pagó para que fuera su imagen, y en una de sus publicidades introdujo la frase the cigarette for me («un cigarro para mí»).

Éric Cantona: Más joven que el resto, el delantero francés del Manchester United protagonizó un anuncio para la marca BIC, conocida por sus bolígrafos y su material de oficina. Sin embargo, también tenían nicho de mercado en las cuchillas de mujer. El valiente futbolista se atrevió a hacer un original anuncio en la ducha, simulando depilarse. Un pionero de la metrosexualidad.

EL DÍA QUE LA PLANTILLA DEL BARÇA SE ENFRENTÓ A SU PRESIDENTE

La historia del Barça está marcada por algunos episodios de lo más convulsos, como el que tuvo lugar a finales de los ochenta, el famoso Motín del Hesperia. No eran años sencillos en Can Barça. Recientemente habían conseguido llegar a su segunda final de la Copa de Europa, pero habían perdido nuevamente (de forma más que sorprendente) contra el Steaua de Bucarest.

El 28 de abril de 1988, todos los jugadores del primer equipo comparecieron en una rueda de prensa en el Hotel Hesperia de Barcelona. El entrenador culé, Luis Aragonés, estaba con ellos. Solo faltaban tres jugadores, Bernd Schuster, Gary Lineker y López López, que aunque no pudieron asistir estaban de acuerdo con lo que sus compañeros iban a hacer. Convocaron a los medios de comunicación y es entonces cuando transmitieron su descontento con el club con un comunicado, y especialmente con el presidente, Josep Lluís Núñez.

El conflicto tenía su origen en que el Barcelona se había negado a asumir los impuestos y las multas en las inspecciones de Hacienda, así como la falta de acuerdo en temas relacionados con los derechos de imagen de los jugadores. El club estaba sumido en un caos y el descontento de los jugadores era máximo.

José Ramón Alexanco, como capitán del equipo, hizo de portavoz del grupo. Expuso siete puntos en los que mostraban su disconformidad con el club y en concreto con el presidente. «Hemos perdido toda la confianza en el presidente, que nos ha decepcionado como persona y humillado como profesionales», dijo tajante Alexanco. En dicho comunicado, además, hubo más quejas contra Núñez, del que decían que no tenía ningún respeto por la afición y ninguna relación con sus jugadores.

Aquello tuvo algunas consecuencias al término de la temporada. Nada más y nada menos que catorce de los veintiséis jugadores del primer equipo fueron despedidos junto a su entrenador. Urruti, Calderé, Clos, Rojo, Manolo, Covelo, Pedraza, López López, Gerardo, Víctor, Moratalla, Nayim, Amarilla y Bernd Schuster fueron los catorce hombres que abandonaron el club, mientras que Hughes, Archibald, Fradera, Carlos, Martín, Vinyals y Villarroya, por entonces cedidos, no regresaron al club como jugadores.

Lo más curioso de todo es que Alexanco, que había sido el cabecilla del equipo en la lectura del comunicado, fue «indultado» por Núñez, que le permitió seguir en el club hasta su retirada definitiva como futbolista en 1993.

El entrenador, Luis Aragonés, tampoco fue renovado y dejó el Barça. Y la revolución no se quedó ahí. Johan Cruyff fue designado nuevo entrenador culé y encabezó una revolución que culminaría algunos años después, en mayo de 1992, con el Barça levantando por fin al cielo de Londres su primera Copa de Europa. Lo cierto es que con el Motín del Hesperia empezó todo, y si no se hubiera dado nunca, probablemente no hubiéramos disfrutado del Dream Team. ¿O sí?

LAS PRIMAS DE LOS RUMANOS

La fecha de la final se acercaba y en Can Barça se veía la cita con optimismo. Los culés iban a disputar su segunda final de Copa de Europa 25 años después. En aquella primera, los postes del Wankdorfstadion de Berna se habían aliado con el Benfica para apartar a los blaugranas del título. Pero el 7 de mayo de 1986, todo parecía de cara para el Barcelona, que llegaba a Sevilla con la vitola de favorito.

Habían conseguido remontar al Göteborg un 3-0 en las semifinales y frente a ellos estaría un Steaua de Bucarest que tenía a algunos jugadores interesantes pero lejos del nivel de los Schuster, Carrasco y compañía. El Barça, no había dudas, llegaba a la final como claro favorito para levantar su primera Copa de Europa. El partido fue un tostón absoluto. El Barça se mostró bloqueado por la presión y no encontró el gol. En el minuto 85, Venables decidió sustituir a su estrella, Bernd Schuster, que además era el mejor tirador de penaltis. Este dejó el campo enojado y, sin esperar al final, abandonó el estadio y se montó en un taxi ante el asombro del chófer.

Se llegó a la tanda de penaltis y allí emergió el milagro de Helmuth Duckadam. El portero rumano detuvo todos los lanzamientos del Barcelona y dio al Steaua su primera Copa de Europa. El Barça perdía una oportunidad de lujo y debía esperar. Lo más curioso de aquel día salió a la luz años después, cuando se comenzó a rumorear que los jugadores del Steaua habían pedido una cantidad económica a los culés por dejarse perder. Los hombres del Barcelona, en una mezcla de honradez y autoconfianza, rechazaron la oferta de las primas. No les hacía falta eso para ganar a un equipo rumano. Se equivocaban. Eso dice la leyenda, claro...

CITA:

Aquí el más tonto hace relojes de madera. Y funcionan (Luis Aragonés).

CINCO EQUIPOS QUE TAMBIÉN SE REBELARON

La del Motín del Hesperia no fue la única rebelión del fútbol. A lo largo de la historia se han vivido otras que han tenido desenlaces muy dispares. Aquí van algunas de ellas...

Barcelona en Copa del Rey. La Federación se había negado a atrasar la fecha de la vuelta de la semifinal de Copa de 2000 y el Barça se presentó en el Camp Nou sin jugadores suficientes. Habían perdido 3-0 en la ida y el Atleti pasó a la final, siendo el Barça sancionado sin poder competir al año siguiente en la Copa del Rey. Aunque Villar, finalmente, les permitió jugar.

La Francia de Doménech. En Sudáfrica 2010, el vestuario de Francia fue un polvorín. Según cuentan, alentados por Zidane (ya retirado), cambiaron la alineación y el sistema del equipo. El seleccionador Doménech se guiaba por el horóscopo para hacer las alineaciones y eso generó descontento. Anelka fue uno de los señalados, como Evra, Ribéry, Henry o Gallas. Francia cayó eliminada bochornosamente en la primera ronda.

Argentina contra la prensa. Durante el Mundial de Francia de 1998, los jugadores argentinos comparecieron con Simeone al frente y dieron la noticia: no volverían a hablar con la prensa. Boicot a los periodistas por el descontento ante las mentiras que estos habían soltado, algo que Messi como capitán repitió años después: «No hablaremos más con la prensa».

El partido fantasma. Chile y la URSS. En 1973, estas dos selecciones debían disputar la vuelta de la repesca para la clasificación para el Mundial del año siguiente. Pero los soviéticos no se presentaron por la protesta contra el régimen que se vivía en Chile y la FIFA obligó a jugar el partido. Chile empezó... sin rival. Marcaron un gol sin oposición y el partido terminó.

Cuando el Deportivo se negó a jugar. En el año 2001, el Deportivo de La Coruña se enfrentaba al Hospitalet en la ida de los octavos de final de la Copa del Rey. Ante la negativa de los gallegos a jugar en el césped artificial del Hospitales, la Federación dictaminó que se jugase en el Mini Estadi. Finalmente, el Hospi no se presentó, fue eliminado y el Dépor aprovechó la noche para entrenar sobre el Mini Estadi.

EL PRIMER FUTBOLISTA QUE SALIÓ DEL ARMARIO

El fútbol es injusto. Conocer el pasado sirve para mejorar y no incurrir en los mismos «errores», como los que sufrió en propias carnes Justin Fashanu, uno de los futbolistas más valientes y peor tratados de la historia del fútbol inglés.

La vida de Justin no fue fácil. Hijo de un abogado nigeriano instalado en Inglaterra, la separación de sus padres hizo que, junto a su hermano, fuera educado por la familia Jackson en Norfolk. Antes del fútbol —tenía portentosas condiciones—, dudó entre el fútbol y el boxeo. De hecho, era su verdadera pasión, pues tenía madera para ser un gran púgil. Logró el subcampeonato inglés de los pesos pesados.

Sus inicios con la pelota fueron con el Norwich City. Pronto se apreció que Justin Fashanu era un verdadero atleta, un prodigio físico y tuvo bastante talento con el balón. Su relevancia fue tal que le concedieron el Goal of the Season ('gol de la temporada') por un maravilloso disparo ante el Liverpool en 1980. Poco después, un equipo de la talla del Nottingham Forest de Brian Clough, bicampeón de Europa, decidió ficharle por un millón de libras, convirtiéndose así en el fichaje de raza negra más caro de la historia. Lo tenía absolutamente todo para triunfar.

La relación con el excéntrico entrenador no fue buena. No se habituó al estilo que practicaba el Forest y pronto Brian Clough averiguó el secreto más oculto de Justin Fashanu. Una frase en su autobiografía define la nefasta actitud del técnico con el joven futbolista. «¿Adónde vas si quieres una rebanada de pan? Al panadero, supongo. ¿Adónde vas si quieres una pata de cordero? Al carnicero. Entonces ¿por qué sigues yendo a ese maldito club de maricones?». Sí, era homosexual y en aquella época lo más sencillo era colocar la etiqueta, y más si se trataba de un objetivo fácil por tratarse de un futbolista que tenía que exponerse en todos los estadios de Inglaterra.

Lo que parecía que iba a ser un salto en su carrera se convirtió en una pesadilla y pronto salió de la entidad, rumbo al Southampton, y, después, al Notts County, donde muchos dicen que dejó sus últimos retales de buen fútbol, aunque también sus mejores ganchos como boxeador, noqueando al capitán del club, Peter Richards, después de que este se burlara de él.

Poco más tarde, marchó al Brighton & Hove Albion y allí sufrió una grave lesión de rodilla que pudo acabar con su carrera. Deambuló por más equipos de Inglaterra, Estados Unidos y Canadá, pero todo cambió cuando se hizo noticia su condición.

El día 22 de octubre de 1990, el diario *The Sun*, uno de los tabloides más sensacionalistas del Reino Unido, publicó una entrevista en exclusiva con Justin Fashanu. La portada del periódico era esclarecedora: «I AM GAY». Además de revelar su orientación sexual, confesó que se había acostado con un miembro del Parlamento, casado, al que conoció en un bar gay de Londres. Fue señalado injustamente y criticado por una ingente masa popular y por sus propios compañeros, que pensaban que no había hueco para los gays en el mundo del fútbol. No obstante, el dolor más profundo se lo infligió su hermano John, el mismo que le catalogó de *paria* para sumirlo, más si cabe, en el abismo.

Pasó por distintos equipos de Nueva Zelanda, Suecia, Escocia, Australia, Georgia..., para acabar retirándose en el Ellitcott City de Maryland. Para su desgracia, en 1998, un chico de 17 años acudió a un policía para denunciar a Justin, que, según el testimonio del joven, había abusado sexualmente de él. La prensa inglesa se hizo eco y la presión popular fue insoportable. El 3 de mayo de 1998 fue encontrado muerto tras haberse ahorcado en un garaje de Shoreditch, Londres. *A su lado, había dejado la siguiene nota: «Me he dado cuenta de que ya he sido condenado como culpable. No quiero ser más una vergüenza para mis amigos y familia [...] espero que el Jesús que amo me dé la bienvenida y finalmente encuentre la paz».*

Sin duda, un final indeseable para una persona que se vio obligada a defenderse constantemente de ataques que no tenían justificación alguna, la acusación finalmente fue desestimada. Por eso, el recuerdo de Justin Fashanu ayuda a acercarse a un fútbol más comprensivo y alejado del miedo.

CITA:

Los secretos pueden hacer mucho daño a uno mismo (Robbie Rogers, exfutbolista americano).

EL MEJOR EQUIPO GAY DEL MUNDO

La sociedad necesita ver que el deporte no es un reflejo de su parte más detestable y retrógrada. Necesita abrir la mente a una comunidad en la que no existan diferencias por motivos de raza, procedencia o, como en este capítulo, opción sexual. Se necesitan clubes que planten cara a la realidad y aporten normalidad, equipos de fútbol como el Stonewall F. C., el mejor club gay de la historia.

Sí, porque que no salgan del armario muchos futbolistas conocidos no significa que no haya otros, menos populares, que hacen su particular guerra desde el césped. El Stonewall F. C. es un equipo de la Middle-sex County Football League, la duodécima división del fútbol inglés. En sus 25 años de historia, son la referencia de los Juegos Gays, con cuatro oros, y siete veces campeones de Europa de la Asociación de Gays y Lesbianas. En la propia revista *Panenka*, Carlos Martín Río entrevista a Eric Najib, exportero y ahora entrenador del Stonewall. Y reconoce que en el fútbol *amateur* le ha pasado de todo. Desde ver cómo los rivales se creían que ganarían con un juego más físico porque los consideraban afeminados, hasta tenerles miedo por su condición sexual. La labor de este club no es más que la de la normalización. Su labor social es primordial para la evolución del deporte rey. La idea del entrenador es que, en unos años, no exista una diferenciación entre bares y bares gays, entre equipos de fútbol y equipos de fútbol de homosexuales. Porque ellos siguen siendo igual de hombres y siguen siendo unos campeones. De hecho, les da tiempo para asegurar que el nivel de su categoría se les queda pequeño.

JUGADORES QUE SALIERON DEL ARMARIO

Thomas Hitzlsperger: El que fuera jugador del Stuttgart, Aston Villa, Lazio o West Ham confesó, en una entrevista para el *Die Ziet*, una vez retirado, su homosexualidad sin tapujos, a lo que añadió lo siguiente: «He decidido anunciarlo para que este tema avance en el mundo del deporte. No se toma en serio en muchos países y es preocupante».

Anton Hysen: Futbolista sueco que jugó en tercera división de su país natal, salió del armario en 2011 y promovió muchas iniciativas para ayudar a otros futbolistas en este paso. Jugó en el Utsiktens BK, donde entrenaba su padre.

Robbie Rogers: Este futbolista norteamericano hizo pública su condición sexual en 2013, tras acabar su carrera en el Stevenage. Después, recibió una oferta de Los Ángeles Galaxy para seguir jugando y... la aceptó sin dudarlo.

Olivier Rouyer: El exfutbolista francés que llegó a ser relevante en los años setenta y ochenta confesó para *L'Équipe Magazine* su homosexualidad, condición que le llevó a perder el trabajo como entrenador del AS Nancy Lorraine. Fue internacional con Francia y jugó para el Olympique de Lyon, entre otros clubes.

David Testo: No fue un futbolista muy conocido, pero sí otro de los jugadores valientes que confesaron su homosexualidad en público. Llegó a jugar para el Montreal Impact de la MLS. Cuando desveló su secreto, el mundo del fútbol le dio la espalda y actualmente es profesor de yoga.

EL ENTRENADOR QUE FUE DESTITUIDO POR LA RADIO

¿Te imaginas estar escuchando por la radio una entrevista al entrenador de tu equipo y, de repente, este es despedido en directo? Podría parecer que hablamos del divertido guion de una película de sábado por la tarde, pero no. Esta esperpéntica situación sucedió de verdad un 15 de septiembre de 1997, y tuvo a Vicente Cantatore, entrenador del Real Valladolid, como la víctima de un calentón para la historia.

Es inevitable hablar de la historia del Real Valladolid y no hacer especial referencia a Vicente Cantatore (Rosario, 06/10/1935). El entrenador argentino —nacionalizado chileno— es, sin lugar a dudas, uno de los mejores, más exitosos y queridos de entre todos los entrenadores que han pasado por la entidad blanquivioleta. Llevó al club a la final de la Copa del Rey 1988/89 (perdió 1-0 contra el Real Madrid) y lo clasificó para la Recopa de Europa en una de las mejores temporadas de la historia del club. Ya empezaba a dejar su huella en Zorrilla.

A mediados de la temporada 1995/96, Cantatore regresaba a orillas del Pisuerga —en su tercera etapa en el club— para intentar salvar al conjunto blanquivioleta, completamente desahuciado después de una nefasta primera mitad de campaña, con un joven Rafa Benítez al mando. Cantatore conseguiría enderezar el rumbo y salvar milagrosamente al Pucela. La temporada siguiente mantuvo la dinámica ganadora y clasificó al equipo para la Copa de la UEFA (actual Europa League) por segunda vez en su historia.

De esta manera, el verano de 1997 se intuía como uno de los más ilusionantes en la historia del Real Valladolid. Jugadores como Peternac, Víctor o Harold Lozano, entre otros, invitaban al optimismo en el entorno blanquivioleta. Sin embargo, los tres primeros choques de Liga, saldados con tres derrotas, hicieron que se fuera enrareciendo el ambiente en torno al equipo. Para más inri, el presidente del club, Marcos Fernández Fernández, estaba hospitalizado en Estados Unidos tratándose una trombopenia (falta de plaquetas en la sangre). Sus hijos, con Marcos Antonio Fernández, vicepresidente del club, a la cabeza, llevaban tiempo recelando de un Vicente Cantatore que trataba de renegociar su contrato con el Real Valladolid. Esta situación, unida al mal comienzo de temporada del equipo, hacía que empezara a mascarse la tensión en el entorno del club.

En vísperas del debut en la Copa de la UEFA contra el Skonto de Riga, el periodista José María García juntó de improviso al entrenador y al vicepresidente en el programa radiofónico S*upergarcía*, de la Cadena Cope. El vicepresidente lanzó una declaración indecorosa hacia el entrenador de su equipo. La disputa por el contrato de Cantatore había encendido la mecha. «El contrato que yo arreglé con tu papá en cinco minutos (él me llamó cuatro o cinco veces porque no quería que pasara más tiempo) es el mismo que tengo en este momento. Lo que tú estás diciendo es pura mentira», aseguró el técnico argentino. «Yo he renegociado el contrato contigo al menos tres veces este mes», contestó el vicepresidente del Pucela, que recibía la tajante respuesta de Cantatore: «¡Es pura mentira lo que estás diciendo!».

Se había liado. La respuesta del mandatario vallisoletano fue muy clara y rotunda: «Vicente, te voy a dar el gustazo de decirte ahora mismo que estás absolutamente destituido». Los dos siguieron enzarzados en su disputa un rato más, pero la frase bomba ya había salido de la boca de Marcos Fernández. Al día siguiente, Cantatore no se sentaría en el banquillo de Zorrilla, y aunque el Pucela ganaría aquel partido de UEFA (2-0 al Skonto), la afición no dudaría en posicionarse claramente a favor del técnico que más éxitos les había dado en los últimos tiempos. Desde aquel día, no es extraño oír en algunos rincones de la fría ciudad vallisoletana aquel cántico que dice: «O vuelve Cantatore, o no volvemos más».

CITA:

Te voy a dar el gustazo de decirte ahora mismo que estás absolutamente destituido (Marcos Fernández a Vicente Cantatore).

¿CUÁNDO SE RETRANSMITIÓ EL PRIMER PARTIDO EN DIRECTO POR RADIO?

Hoy en día es muy fácil seguir un partido desde casi cualquier punto del planeta, sea del torneo que sea. Nos hemos acostumbrado a tenerlo todo al alcance de un clic, algo que nos ha hecho perder la perspectiva de lo complicado que era, hasta hace no mucho, seguir un partido de la élite mundial.

Había que esperar a las crónicas escritas y algunas podían tardar incluso días.

Por eso, el 22 de enero de 1927, el fútbol registró un nuevo hito sin precedentes… O eso creían algunos. Aquel día, la BBC se encargó de la primera retransmisión radiofónica de un partido de fútbol en Europa. Aquel encuentro enfrentaría al Arsenal con el Sheffield United (no confundir con el Sheffield F. C. —el club más antiguo del mundo— ni con el Sheffield Wednesday). Unos días antes, la BBC había recibido la Royal Charter, que les permitía retransmitir todo evento de interés general. Y el fútbol lo era, por supuesto. Para una mayor comprensión del encuentro por parte de los oyentes, el productor Lance Seveking creó una plantilla que dividía el campo en ocho partes y que fue publicada en un semanario perteneciente a la cadena. Curioso cuando menos.

Sin embargo, como casi siempre sucede en el fútbol, los ingleses creen ser los primeros…, y suelen están equivocados. Y es que fue algunos años antes, en 1922, y al otro lado del charco, cuando Claudio Sapelli y Emilio Elena prepararon el Uruguay-Brasil y el primero lo relató sin verlo, únicamente con la información que le llegaba del enviado a Río. El partido terminó con empate a cero. Para oír el primer gol en directo hubo que esperar un poco. El 2 de octubre de 1924, LOR Radio Argentina emitió, por mediación de Horacio Martínez Seebert y Atilio Casime, el primer gol olímpico, obra de Cesáreo Onzari, en el Argentina-Uruguay (2-1). Detalles para la historia.

ONCE IDEAL DE COMUNICADORES QUE FUERON FUTBOLISTAS

HISTORIAS ÉPICAS

¿Es posible marcar 1.000 goles a lo largo de una carrera? ¿O jugar un partido oficial con 71 años? Pues sí, es viable que sucedan este tipo de cosas en el fútbol y este capítulo avala esas probabilidades y muchas más. Historias épicas, únicas e impensables en este capítulo.

EL JUGADOR QUE SE SUICIDÓ EN MITAD DE LA CANCHA

La niebla es lo único que se ve esa mañana de marzo, nos anuncia que en Montevideo el verano está cerca de terminar. Han pasado varios minutos desde que Severino Castillo se levantó y lo primero que hace, como cada mañana, es pasear a su perro por los terrenos cercanos al Estadio Gran Parque Central. Severino es el cuidador del campo de Nacional y vive pegado a este. Parecía una día más, hacía algo más frío de lo normal, eso sí. Sin embargo, la historia del fútbol uruguayo acababa de cambiar para siempre.

Severino estaba ya muy cerca de la cancha cuando su perro comenzó a ladrar. Algo no iba bien. De pronto, el animal empezó a correr hacía el círculo central. Parecía que allí, justo en mitad del campo, había una figura en el suelo. Severino siguió a su perro y, cuando llegó, no se creía lo que veía: era Abdón Porte, mediocampista de Nacional, con un disparo en el corazón. En una de sus manos tenía una pistola, y en la otra, una carta que decía así:

Querido doctor José María Delgado. Le pido a usted y demás compañeros de Comisión que hagan por mí como yo hice por ustedes: cuiden de mi familia y de mi querida madre. Adiós, querido amigo de la vida.

Y finalizó con un poema al club de sus amores:

Nacional, aunque en polvo convertido
y en polvo siempre amante.
No olvidaré un instante
lo mucho que te he querido.
Adiós para siempre.

Abdón Porte se suicidó con 25 años en el centro de la cancha en la que había disfrutado del fútbol durante siete temporadas. Un mediocampista que había hecho disfrutar a la hinchada del Gran Parque Central durante años, pero que en los últimos meses estaba siendo discutido. Ya no era el de antes, incluso estaba siendo relegado al banquillo. Abdón no pudo soportar que ya no fuera útil para su club de siempre y en la madrugada del 5 de marzo de 1918 acabó con su vida.

Para que entiendan su locura por Nacional, en su carta de suicidio no tuvo ni un solo recuerdo para su prometida, una chica de Montevideo con la que tenía previsto casarse unos meses después. Sin embargo, sí vio necesario despedirse de su único y verdadero amor, Nacional. Aquellos años eran todavía de amateurismo en el fútbol uruguayo, pero la pasión ya se había instalado en las gradas y en los jugadores. Luis Scapinachis, amigo de Abdón, señaló sobre la muerte de Abdón: «Anidaba en su corazón y en todo su ser el deseo de vestir siempre la tricolor, y cuando empezaron a flaquearle las piernas cargadas de victoria, ante la cruel perspectiva de ser eliminado del conjunto, optó por eliminarse».

En las fechas previas a su suicidio, le habían comunicado a Abdón que ya no jugaría tanto. La directiva del club sabía que no estaba en su mejor momento y se lo hizo saber. Abdón no pudo asumir ese mal momento de la vida de un futbolista y tomó una decisión que le abrió las puertas de la eternidad en el club de sus amores y del fútbol uruguayo. Actualmente, la tribuna oeste del campo de Nacional lleva su nombre: la Abdón Porte. Y siempre se puede ver en la cancha un mensaje que dice así: «Por la sangre de Abdón». Para los aficionados no puede haber mayor muestra de amor por los colores que aquella, un referente en el imaginario colectivo de Nacional.

Por otra parte, de los cuentos que se han escrito sobre él, el más significativo fue obra de Horacio Quiroga tiempo después de la muerte del jugador. También uno de los más grandes escritores en español, Eduardo Galeano, tuvo un recuerdo para Abdón en su libro *El fútbol a sol y sombra*. No hay futbolero en Uruguay que no conozca su historia, un loco amante que no podía entender su vida sin el fútbol, que no veía más allá de jugar para el club de sus amores, un hombre que prefirió acabar con su vida y, de esta forma, pasar a formar parte del club para siempre. Abdón Porte es Nacional.

CITA:

Un caballero nunca abandona a su señora (Del Piero sobre la Juventus).

EL PORTERO QUE SE AMPUTÓ UN DEDO PARA AYUDAR A SU EQUIPO

Carlos José Castilho era uno de los grandes porteros de los cincuenta en Brasil; de hecho, era el portero suplente en el famoso Maracanazo, por el que Uruguay venció a Brasil en uno de los días más importantes de la historia del fútbol.

En 1954, en Suiza, sí fue el portero titular de la *canarinha*, e incluso viajó a los Mundiales de 1958 y 1962, por lo que es bicampeón del mundo. Pero Castilho no es conocido por nada de eso, sino por amputarse un dedo.

Castilho defendía la portería de Fluminense, uno de los grandes brasileños, y en 1957 estaba aquejado de una lesión en el dedo meñique de la mano izquierda que no le dejaba jugar a pleno rendimiento. Los médicos le aconsejaron un tratamiento que le tendría dos meses fuera de los terrenos de juego, pero Castilho propuso una alocada solución alternativa: que le amputaran la mitad del dedo y así desaparecerían las dolencias; no podía dejar a su equipo en un momento tan importante de la temporada.

Finalmente, los médicos, aunque con recelo, aceptaron la decisión del portero, que tan solo dos semanas después de la mutilación ya estaba de nuevo en la portería. La amputación no le impidió seguir siendo uno de los mejores porteros de Brasil, e incluso ganar el campeonato brasilero en 1959 y 1964, además de los citados mundiales. Un portero que prefirió perder medio dedo antes que abandonar a su equipo. El fútbol, amigos y amigas.

ONCE IDEAL ONE-CLUB MEN

PORTERO

ALEV YASHIN (Dinamo Moscú/21 temporadas)

DEFENSAS

LTD: BERGOMI (Inter de Milán/20 temporadas)

DF: BARESI (Milan/20 temporadas)

DF: PUYOL (Barcelona/15 temporadas)

LTI: MALDINI (Milan/25 temporadas)

MEDIOCAMPISTAS

MC: MAZZOLA (Inter de Milán/17 temporadas)

MC: GIGGS (Manchester United/24 temporadas)

MC: BOCHINI (Independiente/20 temporadas)*

DELANTEROS

MD: LE TISSIER (Southampton/16 temporadas)

MI: FLORIAN ALBERT (Ferencvaros/17 temporadas)**

DC: FRITZ WALTER (Kaiserslautern/18 temporadas)

* En 1985, disputó dos temporadas

**En 1963, disputó dos temporadas

***Sin incluir jugadores en activo en la temporada 2016/17

EL VIAJE MÁS INVEROSÍMIL DE UN EQUIPO DE FÚTBOL

Vivimos en un momento de la historia en el que la globalización, en el más amplio sentido del término, es más patente que nunca. La información viaja a la velocidad de la luz, y las personas, solo un poquito más lento. Los grandes equipos, con sus millones a cuestas, juegan amistosos en puntos recónditos del planeta. Bueno, matizamos, en puntos recónditos, con dinero, del planeta. Los grandes clubes pueden, incluso, ir y volver en el día tras hacer la caja pertinente, pero las cosas no siempre fueron así.

Actualmente los equipos no dependen de los grandes viajes para hacer caja; en cambio, hace un siglo las giras eran lo que permitía a los clubes dar ese salto económico. Eran muy habituales los viajes de los clubes españoles por Sudamérica y Centroamérica. Cruzar el charco, además de significar un aumento en las arcas, daba prestigio y reconocimiento. Por ello era habitual que jugadores de otros equipos fueran cedidos a los clubes para reforzarse de cara a estos encuentros que podían durar semanas o, incluso, meses.

Menos habitual era que dos equipos se fusionasen para jugar al otro lado del Atlántico, pero también tuvimos el caso. En 1935, Espanyol (por entonces, Español) y Atlético de Madrid (por entonces, Athletic de Madrid) viajaron hasta el continente americano para jugar una serie de amistosos en Argentina, Brasil y Uruguay. Un combinado que dejó muy buenas sensaciones y que llegó a disputar encuentros hasta con las selecciones nacionales de dichos países. Aunque los resultados no son comparables a los que consiguió el Espanyol una década antes en América.

El de la Ciudad Condal era uno de los mejores equipos de los años veinte. En sus filas, militaba una de las primeras estrellas que dio el fútbol español, Ricardo Zamora. Aunque no solo viajarían jugadores españolistas. Como dijimos antes, eran normales las cesiones de jugadores para las giras. A la plantilla del Espanyol se unieron componentes de Osasuna, Valencia, Tolosa y Real Madrid. Un auténtico equipazo que iba camino de conquistar América.

La travesía hasta llegar allí duró un par de semanas, algo asumible y lógico para la época. Los jugadores entrenaban en el barco y se divertían aprovechando el buen tiempo que hacía en ese momento. Lo que se encontrarían en Sudamérica les dejaría helados, y nunca mejor dicho. Mientras en el hemisferio norte era verano, en el sur era invierno, algo que ellos sabían, aunque no contaban con un tiempo tan inclemente.

A su llegada a Argentina, no encontraron demasiados problemas y consiguieron llenar los estadios por los que pasaban. De hecho, el primer encuentro disputado fue ante la selección albiceleste y el Espanyol empató a dos. El nivel de los pericos era alto. Prueba de ello es que tres años después ganaría su primera Copa de España ante el Real Madrid en una histórica final disputada en Valencia (más información en la siguiente página).

Tras las buenas sensaciones dadas en Argentina, tocaba un viaje a Chile en el que jugarían otros tres amistosos. O ese era el plan. Una gran nevada cortó las comunicaciones ferroviarias y por carretera entre Mendoza (Argentina) y Santiago (Chile). Los amistosos se tendrían que cancelar, salvo solución de urgencia, y esta llegó, aunque no era la más ortodoxa. Entre ambas ciudades hay 364 kilómetros de distancia y, con las comunicaciones cortadas, la única opción que quedaba era atravesar la cordillera de los Andes en mula. Y así lo hicieron.

Los jugadores del Espanyol comenzaban una travesía de más de una semana hasta la capital de Chile para cumplir con sus compromisos. Una aventura que sería relatada por los propios jugadores como un viaje sin demasiados percances. Incluso, en un momento dado, pararon en un bar de un pueblo a tomar café y reconocieron a Ricardo Zamora. En una pared de dicho establecimiento tenían una foto suya y le llegaron a pedir autógrafos. Buen ejemplo de la grandeza global de su figura en los años veinte.

Finalmente, el Espanyol, junto a los jugadores que tenía en préstamo, llegó a Chile, y no solo eso, también disputaría amistosos en Perú y Cuba. Una auténtica aventura que les tuvo todo el verano haciendo las Américas, con un punto álgido en el momento de la travesía en mula. Indudablemente, los viajes de antaño tenían más encanto y proporcionaban muchas más anécdotas que contar.

CITA:

Me retiré a los 40 años porque mis hijas un día me miraron y me dijeron: «Papá, calvo y con pantalones cortos no quedas bien» (Alfredo Di Stéfano, tras retirarse en el Espanyol).

LA FINAL DE COPA QUE SE JUGÓ EN UNA PISCINA

Vale, quizás hemos exagerado un poco con el titular, pero la final de Copa de 1929 tuvo más agua que ninguna en la historia, superando, incluso, a otra final mítica: la que enfrentó a Deportivo de la Coruña y Valencia en 1995 en el Santiago Bernabéu, que, por cierto, tuvo que suspenderse por el granizo. Pero no les vamos a hablar de esta final, sino de la que jugaron Espanyol y Real Madrid en Mestalla un 3 de febrero de 1929. Un partido que quedó para la historia como «la final del agua».

El encuentro debió suspenderse, pero una complicada situación política obligó a que el partido se jugase. José Sánchez Guerra, político opositor de Miguel Primo de Rivera (dictador de España entre 1923 y 1930), viajó a Valencia en torno a la fecha del partido y las autoridades, que andaban detrás de él, no querían un aplazamiento de la final. Buscaban de esta forma que los miles de aficionados que se habían desplazado volviesen a sus casas, para así restaurar el orden.

El encuentro se jugó, aunque en unas condiciones lamentables. Las líneas del campo no se distinguían; todo era charcos y barro. Tanto es así que hubo un penalti a favor del Espanyol y el colegiado, que no sabía dónde estaba el punto de penalti, tuvo que contar once pasos. La final se jugaba en febrero debido a que ese año empezaba la Liga en España (primera vez que se disputaba) y que arrancaría solo una semana después de la final de Copa. El Espanyol vencería al Real Madrid por dos goles a uno, pese a terminar el partido con ocho jugadores. Zamora levantó al cielo (lluvioso) de Valencia la primera copa de la historia del equipo perico.

ONCE IDEAL JUGADORES MÍTICOS DEL ESPANYOL

EL FÚTBOL EN UNA CAJA DE ZAPATOS

El fútbol no siempre ha sido feliz. De hecho, se recuerdan más los periodos tristes por la nostalgia que evocan, sobre todo cuando es un instante de pérdida. Hubo una etapa del siglo XX en la que no se jugaba al deporte rey en Europa. Todo tiene una lógica. La Segunda Guerra Mundial había estallado y, como ocurrió en la Gran Guerra, el fútbol se detuvo. No había competiciones con respecto a los países participantes. Y por ello, la Copa del Mundo, que solo había tenido tres ediciones (1930, 1934 y 1938), se detuvo hasta nueva orden. Europa se estaba matando y había cosas más importantes que disputar un torneo de ese calibre.

Adolf Hitler atemorizó al mundo y en 1939 estalló el conflicto bélico más violento que se recuerda y que afectó a todos los continentes, pero cuyo epicentro estaba en Europa. El Tercer Reich, ya fuera de manera beligerante o no, conquistaba territorios de norte a sur y de este a oeste. Las tropas alemanas arrasaban allá por donde pasaban. Y llegaron a Italia, también en plena dictadura de Benito Mussolini. El país transalpino fue el dueño y señor de las últimas ediciones de la Copa del Mundo, también conocida como Copa Victoria, antes de ser denominada Jules Rimet... La Federación Italiana de Fútbol guardaba el galardón como oro en paño, pero muchos temían que la invasión teutona tuviera fines perniciosos para cualquier cosa de valor.

Y aquí aparece Ottorino Barassi, vicepresidente de la Federación, que tuvo los reflejos necesarios para percatarse de que el Banco de Roma, donde se había depositado la copa, no era el mejor sitio para esconderla, pues sería el primero donde buscarían los nazis. Así que asumió la responsabilidad y el riesgo y la escondió en su casa, concretamente debajo de la cama y en una caja de zapatos. El trofeo habitaría a partir de ese momento un lugar demasiado cotidiano.

El hogar de Barassi se encontraba en la Piazza Adriana y, pronto, en 1941, la Gestapo decidió asaltar su casa para buscar la copa. Tras desmantelarla sin éxito, le interrogaron. De manera hábil, despistó a los alemanes diciendo que, seguramente, el Comité Olímpico Nacional Italiano y la Federación de Fútbol mandaron el trofeo a Milán. Tristes por no hallar el botín, se marcharon para buscar mejor suerte en otro lugar. Barassi había salvado la historia de este deporte en una caja de zapatos.

En 1943, Ottorino Barassi se la entregó a un hombre de fútbol, el abogado Giovanni Mauro, que a su vez se la dio a un exfutbolista conocido, Aldo Cevenini, que la escondió en su casa de campo en Bembrate, en la provincia de Bérgamo. Allí se mantuvo hasta el momento en el que el Mundial de 1950 Brasil reclamaba a los países participantes. Italia era una de las seleccionadas como vigente campeona y la encargada de llevar el trofeo hasta el país sudamericano. Pero la copa no viajó en avión porque un año antes el Grande Torino había perdido la vida en un accidente aéreo en la Basílica de Superga y optaron por hacer el viaje en barco, concretamente en el navío Sises.

La selección italiana acabó agotada con el viaje de un mes en barco, la Copa del Mundo en ristre y alguna que otra escala, como la que hicieron, por ejemplo, en las islas Canarias, donde jugaron un lamentable amistoso, con Lucidio Sentimenti, el guardameta, como mejor jugador. Finalmente, llegaron a Sao Paulo en unas condiciones pésimas y cayeron ante Suecia, aunque ganaron a Paraguay. Para el regreso, muchos de ellos decidieron viajar, esta vez sí, en avión. Menos Benito Lorenzi, delantero del Inter de Milán, que quiso volver a Italia de nuevo en navío. Tardaría otro mes.

Y esta es la historia de las vueltas que dio la Copa del Mundo, cómo estuvo doce años pasando de unas manos a otras para no caer en las de indeseables. Y qué curioso que el destino del trofeo estuviera en una caja de zapatos.

CITA:

Los italianos pierden las guerras como si fueran partidos de fútbol, y los partidos de fútbol, como si fueran guerras (Winston Churchill, primer ministro británico).

LA BATALLA DE FLORENCIA

Lo que se va a leer ahora fue una auténtica carnicería futbolística. Era el Mundial de 1934 y España se presentaba a la que sería su primera Copa del Mundo, esta vez en Italia. A la anterior no acudieron por protesta de los clubes, que no querían perder más de dos meses a sus futbolistas.

En el país transalpino, los españoles eran favoritos hasta que se cruzaron en cuartos de final con la anfitriona, con Meazza, Orsi o Ferrari al frente del ataque. Pero lo duro del encuentro no fue la competencia del rival con la pelota, sino todo lo contrario.

El árbitro sería el belga Louis Baert, que actuaría de juez o de penitente. Porque lo que se vio en el estadio de Florencia fue una batalla sin precedentes. España, con Zamora en la portería, no recibió disparos, sino puñetazos y patadas por todos los lados. Se anularon dos goles —uno de Iraragorri al no señalar penalti— y lesionaron al gran portero español fracturándole dos costillas por dos puñetazos en un córner, la especialidad italiana. El encuentro concluyó con empate a un gol y el árbitro ni se inmutó ante lo que había sucedido. Siete titulares del combinado nacional no pudieron jugar el *replay* que dictaminó la FIFA para el día siguiente, Ricardo Zamora entre ellos.

España volvería a Florencia para ser, de nuevo, vapuleada a golpes, esta vez consentidos por otro árbitro, el suizo Rene Mercet. Pero el cambio de juez no sirvió para nada. Le volvieron a anular goles, y jugadores como Quincoces o Bosch se tuvieron que marchar doloridos antes del final del encuentro. Los italianos ganaron por la mínima y, días después, se alzarían con el trofeo. En España, la República recibiría a sus jugadores como héroes y las federaciones belga y suiza sancionarían a los colegiados que permitieron tal barbarie.

ONCE IDEAL HISTÓRICO DE ITALIA

DE LAS JUVENTUDES HITLERIANAS A LEYENDA DEL FÚTBOL

Durante los años treinta en Alemania, lo más normal entre los jóvenes era pertenecer a las Juventudes Hitlerianas. Un chaval de Bremen, de nombre Bernhard Carl (Bert para los amigos), también formó parte de aquella generación, en una postguerra en la que le tocó pasar hambre y pedir en la calle. Cuando Hitler invade Polonia, en 1939, se desata la Segunda Guerra Mundial. Con solo 17 años, un chaval de apellido Trautmann decide presentarse voluntario como paracaidista.

Se pasó los dos siguientes años combatiendo contra los soviéticos. Y consiguió algo que pocos lograron: sobrevivir. «Muchas veces me he preguntado por qué sigo vivo. Solo en Rusia murieron más de veinte millones de personas. Supongo que soy un tipo afortunado», diría Trautmann. Durante la guerra, había sido apresado por las fuerzas francesas, rusas y americanas; en todos los casos salió indemne. Los americanos lo interrogaron durante horas sin que llegase a revelar información de valor. Trautmann consiguió liberar las manos y escapó. Con el temor de recibir un disparo, echó a correr. Presa del pánico, esprintó unas 200 yardas. Corrió y corrió, saltó una valla... y cayó en medio de un grupo de soldados británicos que estaban almorzando. «Hola, Fritz, ¿te apetece una taza de té?», le espetaron antes de capturarlo por última vez y confinarlo a un campo de trabajo. Y allí, en las islas, dónde comenzó a hacerse conocido gracias a los partidos de fútbol que habitualmente disputaban contra equipos amateur.

Al terminar la guerra le ofrecieron ser repatriado a Alemania, pero él optó por quedarse en Inglaterra. Había conocido a una mujer y se había enamorado. El primero de octubre de 1949, el *Manchester Evening* abría en portada con la noticia del posible fichaje de un portero alemán por parte del Manchester City, que buscaba al nuevo Frank Swift. En esas fechas, un judío envió un telegrama a los directivos del club: «Si fichan a ese alemán, se organizará un boicot».

También publicó una carta al director del periódico en la que instaba a todos los judíos a levantarse ante aquella «injusticia». El City hizo caso omiso de las críticas y firmó al guardameta, levantando una gran controversia y una manifestación formada por más de 20 000 aficionados. Entre insultos, y al grito de «Vuelve a Alemania», Trautmann comenzó a defender la portería *citizen* en una situación de lo más hostil. Solo el señor Altmann, rabino de Manchester, se había posicionado a su favor en un escrito para el periódico.

Durante 15 años, entre 1949 y 1964, Trautmann disputó más de 500 partidos con el City, dejando una cifra para el recuerdo: detuvo un 60 % de los penaltis que le lanzaron. Pero si por algo se le recuerda fue por su actuación en la final de la FA Cup de 1956, el único campeonato que logró. En Wembley, más de 100.000 personas fueron testigos de un hecho brutal. El Manchester City ganaba por 3-1 al Birmingham cuando, a falta de 17 minutos para el final, Trautmann chocó con la rodilla de Peter Murphy. Todo se apagó. El portero del City se mantuvo en pie hasta el final del partido aunque él nunca recordó nada de aquello. El Manchester City se proclamó campeón. En todas las fotos aparece Trautmann tocándose el dolorido cuello. Unos días después, ante la persistencia del dolor, visitó a los médicos, que le hicieron unas placas de rayos X y le confirmaron que, efectivamente, había jugado con el cuello roto. Había estado a punto de fallecer, era un milagro que siguiera en pie. Además, durante su grave lesión, Bert sufrió otro palo: su hijo murió atropellado. Pero Trautmann era un superviviente. Se recuperó de aquello y prolongó su carrera durante casi una década.

En 2004 recibió la orden del Imperio Británico por su contribución al entendimiento entre Inglaterra y Alemania. Al entregársela, la reina Isabel le dijo: «Herr Trautmann, yo le recuerdo, ¿todavía siente dolor en el cuello?». Y en 2012, Bert Trautmann recibió un homenaje en un repleto Etihad Stadium. Aquel día, y al contrario de lo que había sucedido sesenta años antes, más de 60 000 personas se pusieron en pie para aplaudir, reconocer y agradecer los servicios del alemán. Aquel que un día fue insultado y vilipendiado, ahora era ovacionado.

CITA:

No necesitas un monumento o ser internacional para ser recordado como una buena persona o un buen jugador. Yo no lo necesito (Bert Trautmann).

LA MALDICIÓN DE BALLACK

Probablemente hablar de Michael Ballack es hacerlo de uno de los mejores centrocampistas alemanes de siempre. Un poderoso mediocentro con gran calidad técnica y una soberbia capacidad para llegar al área rival han hecho de él un jugador para el recuerdo. Sin embargo, al germano siempre le ha perseguido la etiqueta de perdedor.

Ballack ha sido un líder y un laureado futbolista, pero si por algo va a ser siempre recordado es por la cantidad de finales que ha perdido. Todo comenzó en la temporada 2001/02, cuando jugaba para el Bayer Leverkusen y perdió en pocos días la final de la Copa de Alemania, la Bundesliga (en la última jornada) y la final de la Champions (la del golazo de Zidane). Aquello contribuyó a la creación de un término: *Neverkusen*. Pero lo peor de todo sucedió algunas semanas después, cuando con su selección perdió la final del Mundial de Corea y Japón. Pocos habían perdido en toda una carrera tanto como Ballack en unas semanas.

Después de algunos buenos años en el Bayern de Múnich, recaló en el Chelsea. Allí volvería a saborear la amarga hiel de la derrota. Y es que 2008 sería otro año de infausto recuerdo para Ballack. Perdió la final de la Copa de la Liga contra el Tottenham de Juande Ramos, la Premier League en la última jornada y la Champions League en la tanda de penaltis (la del resbalón de Terry). Y lo peor estaba por llegar: semanas después, volvía a perder otro título internacional, la final de la Eurocopa contra España. Tremendo. ¿Y dónde podría estar el origen de esta «maldición»? Los más supersticiosos lo tienen claro: en su dorsal. Ya pueden imaginarse de qué número estamos hablando...

ONCE IDEAL HISTÓRICO DE ALEMANIA

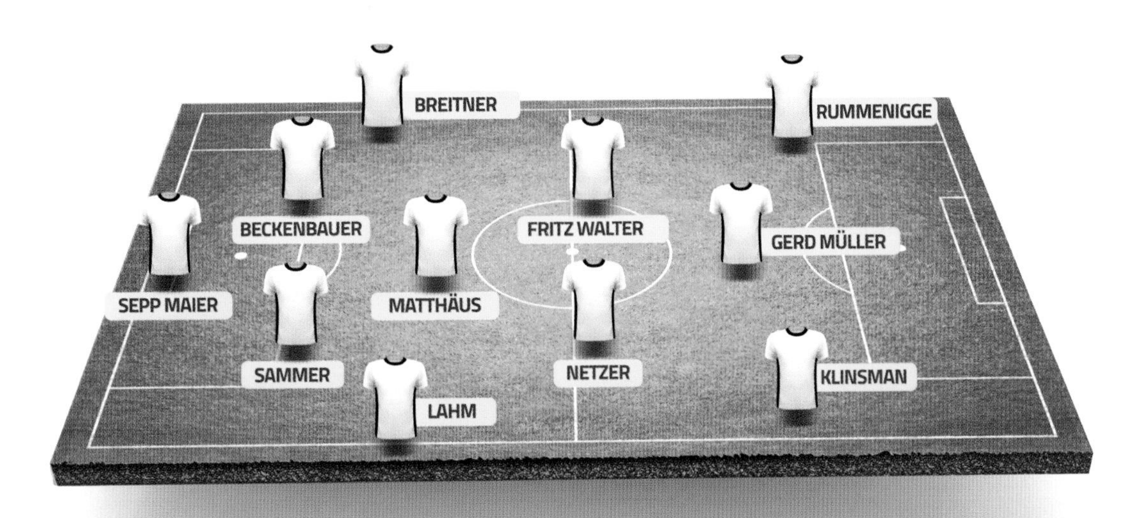

LA LEYENDA DEL JUGADOR MANCO DE SAN LORENZO

La trayectoria de un club como San Lorenzo de Almagro ha estado marcada por personajes cuya historia personal nunca ha pasado desapercibida. Un cura, el padre Lorenzo, fue el pilar esencial en la fundación. Dos españoles, Lángara y Zubieta, marcaron una época. El goleador Sanfilippo o el polifacético *Bambino* Veira, también tienen un hueco en la historia del club. Pero ninguno de ellos tuvo una histroia como la de Victorio Francisco Casa.

Pocos futbolistas de la época alcanzaban un nivel técnico superior al de Victorio Casa. Zurdo, incansable y eléctrico, Casa era un talentoso futbolista argentino que se debía a la hinchada, a su gente, a todos aquellos que pagaban una entrada en cada partido. «Me gustaba mucho gambetear. Tenía que haber soltado un poco más la pelota, pero, como a la hinchada le gustaba, yo hacía lo que le gustaba a la gente», afirmaría sobre su estilo de juego, en ocasiones individualista, el bueno de Victorio.

El fútbol, o los clubes de fútbol, mejor dicho, viven de quintas, y en San Lorenzo —y en general en Argentina— siempre han sido muy dados a poner calificativos a grupos de jugadores que han conseguido dejar su huella en el tiempo. Durante la primera mitad de los años sesenta, en San Lorenzo se consolidó la generación de los Carasucias, integrados por el propio Victorio Casa, Narciso Horacio Doval, Fernando Areán, Héctor *Bambino* Veira y Roberto Telch, *el Oveja*. Aquel equipo consiguió ilusionar con un fútbol atrevido, valiente y fresco a los aficionados que se agolpaban entre los antiguos tablones de madera del Viejo Gasómetro.

Algunos de los defensores rivales no asimilaban muy bien los quiebros y gambetas de un futbolista al que le faltaba un brazo. De hecho, en una ocasión, según contó el propio Casa, Roberto Perfumo, legendario zaguero del Racing (que también jugó en el River Plate) le espetó un: «Lisiado, te voy a matar». En la siguiente acción, Perfumo sacó de la cancha a Victorio Casa con una durísima entrada.

Habrán percibido que, en el transcurso de esta breve historia, comenzamos a llamar Manco a Victorio Casa. El insulto de Perfumo también habrá llamado la atención de nuestros lectores. Lo cierto es que Casa comenzó a ser apodado el Manco a raíz de un episodio acaecido el 11 de abril de 1965. Victorio, que tenía solo 21 años, se apresuraba a aparcar el coche en una zona reservada para uso militar (junto a la Escuela de Mecánica de la Armada, edificio de triste recuerdo para los argentinos), algo que él desconocía en ese momento. Eran las nueve de la noche y se encontraba dispuesto a disfrutar de una entretenida velada en compañía de un amigo y de dos chicas. Era la primera vez que salían con ellas, una cita que no olvidarían nunca.

Victorio estaba a punto de detener su coche cuando, de repente, se oyó una ráfaga de ametralladora. Miró a la parte derecha de su cuerpo; faltaba algo. No estaba su brazo. Condujo con la mano izquierda hasta sacar el coche de la zona, se bajó del automóvil y, como él mismo suele decir, «con la mano en la mano», fue hospitalizado de inmediato. No perdió el conocimiento en ningún momento. El 25 de mayo, fiesta nacional en Argentina, mes y medio después de haber perdido el brazo, Casa regresaba a los terrenos de juego para disputar un encuentro ante Banfield correspondiente a la novena fecha del campeonato argentino. Había perdido estabilidad, pero suplía sus nuevas carencias con movimientos de cintura y con la habilidad que le caracterizaba antes del incidente.

Sus compañeros, encabezados habitualmente por el travieso *Bambino* Veira, le gastaban numerosas bromas, como esconderle el brazo ortopédico —que apenas utilizaba por lo pesado que le resultaba— detrás de las vallas publicitarias o entregarle el balón para que sacase de banda… Hechos que no afectaban excesivamente a un Victorio que siempre mantuvo el ánimo y un espíritu cada vez más endurecido por su lucha contra las adversidades. Y él, por supuesto, se las devolvía a Veira, como el día en que, cansado de las bromas del Bambino, le arrojó toda la ropa al agua de las duchas. El buen ambiente era un detalle característico de aquel mítico equipo de los Carasucias. No ganaron nada, pero su recuerdo permanece indeleble.

Lo curioso que resultaba ver sobre el campo a un jugador sin brazo atrajo a la emergente NASL norteamericana. Casa, que venía de actuar en el segundo equipo del Platense, pasó a formar parte de los Washington Whips (posteriormente denominados Washington Darts). Allí se convirtió en uno de los jugadores mejor pagados, tal y como afirma David Wangerin en su obra *Soccer in a Football World:* «Victorio Casa cobraba 15 000 dólares de Washington, una cantidad que las estrellas del béisbol podrían gastarse en una buena noche».

Victorio Casa, hombre honesto y locuaz, solo tenía clara una cosa: «Lo del brazo no me afectó mucho. Lo que sí me dolió fue que San Lorenzo me dejara libre en 1967. Menuda sarta de sinvergüenzas». Él era consciente de que había hecho mucho por el club. En el Gasómetro nunca le olvidaron. Ni a él ni a una de sus más recordadas frases: «Con un brazo tuve más alegrías que con los dos».

EL CRACK QUE GOLEABA SIN BRAZO EN LOS MUNDIALES

18 de julio de 1930. Aquel día se jugaba el primer partido de la anfitriona, Uruguay, contra Perú. Seguramente, pocos esperaban que aquel torneo, que empezaba con pocos participantes y que se disputaba en ese pequeño país, acabaría convirtiéndose en uno de los eventos deportivos más grandes del mundo. Un campeonato repleto de grandes gestas y curiosidades, como la que tuvo al charrúa Héctor Castro como protagonista en el primer y en el último encuentro de Uruguay en aquel Mundial.

El delantero tuvo el privilegio de anotar el primer tanto de su país en una Copa del Mundo. Una curiosidad que hubiera pasado inadvertida de no ser por un detalle: a Castro le faltaba un brazo. Y la cosa no quedó ahí. Uruguay iría avanzando rondas hasta plantarse en la final. Y allí, contra Argentina, consiguió coronarse primera campeones mundial con otro tanto de Castro, el que cerró el 4-2 definitivo. De esta manera, un jugador manco conseguía el primero (para Uruguay) y el último gol (del torneo) de la primera Copa del Mundo de la historia del fútbol.

La vida de Héctor Castro, apodado el Divino Manco, no fue tan sencilla. Con solo 13 años una sierra eléctrica le cortó el brazo por debajo del codo. Apasionado del fútbol como era, no dejó que aquella discapacidad le apartara de su sueño. Consiguió que Nacional le contratara y se convirtió en un atacante de época. Lejos de rendirse, utilizó su «problema» y lo convirtió en ventaja para usar su muñón con gran destreza, golpear a los rivales en los saltos y para terminar colgándose al cuello una medalla de oro olímpica. Un gran ejemplo de lucha y superación.

CITA:

Con un brazo tuve más alegrías que con dos (Victorio Casa).

ONCE IDEAL DE JUGADORES SIN UNA PARTE DEL CUERPO

PORTERO

José Catilho. (Brasil, 1932-1987)
Le amputaron un dedo, el meñique de la mano izquierda.

DEFENSAS

Asraf Rashid. (Singapur, 1985-...)
Sin brazo izquierdo por debajo del codo desde el nacimiento.
Hakan Soderstjerna. (Suecia, 1975-...)
Sin brazo derecho por encima del codo desde el nacimiento.
Matías Dutour. (Uruguay, 1995-...)
Sin brazo izquierdo a la altura del codo.

CENTROCAMPISTAS

Patricio Toranzo. (Argentina, 1982-...)
Perdió tres dedos del pie izquierdo en un accidente.
Paulo Diogo. (Suiza, 1975-...)
Perdió el dedo anular de la mano izquierda en la celebración de un gol.
Victorio Casa. (Argentina, 1943-2012)
Perdió el brazo derecho por disparos de una ametralladora.
Lorenzo Orellano. (Colombia, 1999-...)
Sin antebrazo izquierdo desde el nacimiento.

DELANTEROS

Álex Sánchez. (España, 1989-...)
Nació sin la mano derecha.
Robert Schienz. (Alemania, 1924-1995)
Perdió el brazo izquierdo en un accidente de coche.
Héctor Castro. (Uruguay, 1904-1960)
Perdió el antebrazo derecho en un accidente laboral.

EL GOL 1000 DE PELÉ

El fútbol está repleto de cifras. Para muchos, estas son un objetivo en sí mismas: número de convocatorias con una selección, número de temporadas con el club, número de goles en una temporada —Ronaldo Nazário siempre hacía una estimación de los goles que marcaría cada año— o la lista de trofeos que se logran. Sin embargo, hay un hito que está al alcance de pocos, reservado a los delanteros más eficientes del mundo: el objetivo de los 1000 goles, un récord alcanzado por pocos y, entre ellos, Pelé, aunque muchos dudan de su oficialidad.

La historia comienza el 14 de noviembre de 1969, un año antes de que el santista jugara su último Mundial con Brasil y se coronara campeón. El Santos visitaría el campo del Botafogo para ganar, con contundencia, al Fogao. El resultado sería 0-3, con gol de Pelé, que había marcado 999 en toda su carrera. Y la expectación sobre el número redondo empezó a coger más protagonismo por numerosas cuestiones. La principal por la proeza del mejor jugador brasileño de la historia. Además, recaería en la persona que encajase aquel tanto, la posible historia de un portero que le condenaría de por vida.

El siguiente rival al que el Santos debía medirse era el Bahía, al noroeste de Brasil. Un reportaje del programa *Fiebre Maldini* publicó imágenes en las que los cronistas de la época se amontonaban en las inmediaciones del estadio para cubrir la que podía ser la noticia del año. Uno de ellos llegó a entrevistar a Jurandir, el guardameta del equipo local. Al preguntarle cómo se sentía, fue sincero, pese a la preferencia popular. «Sería un momento muy amargo», dijo con rotundidad.

Más de 40 000 personas acudieron al estadio Fontenova para presenciar el mayor hito individual de un futbolista. Nildo, defensa del Bahía, fue el futbolista que evitó la hazaña de Pelé, al sacar un disparo bajo palos. La propia estrella del Santos recuerda cómo abuchearon a quien lo único que quería era salvar a su equipo. Sin embargo, poco después, el guardameta santista se lesionó y fue el propio Pelé el que se puso bajo palos. «La gente comenzó a decir que fui hacia el arco porque quería anotar el gol número 1000 en Maracaná, pero tres o cuatro partidos antes jugamos en Bahía y en Porto Alegre, y yo siempre quise marcar ese gol, siempre quería marcar goles. ¡No me importaba si era en Maracaná!», declaró años después.

No obstante, él ya había actuado como portero en otras ocasiones; de hecho era el habitual cuando se lesionaba el guardameta titular: «En el inicio de mi carrera jugaba como arquero suplente, tanto para la selección brasileña como para el Santos, porque no se podía sustituir al arquero si era expulsado o sufría una lesión. Debías elegir un jugador de campo que también pudiera jugar en el arco. Así que solía entrenar como arquero, y era bueno».

La realidad era así. El Santos jugaría contra el Vasco da Gama en Maracaná y todo Brasil creyó que lo hizo por marcar en el estadio más emblemático del planeta. El encuentro tuvo mayor expectación y empezó trepidante, con un travesaño de Pelé nada más comenzar. Pero Manuel Amaro, árbitro del partido, quiso pasar a la historia e indicó penalti a favor del Santos. La decisión fue muy criticada por el Vasco, que creía ver ocultas intenciones del juez en aquella decisión. Pelé colocó la pelota en el punto de penalti. Al cabo de muchos años, reconoció que esa fue la única vez que le habían temblado las piernas. Pero marcó el esperado gol y Maracaná enloqueció con la cifra redonda. De hecho, el partido se detuvo al abalanzarse periodistas y aficionados sobre el campo para abrazarle o entrevistarle. Era algo único, también para Edgardo *Gato* Andrada, guardameta del Vasco da Gama que pasaría a la historia como el portero que encajó el gol 1000 de Pelé: golpeó el suelo en varias ocasiones mientras veía cómo la pelota se dirigía al fondo de la red. No obstante, encontró consuelo al cabo de los años: «Pelé pateó. Toqué la pelota, pero no logré pararla. Con el tiempo las cosas cambiaron, me acostumbré a la realidad y ahora convivo muy bien con el milésimo gol».

Hoy luce en Maracaná una placa conmemorativa de la gesta. Nada más acabar el encuentro, todo estaba preparado para que Pelé la descubriese y supiera que siempre sería recordado. Eterno *O Rei*.

EL GOL 100 DE ROGÉRIO CENI

El portero goleador es una especie extraña en el mundo del fútbol. Vimos algunos destellos en Bruce Grobbelaar, portero del Liverpool, al que le gustaba jugar como delantero en los entrenamientos. O José Luis Chilavert, guardameta paraguayo que nos acostumbró a los libres directos y a los lanzamientos al área rival.

Sin embargo, Rogério Ceni es el campeón en esta faceta. Recordado por muchos su excepcional golpeo, pasó a la historia cuando consiguió un hito del que dudamos que haya algún competidor.

El guardameta de Sao Paulo recordará el 27 de marzo de 2011 como uno de los mejores momentos de su carrera. El futbolista, que ha pasado toda su vida con el equipo Tricolor, jugó contra Corinthians. En el minuto 53 del partido, cuando ya iban ganando, una falta al borde del área llevaba el nombre de Rogério Ceni, que corrió desde la portería hasta la zona de ejecución. Y no falló, con un disparo perfecto que no pudo atrapar Júlio César. El gol serviría para que su equipo ganara el encuentro (2-1), pero eso no era lo importante. Rogério había marcado su gol número 100 siendo guardameta, con la particularidad de que 56 de ellos fueron de libre directo, mientras que los 44 restantes habían sido desde el punto de penalti.

Para su desgracia, no pudo celebrar el tanto en Morumbí, estadio de Sao Paulo, que sí le preparó una fiesta cuando marcó el gol, con diez minutos de fuegos artificiales. La FIFA, pese a todo, no reconoció la cifra redonda, ya que dos de esos goles habían sido en partidos amistosos, y no en oficiales. De todas maneras, nadie le quitará la centena al bueno de Rogério Ceni.

CITA:

Nací para el fútbol como Beethoven para la música (Edson Arantes do Nascimento, Pelé).

ONCE IDEAL DE LA HISTORIA DE BRASIL

EL DÍA QUE LINEKER CAGÓ EN MITAD DE UN PARTIDO

Eran tiempos en los que el fenómeno *hooligan* estaba en boca de todos. Los ingleses eran temidos, y más tras la catástrofe de Heysel (1985). Las medidas de Margaret Thatcher, la Dama de Hierro, para frenar la violencia de los aficionados, no habían conseguido aún que remitiese. Por este motivo las autoridades italianas tenían miedo a lo que los ingleses pudieran liar en el país transalpino durante la cita mundialista de 1990. La medida para tenerles más controlados era concentrarlos a todos en Cerdeña. De esta forma, la selección inglesa jugó sus primeros tres partidos en la isla del Mediterráneo. El primer encuentro en Cagliari, capital de Cerdeña, sería ante Irlanda, y Gary Lineker fue el auténtico protagonista.

Lineker se desempeñaba en aquel momento en el Tottenham, tras haber dejado el Barcelona el año anterior. En Londres formaba dupla con la otra gran estrella de Inglaterra para el Mundial, el único e irrepetible Paul Gascoigne. El juego ofensivo de los Three Lions dependía de estos dos futbolistas que en el primer encuentro del Mundial salieron como titulares para intentar asegurar los dos puntos (por entonces, las victorias valían dos puntos en lugar de tres). El partido comenzaba bien gracias, precisamente, a un gol de Lineker.

Con el 1-0 llegó el descanso, y es, en ese momento, cuando el delantero inglés comienza a sentirse indispuesto, pero no quiere pedir el cambio y entra al campo con sus compañeros. Al poco de saltar al terreno de juego, se produce la acción por la que se recordaría la participación de Lineker en aquel Mundial. Tras estirarse para hacer un marcaje, el mundo se le vino abajo. El jugador declaró tiempo después que no había sentido tanta vergüenza en su vida. Eso sí, añadió con sorna que nunca había estado tan liberado en el marcaje; ningún jugador irlandés se le quería acercar. Lineker, pese al mal trago, tuvo un par de ventajas que hicieron que no todo el mundo se diese cuenta de ese momento de bochorno. Llevaba el pantalón típico inglés, azul oscuro, y, por otra parte, todo el campo estaba embarrado por las lluvias caídas en los últimos días. Con un campo tan húmedo, Gary encontró la mejor forma de limpiarse. No pidió el cambio pese a todo, aunque el seleccionador, el mítico Bobby Robson, le terminó sustituyendo en el minuto 83 por Steve Bull.

Cuando Bull entró al campo, Irlanda ya había empatado con un tanto de Kevin Sheddy. Lineker pudo limpiarse y cambiarse para ver los últimos instantes de un partido cuyo resultado (1-1) ya no se movería. Inglaterra comenzaba mal el Mundial y, sobre todo, lo hacía su delantero, aunque no precisamente por su juego. Pese a la decepción causada en su debut, el equipo inglés se fue reponiendo y, tras empatar con Países Bajos, consiguió la victoria por la mínima ante Egipto, que le aseguraba el pase a octavos como primera de grupo.

Los ingleses ganarían a Bélgica en octavos y se cargarían a la sorprendente Camerún en cuartos de final. Los africanos fueron la gran revelación del Mundial, con un veterano Roger Milla que estuvo en boca de todos, tanto por su buena actuación, como por la forma tan carismática de celebrar los goles: se iba a bailar junto al banderín del córner. En semifinales Inglaterra se enfrentó a la vigente subcampeona del mundo, Alemania. Fueron los teutones los que frenaron la buena trayectoria británica. Ya eliminada, Inglaterra jugó para el tercer y cuarto puesto ante la anfitriona, Italia. Los británicos cayeron por 2-1 y terminaron cuartos el campeonato. Pese a ello, es su mejor participación en un Mundial desde entonces*.

¿Y cómo le fue a nuestro protagonista, Gary Lineker, en el Mundial? El delantero marcó cuatro goles en los siete encuentros que jugó y se convirtió en el tercer máximo goleador del Mundial. Igualado, eso sí, con Roger Milla, Míchel y Matthäus. Sus cuatro goles en Italia '90, sumados a los seis que logró en México '86, le convierten en el máximo goleador de Inglaterra en la historia de los Mundiales. Pese a que su participación en el de Italia será recordada por el problema escatológico, ha pasado a la posteridad como uno de los mejores nueves de la historia del fútbol inglés. Un grande, Gary.

*Libro escrito en 2017.

CUANDO GARY LINEKER PRESENTÓ UN PROGRAMA EN CALZONCILLOS

Uno de los mejores futbolistas de Inglaterra nació en Leicester allá por 1960. Sería precisamente en el club de su ciudad donde debutaría como profesional y comenzaría a llamar a las puertas de los mejores clubes.

Pasó posteriormente por el Everton, el Barcelona, el Tottenham y, ya en el ocaso de su carrera, por el Nagoya japonés. Muchos equipos, pero nunca olvidaría sus raíces, donde se hizo jugador y persona. Por ello, la sorprendente Premier League ganada por el Leicester en 2016 la vivió el bueno de Gary como un aficionado más.

La temporada 2015/16 había empezado bien para el equipo dirigido por Ranieri, pero nadie podía esperar el éxito final. Tanto es así que el propio Gary Lineker puso un tuit en diciembre, con más de media temporada aún por delante, en el que anunciaba que si el Leicester ganaba la Premier, él saldría en la televisión en calzoncillos. El exfutbolista, uno de los mejores tuiteros del mundo del fútbol, que siempre ha destacado por su papel activo en las redes sociales, acabó cumpliendo su promesa. Fue en la sección «Match of the Day» de la BBC. Había terminado la primera jornada de la temporada 2016717, con derrota del Leicester, por cierto, pero el atractivo estaba en ver a Lineker. Los míticos Ian Wright y Alan Shearer no podían contener la risa, mientras Gary hablaba en paños menores, unos calzoncillos que llevaban en grande el escudo del Leicester. Lineker no se arrepintió de su apuesta: «Cuando hice aquella promesa era diciembre. Sabía que no había ninguna posibilidad de que el Leicester ganase la Liga. Ninguna. Y ocurrió, fue mágico, fue fantástico». Un tipo carismático, no hay duda.

CITA:

El fútbol es un deporte que inventaron los ingleses, en el que juegan once contra once, y siempre gana Alemania (Gary Lineker).

ONCE IDEAL DE MÉXICO

EL JUGADOR MÁS VIEJO EN DISPUTAR UN PARTIDO OFICIAL

Seguro que conocen la historia de Stanley Matthews, el primer ganador del Balón de Oro, que lo levantó con 41 años y se mantuvo en activo hasta los 50. Pero no vamos a hablar del crack británico. Nuestro protagonista jugó un partido oficial con 71 años. Salvador Reyes, más conocido como el Chava, nació en Guadalajara, México, en 1936. Su padre, Luis Reyes, ya era por entonces jugador de fútbol en un club humilde, pero poco a poco fue progresando hasta que en 1943 firmó por las Chivas. En aquel club estuvo cinco años, los suficientes para que su hijo ya sintiera el amor por el club, y no solo eso: llegó a ser recogepelotas de la entidad. La historia de amor entre el Chava y las Chivas comenzaba.

Pronto este adolescente mostró tener gran desparpajo de cara al gol y terminaría emulando a su padre firmando por las Chivas en 1953. Allí escribiría la historia más dorada del club. Salvador ganó con el Rebaño Sagrado, sobrenombre del Club Deportivo Guadalajara, un total de siete ligas. Aquella generación fue conocida como el Campeonísimo. La gran estrella de esa época fue Salvador, que se convirtió en el máximo goleador del club, récord que mantuvo hasta que Omar Bravo le superó ya en el siglo XXI. Además de brillar en su club, fue internacional con México y acudió a tres Mundiales: Suecia '58, Chile '62 e Inglaterra '66.

Tras una prolongada carrera, Salvador se retiró en 1972..., o eso pensaba él. En 2008, para la primera fecha del Torneo Clausura, Salvador recibió la mayor de las sorpresas. Una semana antes del partido que su equipo, Chivas, disputaría ante los Pumas, recibió la gran noticia: había sido inscrito en la Federación para jugar unos segundos de este encuentro. Los visitantes accedieron a que Salvador jugase un minuto de este partido oficial a modo de homenaje. El día del enfrentamiento, Salvador saltó con el 57 a la espalda. Número simbólico, ya que 1957 fue el año en el que Chivas se proclamó por primera vez campeón de México con el Chava como jugador del equipo. Todavía retumba la ovación del estadio Jalisco cuando aquel 19 de enero de 2008 se entonó desde megafonía su nombre con la siguiente retahíla: «Número 57, el campeonísimo *Chava* Reyes». Salvador saltó al campo con una camiseta muy parecida a la que vistió en su época como futbolista. Una camiseta especial para una fecha especial.

Tras escuchar el himno mexicano, comenzó el duelo. No se habían tocado tres balones cuando Salvador Reyes fue sustituido, a los 50 segundos de partido. En el costado se alinearon todos los jugadores para saludarle, una leyenda del club que hoy jugaba con ellos. El sustituto del Chava fue Omar Bravo; los dos máximos goleadores del club no llegaron a coincidir sobre la cancha, pero sí que gozaron de este gran momento juntos. Desde la banda, Salvador vio cómo su equipo ganaba 3-0 para terminar de redondear la fiesta.

Al disputar un minuto de un encuentro oficial, Salvador Reyes se convirtió con 71 años y 4 meses en el jugador más veterano de la historia del deporte rey. No podía haber mayor homenaje que escribir su nombre en los libros de historia. Salvador agradeció que su padre pudiera ver el partido desde las gradas a sus 94 años. Fallecería solo ocho días después de aquel partido, pero pudo volver a ver a su hijo siendo ovacionado por la afición, que también le ovacionó a él. En la grada también estaba el hijo del Chava. Salvador Reyes hijo jugó también en Chivas en 1995, consiguiendo que una tercera generación de su familia jugase en el club.

Salvador Reyes padre se nos fue en 2012 víctima de un cáncer de colon. Murió en Guadalajara, una ciudad que le idolatraba y le despidió como se merecía. Una leyenda del fútbol que siempre contagió con su carácter y sonrisas a compañeros y rivales. Cuentan que en una ocasión fueron a ver al presidente de México y al entrar en su despacho no estaba la máxima autoridad. Salvador quiso hacerse una foto en su asiento, momento en el que entró el presidente. Lo que podía ser tomado por una falta de respeto Salvador lo convirtió en una anécdota más, al decirle al político que por qué no se cambiaban los puestos. El presidente rio.

CITA:

Ruega a Dios que no te meta un gol, porque te voy a manchar de por vida (Cuautéhmoc Blanco al portero Félix Fernández). Después de marcar, festejó el tanto fingiendo ser un perro orinándose en la portería de Félix

EL RECTOR DE LA UNIVERSIDAD QUE SE VISTIÓ DE FUTBOLISTA PROFESIONAL

El nexo de las universidades mexicanas con su fútbol viene de lejos. Muchos de los mejores equipos del país americano surgen de las universidades, Tigres de la UANL o Pumas de la UNAM son un buen ejemplo, pero el que tiene una de las historias más curiosas es el Correcaminos de la UAT.

La Universidad Autónoma de Tamaulipas tuvo a su equipo en la Primera División mexicana durante unos años, desde la campaña 1987/88 hasta la 1994/95. Curiosamente, sufrieron un descenso en esta etapa, pero no se llevó a cabo, ya que le compraron la plaza a otro equipo, en este caso los Coyotes de Neza. Aunque lo más curioso ocurrió en la campaña 1993/94.

La temporada estaba llegando a su fin y en México, a diferencia de la mayoría de campeonatos europeos, al terminar la liga regular se disputa un *playoff* para dilucidar al campeón. El estilo es similar al de la NBA. Pues bien, los Correcaminos de la UAT se habían quedado fuera matemáticamente de estos *play-off*. Fue aquí el momento en el que llegó el protagonista de nuestra historia, el señor Humberto Filizola. Era el rector de la Universidad y a sus 44 años disputaría la última jornada ante un gigante de México, el América. Cualquiera le decía que no.

El rector de la Universidad disputó únicamente 28 minutos y demostró en todo momento no tener el nivel suficiente para jugar un partido de Primera División. Por algo era el rector, y no futbolista. Tuvo una ocasión clarísima en un mano a mano con el portero, pero desperdició la oportunidad de hacer aún más historia marcando un gol. Tras el partido terminó anunciando su «retirada» y señaló que había jugado para demostrarle a la juventud que con esfuerzo y coraje todo se puede lograr. Y también con poder, se le olvidó añadir al bueno de Humberto.

ONCE IDEAL DE INGLATERRA

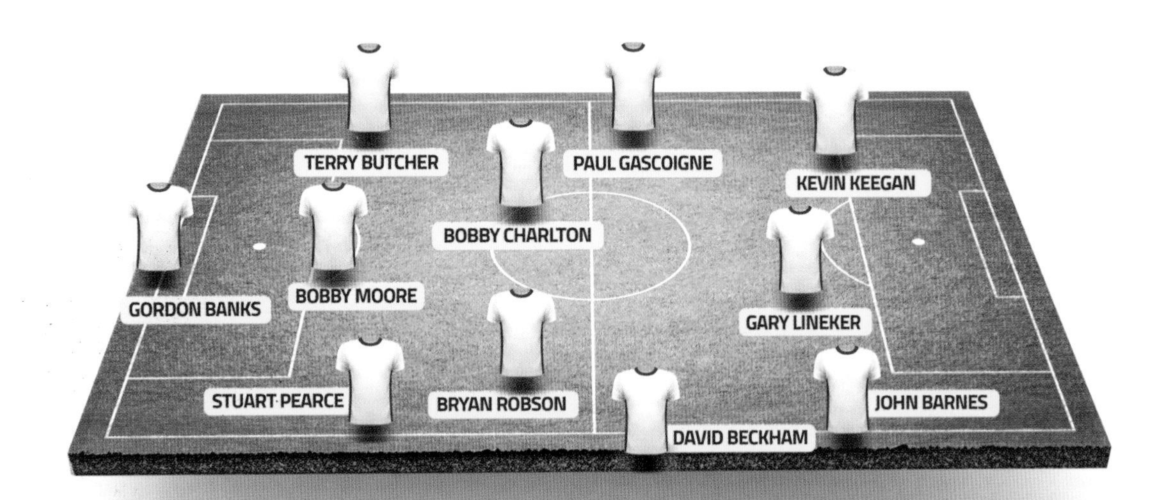

EL MUNDIAL DE LA VERGÜENZA

Tildado de exótico por algunos, de extravagante por otros y de una locura por la gran mayoría de los futboleros, el Mundial de Qatar esconde la mayor vergüenza de la historia del fútbol. En 2010, la FIFA anunciaba la concesión del Mundial de 2022 a ese país del golfo Pérsico, primera vez que un país árabe organizaría un Mundial, aunque las protestas no tardaron en llegar. La sombra de la sospecha empezó a resultar cada vez más nítida.

Las primeras quejas vinieron de la concesión de este Mundial y las irregularidades denunciadas por algunos de los miembros de la FIFA, en la que incluso se hablaba de sobornos en los votos. Al igual que pasó en la designación de la sede del Mundial 2018 en Rusia, la elección del de Qatar suscitaba muchas sospechas, lo que desembocó en una crisis de la FIFA, con expulsiones de muchos miembros de federaciones. Pero los mundiales de Rusia y Qatar seguirían adelante.

El segundo problema de este Mundial tenía que ver con la meteorología. Hasta ahora, los mundiales se habían celebrado siempre en el verano del hemisferio norte. La imposibilidad de organizar un Mundial durante el asfixiante verano catarí provocó que las fechas de competición se trasladaran al mes de noviembre, lo que supone detener las principales ligas europeas y la Champions League. Lo positivo de todo esto es que por fin se verá un Mundial al que los jugadores no lleguen asfixiados tras una temporada muy cargada. Todo lo relatado anteriormente son nimiedades comparado con lo verdaderamente vergonzoso del Mundial de 2022, y es que será una cita construida a costa de trabajadores explotados que en muchos casos han dejado su vida en el camino. Los muertos se cuentan por miles según Amnistía Internacional, organismo que más y mejor ha denunciado tales condiciones de semiesclavitud.

Esta mano de obra se compone fundamentalmente de inmigrantes provenientes de Nepal, India y Bangladesh. Personas a las que en su país se les promete una cantidad de dinero y que se endeudan con agentes de contratación que les piden cantidades de entre 500 y 4300 dólares para conseguir trabajo. Luego, llegan a Qatar y se encuentran con que lo que van a cobrar no se corresponde con lo prometido —la mayoría de los sueldos no pasa de los 200 dólares mensuales—, además de no saber cuándo lo van a percibir. Algunos de los trabajadores pueden estar meses sin cobrar, lo que implica no mandar nada a sus familias.

Otra de las cosas que se encuentran los trabajadores a su llegada al emirato árabe es la retirada del pasaporte. Qatar tiene un sistema, conocido como Kafala, consistente en que los trabajadores tienen un patrón, ya sea una persona o una empresa. Este patrón es el encargado de velar por que los derechos de su trabajador se cumplan, algo que obviamente no suele pasar. Además, decide cuándo se pueden ir del país los trabajadores.

Por si un sueldo paupérrimo, deudas y un sistema en el que son dueños de otra persona o personas no fuera suficiente para los trabajadores, también viven hacinados. La media es de ocho personas por habitación, cuyas circunstancias de insalubridad también han sido denunciadas por Amnistía Internacional. Cabe destacar también que las jornadas de trabajo pueden durar hasta 12 horas los 7 días de la semana, con un calor asfixiante y sin las medidas de seguridad apropiadas.

Conociendo todo esto, ¿cómo sigue adelante un Mundial de estas características? Poderoso amigo es don dinero. Los que conocen la situación prefieren callar para seguir agrandando sus bolsillos y contentar a uno de los países con mayor renta per cápita del mundo. El problema también está en el desconocimiento de la situación en Occidente. Uno de los principales activistas en la denuncia del Mundial es Absdelam Ouaddou, exjugador de fútbol profesional que pasó por el fútbol catarí, donde empezó a tomar conciencia de la situación real del país. Así de duro se mostró cuando hablamos con él: «Hay 400 muertes cada año en las sedes de la Copa del Mundo, en una de las cuales se celebrará el partido inaugural en 2022. Si nada cambia, se estima en más de 4000 muertos. El mundo del deporte debe decir basta a esta farsa. No podemos tolerar la esclavitud de un país y los muertos en los estadios».

CITA:

> No podemos tolerar la esclavitud de un país y los muertos en los estadios (Abdeslam Ouaddou, exfutbolista).

EL JEQUE QUE ANULÓ UN GOL DE UN MUNDIAL

Probablemente sea la historia más absurda de las que se han dado nunca en un Mundial de fútbol. El evento más importante del deporte rey ha tenido muchas anécdotas, pero ninguna supera la acontecida en Valladolid en 1982. En el estadio José Zorrilla se enfrentaban Francia y Kuwait en el segundo partido de la fase de grupos. Los galos ratificaban su superioridad ganando 3-1 en el minuto 80 de juego, cuando Giresse aumentó la diferencia con un cuarto gol..., o eso pensó él.

Desde la grada, un hombre con turbante comenzó a hacer gestos al campo. Los jugadores de Kuwait miraban a este señor que estaba en el palco. Los franceses no sabían quién era, pero los futbolistas del emirato lo conocían perfectamente: era el jeque Fahid Al-Ahmad Al-Sabah, presidente de la Federación de Fútbol de su país y hermano del emir del país. En vista de que no le entendían, bajó hasta el campo. Lo más curioso es que la policía española, en lugar de impedirle el paso, le escoltó hasta el terreno de juego. Quería hablar con el árbitro.

El argumento del jeque era que desde la grada se había oído un silbato que había despistado a sus jugadores, lo que explicaba, según él, que no defendieran correctamente la jugada del cuarto gol. Tras un momento de conversación, el árbitro soviético accedió a anular el gol ante la sorpresa de los franceses. Michel Hidalgo, seleccionador francés, no podía creérselo. Una vez terminado el partido, Giresse comentó con sorna que pensaba que le iban a anular todos los goles e iba a ganar Kuwait. Tras anular este gol, Francia metió otro y el partido finalizó 4-1, aunque lo que se había visto en Pucela ya era historia del fútbol. Un jeque anulando un gol.

QATAR 2022

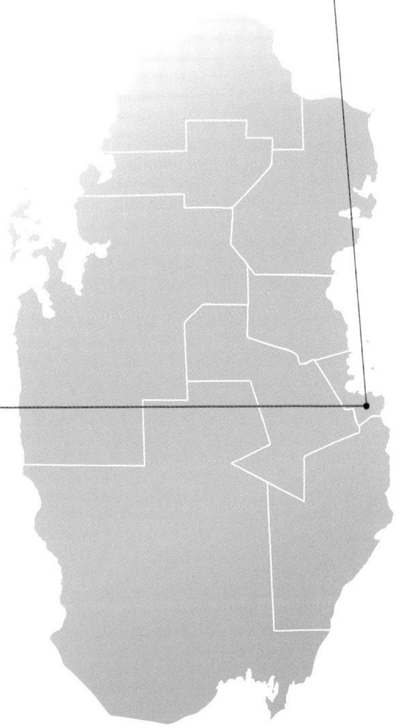

DOHA

El idioma del dinero

La empresa Six Construct, encargada de la reforma del Estadio Internacional Jalifa, tendrá unos beneficios superiores a los 90 millones de dólares. La FIFA ganó en 2014 alrededor de 2000 millones de dólares, cifra que contrasta con los 220 dólares mensuales de media que ganan los trabajadores del estadio.

LUSAIL

Según las previsiones, aquí se jugará el partido inaugural y la final del Mundial. Es una ciudad construida de la nada, con un coste aproximado de 45 000 millones de dólares y que tendrá cabida para 200 000 personas.

TRABAJADORES

Hasta 1700 000 trabajadores se encargan de la construcción del Mundial de Qatar. El 90 % de estos trabajadores son migrantes, provenientes de Nepal, Bangladesh y la India, que a su llegada se ven obligados a entrar en el sistema de Kafala, por el que pertenecen a un patrón, que les retira el pasaporte.

EL CALENDARIO

La inauguración del Mundial está prevista para el 21 de noviembre de 2022, y la clausura, para el 18 de diciembre. Será más corto de lo habitual y en unas fechas igual de inusuales con el fin de eludir el calor del verano catarí, que puede llegar a superar los 50 °C.

EL EQUIPO QUE ASCIENDE CADA VEZ QUE CAMBIA EL PAPA

Dicen que fútbol y religión no deberían ir unidos, pero no son pocas las veces que nos hemos encontrado con historias curiosas que nos hacen ver las cosas de forma diferente. Esta es una de ellas, la del curioso idilio entre el Avellino, un modesto equipo del sur de Italia, y el Pontificado. Y es que dice la leyenda que cada vez que hay un cambio de papa en el Vaticano, ese año va a haber celebración en Avellino, que termina consiguiendo el ascenso.

El periodista español Víctor Gómez Muñiz fue el que descubrió esta curiosa relación hace algunos años. Los *biancoverdi* siempre han sido un equipo ascensor, acostumbrado a subir de categoría tan rápido como a bajarla.

El origen de esta historia se remonta a 1958. En octubre de ese año, la fumata blanca dictaminó que Juan XXIII era el nuevo papa de Roma. Esa misma campaña, 1958/59, el Avellino consiguió el ascenso a la Serie C, tercera categoría del fútbol italiano, aunque, desgraciadamente para ellos, no lograrían mantenerse mucho tiempo.

Por eso, tuvieron que esperar a junio de 1963. Aquel año, Pablo VI fue el papa elegido. Así pues, con este nuevo nombramiento, el Avellino inició la temporada con el objetivo de volver a recuperar la categoría que habían perdido. Dicho y hecho, ascendieron nuevamente a la Serie A al término de la temporada 1963/64 y la ciudad entera estalló en júbilo.

Después, hubo que esperar más de una década para que volviera a haber relevo en el Vaticano. En 1978, hubo hasta tres nuevos pontífices en Roma, por la muerte de Pablo VI, el nombramiento de Juan Pablo I, su fallecimiento y el posterior pontificado de Juan Pablo II. Demasiados papas en poco tiempo y, como no podía ser de otra manera, el Avellino consiguió el mayor hito de su historia. Entrenado por Paolo Carosi, ascendió por primera vez a la Serie A, máxima categoría del fútbol en Italia.

Juan Pablo II permanecería en ese puesto de máxima autoridad de la Iglesia durante décadas. Hasta su muerte en 2005, el Avellino había cambiado de categoría en alguna que otra ocasión, pero en abril había nuevo papa. El alemán Joseph Ratzinger se convirtió en Benedicto XVI y aquello debía significar algo. Efectivamente, el Avellino conseguía un nuevo ascenso. En la temporada 2004/05, el Avelllino vencía en el *play-off* contra el Napoli y recuperaba la categoría que había perdido solo un año antes.

Como curiosidad, entre 2002 y 2011, cada temporada que pasaba, el Avellino terminaba el año en puestos de descenso o de ascenso. No había nada de tranquilidad en el club *biancoverdi*, que en 2010 cambiaba su nombre de Unione Sportiva Avellino por el de Associazione Sportiva Avellino 1912.

Y en marzo de 2013 llega el último episodio de esta historia. Benedicto XVI había renunciado al pontificado por problemas de edad. Era necesario un cambio y alguien más activo para poder seguir con la actividad del papa. Ese mes, la fumata blanca anunciaba a un argentino, Jorge Bergoglio, que se convirtió en Francisco I. Fiesta en Avellino, que pocas semanas después iba a lograr un nuevo ascenso a Serie B. Y no solo eso, también iban a lograr su primer título, la Supercoppa di Lega Pro, campeonato creado en 2000 y que disputan los equipos de Serie C1. Otro éxito más.

El Avellino también podía ascender sin cambio de papa, por supuesto. Pero lo divertido de esta historia es comprobar que, cada vez que había un cambio en el Vaticano, los habitantes de esta pequeña ciudad celebran lo que está por venir, que su equipo va a lograr ascender.

CITA:

El fútbol es la religión del siglo XXI (Manuel Vázquez Montalbán).

EL JUGADOR DEL MANCHESTER UNITED QUE SE ENTREGÓ A LA IGLESIA

Phil Mulryne espera tranquilo. El norirlandés ya había sido convocado antes, pero no había llegado a debutar en la Premier. En ese partido, Sir Alex Ferguson le dio la noticia de su vida: Va a ser titular con el United. Venía trabajando duro en los entrenamientos y ya se había estrenado ese año en la Copa de la Liga y en la FA Cup, pero llegaba el momento de hacerse notar en la Premier. Se trataba de un centrocampista con llegada y un excelente pie derecho.

El 10 de mayo de 1998 se disputa la última jornada de la temporada 1958/59 en la Premier League. El Manchester United ya no se juega nada y visita al ya descendido Barnsley. Un partido intranscendente en el que Sir Alex Ferguson aprovecha para formar un once en el que predominan los hombres menos habituales y algún juvenil. Phil Mulryne, de solo 20 años, es uno de ellos. Aquel día ganan, pero la temporada llega a su fin. Toca comenzar de cero en pretemporada y, la verdad, Mulryne no empezó nada mal. El United pierde en Birmingham uno de sus primeros encuentros, pero el talentoso centrocampista marca un *hat-trick*.

Sin embargo, Old Trafford es exigente y Ferguson no confiaría mucho más en Mulryne, que terminó haciendo las maletas rumbo al Norwich City, donde se consagró tras más de un lustro de claroscuros. Era un buen jugador, pero le gustaba mucho salir. Se saltó una concentración con Irlanda del Norte para ir a un *pub* a tomar unas pintas y aquello llegó a oídos del seleccionador, que le mandó de vuelta a casa. En ese momento algo cambió en Phil, que comenzó a dar tumbos por distintos equipos hasta su retirada definitiva, a causa de las lesiones, con solo 30 años. También, en esos años, se había declarado en bancarrota y había roto con su novia, la modelo Nicola Chapman. Entonces lo vio claro. Empezó su formación como sacerdote y a finales de 2016 fue ordenado diácono. Así es la nueva vida de Phil Mulryne, un campeón de Europa (con el Manchester United en 1999) que ha jugado con algunos de los más grandes y que hoy juega otro partido bien distinto, el del Evangelio.

ASCENSOS DEL AVELLINO Y CAMBIOS DE PAPA

Octubre 1958:
NUEVO PAPA, Juan XXIII
Temporada 1958/59: ASCENSO DEL AVELLINO a Serie C

Junio 1963:
NUEVO PAPA, Pablo VI
Temporada 1963/64: ASCENSO DEL AVELLINO a Serie C

Agosto 1978:
NUEVO PAPA, Juan Pablo I
Temporada 1977/78: ASCENSO DEL AVELLINO a Serie A

Abril 2005:
NUEVO PAPA, Benedicto XVI
Temporada 2004/05: ASCENSO DEL AVELLINO a Serie B

Marzo 2013:
NUEVO PAPA, Francisco I
Temporada 2012/13: ASCENSO DEL AVELLINO a Serie B

LA POLÍTICA Y EL FÚTBOL

"Fútbol y política no pueden ir de la mano". Esto no siempre es así. A lo largo de la historia, ambos han convivido y conviven. Observamos cómo el deporte rey ha padecido, en muchas ocasiones, esta relación. Dirigentes, políticos o, incluso, dictadores han utilizado el fútbol, y así ocurren historias como estas.

EL PARTIDO DE LA MUERTE

«Soy un soldado, peleo donde me dicen y gano donde peleo». Esta frase suele vincularse con la Segunda Guerra Mundial, el gran conflicto bélico que, para muchos, estuvo cerca de acabar con el mundo, una parte de nuestra historia que esconde a héroes, villanos, víctimas o implicados y que, de desmigajarse en sus innumerables relatos, no cesaríamos nunca de desentrañar lo que verdaderamente sucedió, más allá de sus repercusiones globales. El fútbol también ganó presencia. No de la misma manera porque, dada la seriedad, muchos países pararon los campeonatos ligueros para dar importancia al acontecimiento de todos, desde tener presencia militar hasta guardar luto. La pelota llegó a ser apaciguadora, como en la Primera Gran Guerra, durante la Navidad de 1914, cuando se negoció un alto el fuego para jugar varios partidos de fútbol, como ocurrió en Flandes entre alemanes e ingleses.

Esta historia ocurrió, casi tres décadas más tarde, en Ucrania, por entonces ocupada por el Tercer Reich. Fue concretamente en 1942, un año después de que Kiev, actual capital ucraniana, sufriera la conocida batalla que lleva su nombre, una prolongación de la Operación Barbarroja, el plan de Hitler de invadir la Unión Soviética. Allí nació el FC Start, que en ningún caso fue un grupo de liberación —o quizás sí para muchos—, sino más bien un equipo conformado por futbolistas del Dinamo de Kiev y del Lokomotiv, que unieron sus fuerzas a pesar de ser rivales.

El club se gestó donde se amasan las historias que luego se hacen gigantes, en un lugar tan humilde como una panadería, en la que se encontraba Mykola Trusevych, portero del Dinamo y barrendero del establecimiento, tras ser «rescatado» por Iosif Kordik, hincha del equipo del guardameta. Se desconocen si las motivaciones de Kordik eran filantrópicas o económicas, pero sabía que no podían reflotar a su equipo, prohibido por los nazis al haber sido un club controlado por el Estado. Y, por lo tanto, fue en su local donde se compuso una alineación que comprendía a ocho jugadores del Dinamo y a tres del Lokomotiv: el FC Start (Football Club Start).

Sería trepidante contar cómo se desarrolló su primer partido, un 7-2 ante el Rukh sin apenas recursos deportivos y anímicos para hacerlo; o enumerar todas las guarniciones militares de húngaros o fuerzas invasoras que aplastaron, pero lo que marcó la diferencia fue el día que hirieron el orgullo de lo más selecto de la Alemania nazi, el Flakelf, un equipo integrado por pilotos y soldados de élite. El FC Start humilló a sus rivales con un 5-1 que hirió la moral alemana. Ambas partes dilucidaron que aquello fue algo más que un partido y Alemania pidió revancha. El día 9 de agosto de 1942 en el estadio Zenit, a las órdenes de un árbitro que, según la leyenda, era miembro de las SS, se midieron el FC Start y el Flakelf, en un encuentro que volvió a terminar con victoria de los ucranios por 5 a 3. El periódico Kyivska Pravda destacó lo siguiente: «Los jugadores saltaron al terreno con el mismo espíritu con el que se participa en una acción de guerra [...] Decenas de miles de personas fueron testigos de la humillación alemana y del triunfo de nuestros atletas».

Y esta historia, para los que no conozcan su nombre, se conoce como la del Partido de la Muerte. Porque aquello, según cuentan, tuvo funestas consecuencias. Fueron encarcelados y torturados por la Gestapo, y se dice que Mykola Korotkykh, uno de los jugadores del equipo, sucumbió a la tortura. El resto fueron enviados a campos de concentración como el de Sirets, donde, según se apunta, varios fueron ejecutados, entre ellos Trusevich.

Aunque no se descarta que todo fuera consecuencia de una situación posterior, otros aseguran que la mayoría fallecieron, aunque no por aquella humillación futbolística. Si los encuentros cesaron, fue para el levantamiento soviético, pero la leyenda se extendió de tal modo que la reversionaron en una conocida película llamada *Evasión o victoria,* protagonizada por Stallone, Michael Caine y jugadores como Pelé o Bobby Moore. El fútbol tuvo su presencia en la guerra, pero el FC Start interpretó el conflicto de otra manera: «Soy un futbolista, juego donde me dicen y gano donde juego». Y, claro, eso levanta la moral a cualquiera.

EL TELEGRAMA DE MUSSOLINI

Italia ganó la segunda y tercera ediciones de la historia del Mundial. Su primera estrella pudieron ponérsela en un torneo tachado de polémico por parte de los anfitriones: árbitros caseros, juego violento y nacionalizaciones de futbolistas sudamericanos —conocidos como *oriundi*— para ganar el trofeo intercontinental. En el segundo, aquella duda no tenía cabida.

En plena dictadura de Benito Mussolini, la *azzurra* llegó a Francia, sede del Mundial, a las órdenes del sabio Vittorio Pozzo, todo un enamorado de la pelota y un estudioso del fútbol. El ambiente era hostil, sobre todo por razones políticas, pero Italia pasó rondas de forma soberana. Como detalle político, la selección italiana tuvo que jugar algunos partidos con la camiseta negra —símbolo de las fuerzas paramilitares del partido fascista—, como en cuartos de final ante los anfitriones galos, contrarios a las ideas de Mussolini. El enconamiento se avivaba cada vez que los italianos alzaban el brazo antes del pitido inicial.

Llegarían a la final derrotando en semifinales a Brasil, una de las favoritas. El orgullo italiano iba en aumento y no era el momento de fallar..., sobre todo a ojos de Mussolini, que utilizaba el fútbol como arma política. Y antes de que todo se decidiera, el dictador decidió mandar a Pozzo un telegrama: «Vincere o morire» ('Vencer o morir'). No había opción e Italia logró salvar la vida ganando a Hungría por 4-2 en Colombes. Años después, recordando aquella derrota, el guardameta magiar Szabo declaró no haber sentido dolor por la pérdida de aquel Mundial. Y sentenció: «Con los cuatro goles que me metieron salvé la vida a once seres humanos».

CITA:

En su vida, un hombre puede cambiar de mujer, de partido político o de religión, pero no puede cambiar de equipo de fútbol (Eduardo Galeano, escritor uruguayo).

EQUIPOS Y DICTADORES

Francisco Franco: Al dictador español siempre se le ha relacionado con el Real Madrid, catalogado como el equipo de España y de ser favorecido por su «gracia», tanto en el fichaje de Di Stéfano como en la construcción del estadio Santiago Bernabéu. No obstante, también se le asocia con el Atlético Aviación, equipo considerado cercano al ámbito militar.

Benito Mussolini: Dos son los equipos que se han relacionado tradicionalmente con Benito Mussolini: Lazio y Bologna. El primero, sobre todo, por las preferencias políticas del dictador y el segundo, dicen, por las características de su juego.

Adolf Hitler: El equipo minero, Schalke 04, era uno de los favoritos de Hitler. Durante la dictadura, ganó seis títulos, que se han relacionado con los favores del Führer, si bien este siempre consideró el fútbol como un deporte «poco masculino».

Jorge Rafael Videla: Aunque se desconoce cuánto había de cierto en la afición de Videla por River Plate, no cabe duda de que el dictador utilizó el Mundial de 1978 para tratar de mejorar su imagen exterior.

Augusto Pinochet: En Chile, donde el fútbol se empleó como herramienta de lucha contra Pinochet, se asocia al club Colo-Colo con el dictador.

Tito: El equipo al que más se le ha vinculado con el dictador yugoslavo ha sido el Estrella Roja de Belgrado, a través del Ministerio del Interior. A su rival, el Partizán, se le relacionaba con parte del Ejército Popular yugoslavo.

Antonio de Oliveira Salazar: Muy pocos han sido los datos recabados sobre sus preferencias futbolísticas, pero, en numerosas ocasiones, calificó abiertamente al Benfica como el club más grande de Portugal y el que más socios tenía en el mundo.

Nicolae Ceaucescu: No cabe duda de que el dictador rumano utilizó al equipo del Ejército, el Steaua de Bucarest, como arma de propaganda. Se aprovechó de la buena generación de los ochenta para hacer campaña.

LA ENIGMÁTICA MUERTE DE MATTHIAS SINDELAR

Un adelantado a su tiempo. Así lo definen los que le vieron jugar, un futbolista que rompía con la norma establecida de un fútbol que, en muchos aspectos, aún era muy rudimentario. Sindelar era la estrella del mejor equipo europeo de los años treinta, el Wunderteam austriaco, considerado el primero en aplicar el conocido como «fútbol total», que más tarde perfeccionaría Rinus Michels con Países Bajos. El Wunderteam fue un equipo y una selección que desapareció en 1938 con la anexión de Austria al Tercer Reich.

Lo cierto es que los años de apogeo del Wunderteam fueron entre 1931 y 1935. Dirigida por Hugo Meisl, Austria se convirtió en la gran dominadora del fútbol europeo. Tanto es así que venció a Alemania por 0-5 en Berlín y por 5-0 en Viena. Poco a poco se fue fogueando y en el Mundial de Italia (1934) encontró su momento cumbre. Los pupilos de Meisl llegaban como favoritos, pero únicamente la anfitriona pudo dejarles sin la ansiada final. Las sospechas sobre aquel Mundial ganado por la selección *azzurra* se mantienen aún hoy. La mano de Mussolini pudo ser muy larga (más información en la página 153).

Por aquel entonces, Matthias Sindelar ya estaba en la recta final de su carrera como futbolista. Tenía 31 años, pero aún esperaba llegar al siguiente Mundial, que se iba a disputar en Francia en 1938. Lo que no esperaba era el modo en que se iban a desarrollar los acontecimientos: Adolf Hitler anexionó Austria y la selección austriaca desaparecería, aunque antes disputaría ante Alemania un partido de despedida, el último de Sindelar como internacional. Austria venció 0-2 con un gol suyo, que celebró bailando antes personalidades nazis. Sindelar dejaba clara su postura.

Desde ese momento, Matthias Sindelar eludió en reiteradas ocasiones acudir con la selección de Alemania. Justificaba sus ausencias aduciendo unas lesiones como argumento, que terminó por cansar a más de uno. La Gestapo, policía secreta de la Alemania nazi, llegó a elaborar un informe en el que le señalaban como amigo de los judíos. Sindelar, de familia cristiana (muchos creen equivocadamente que era judío) de origen checo, vivió en Viena desde bien pequeñito y desarrollaría su juego en el Austria Viena, considerado un equipo judío.

El Austria Viena no desapareció con la llegada de los nazis, pero sí fueron expulsados los jugadores y directivos judíos. Sindelar seguiría, pero pronto fue señalado como una persona reacia al nuevo régimen que se estableció en Austria, que pasó a conocerse como Ostmark, previo a la anexión definitiva al Tercer Reich. El Austria Viena corrió mejor suerte que el Hakoah Viena, club totalmente judío que fue obligado a desaparecer por completo por orden del régimen nazi.

Sindelar, que tenía una pareja italiana de origen judío, siguió viviendo en Viena y nunca ocultó su rechazo a los ideales nacionalsocialistas. Buena prueba de ello es que tras comprar un bar, nunca cerró sus puertas a los judíos, como hicieron otros muchos establecimientos. Sindelar no se cruzaba de brazos, no tenía miedo.

El 23 de enero de 1939, Matthias Sindelar fue hallado muerto en su domicilio junto a su pareja, la italiana Camilla Castagnola. El motivo de ambas muertes fue la inhalación de monóxido de carbono mientras dormían, la conocida como «muerte dulce». Las especulaciones sobre la muerte del mejor jugador austriaco, un ídolo para la sociedad vienesa, no se hicieron esperar y la hipótesis del asesinato fue tomando fuerza.

Matthias Sindelar, conocido como el hombre de papel, debido a la versatilidad de sus movimientos, fallecía a los 37 años. Llevaba dos años sin jugar un partido con su Austria querida y era reacio a la nueva situación. Aquí es donde los especuladores encuentran otra explicación para la muerte de Matthias, que habría sido provocada por él mismo y su mujer: un suicidio, en suma. Que se sentían rechazados e incluso acorralados en una sociedad excluyente y que prefirieron no seguir viviendo en un mundo así.

Lo cierto es que los informes asignaron al azar la responsabilidad de la muerte, unas tuberías en mal estado que habían dejado escapar este gas inodoro. Sería un oficial nazi el que firmaría este como el motivo de la muerte, ya que de esta forma se podría hacer un homenaje de Estado. Un homenaje que aglomeró a miles de personas en las calles para despedir al Mozart del fútbol austriaco. Un hombre del que nunca se sabrá el motivo exacto de su muerte, pero que nunca será olvidado. Un adelantado a su tiempo.

EL RAPID VIENA AUSTRIACO, CAMPEÓN DEL FÚTBOL ALEMÁN

El Rapid Viena es uno de los equipos más laureados del fútbol austriaco. Únicamente el Austria Viena puede discutir su poderío, pero hay una gesta que jamás podrá igualar con su antagónico rival, o eso parece.

Y es que el Rapid Viena ha sido campeón de la liga alemana y de la copa del mismo país. Todo tiene unos matices históricos, por supuesto. Hitler anexionó Austria en su Tercer Reich en 1938, y en ese momento los clubes austriacos comenzaron a jugar los campeonatos alemanes.

Sería en 1938 cuando el Rapid Viena conseguiría su primer título alemán, ganando la copa del país germano al FSV Frankfurt en Berlín. Primera victoria austriaca, aunque no la última. El First Vienna se convertiría en 1943 también en campeón de la copa alemana, ganando en esta ocasión al LSV Hamburgo. Pero la grandeza del Rapid Viena no puede ser superada y es que en 1941 ganó el campeonato liguero germano.

Todavía no existía la Bundesliga tal y como hoy la conocemos. La liga alemana constaba de una serie de fases de grupos hasta llegar a las semifinales, donde los cuatro mejores equipos de la temporada se jugarían todo a cara o cruz. La final quiso que se enfrentasen el Rapid Viena y el Schalke 04, por entonces el mejor equipo alemán. En la final, los de Gelsenkirchen se pondrían por delante con un 0-3, pero en tan solo once minutos los austriacos le dieron la vuelta al resultado. El Rapid Viena era campeón alemán. Austria vencía a Alemania en la cancha.

ONCE IDEAL JUGADORES HASTA 1950

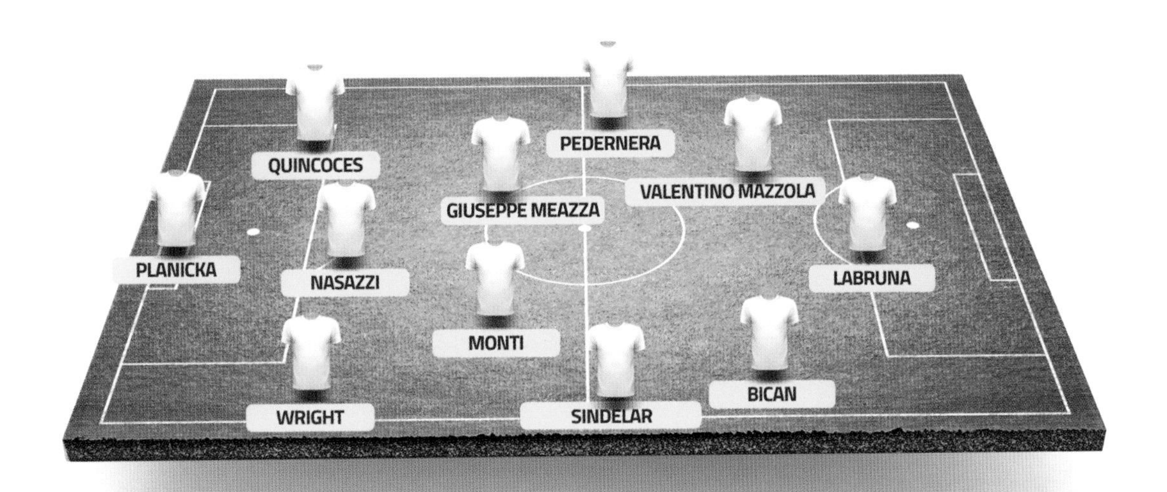

CITA:

Había crecido sin zapatos, sufriendo el hambre, y sin embargo era el mejor. No había explicación (Angelo Schiavio, rival de Matthias Sindelar).

LOS FUSILAMIENTOS DEL FÚTBOL ESPAÑOL

La Guerra Civil española se produjo entre 1936 y 1939, fue un cruento conflicto que asoló España y del que aún no se han cerrado todas las heridas. Por un lado, estaban los republicanos, y por otro, los sublevados, con Francisco Franco a la cabeza. Las competiciones oficiales se detuvieron, como era obvio, y las personalidades del mundo del fútbol sufrieron toda clase de desenlaces. Algunos emigraron, otros sobrevivieron como pudieron y los más desafortunados tuvieron que ir al frente de batalla. Algunos terminaron sus días fusilados, como el exseleccionador español Joaquín Heredia y el presidente del Barcelona Josep Suñol.

Joaquin Heredia fue un funcionario apasionado del balompié en unos tiempos complicados para este deporte. El fútbol todavía tenía que dar muchos pasos en España y Joaquín, gracias a su puesto en la Federación del Fútbol Español, fue uno de los que tomaron las riendas para su profesionalización. En 1923, en una situación extraordinaria, Joaquín dirigiría a España ante Francia y Bélgica. Aunque oficialmente era un triunvirato, el técnico que se sentó en estos partidos fue Joaquín. Un hombre siempre dado a ayudar que, una década después, presidiría la Cruz Roja en León. Durante los momentos anteriores a la guerra y en sus inicios, en el puesto que Joaquín dirigía se atendía por igual a republicanos y sublevados. Ganó la Cruz de la Orden del Mérito Militar por su labor humanitaria tras los conflictos de 1934. Aunque nunca escondió su posición ideológica —perteneció a Acción Republicana y estuvo presente en un mitin de Azaña (presidente de la República)—, su labor humanitaria estaba por encima de todo aquello.

En un ambiente exaltado, fue detenido por los falangistas que se habían hecho con el poder en León, acusado de masón, algo que siempre negó, y encarcelado en el actual parador de San Marcos. Allí pasaría sus últimos días. Una noche, pasadas las doce, un par de militares se presentaron en su celda para llevárselo. Joaquín Heredia pensó que le iban a soltar e hizo ademán de recoger su hatillo. Lo que le dijo uno de los militares le dejó helado: «No hace falta que recojas, adonde vas no lo necesitas». Joaquín comprendió lo que estaba pasando y comenzó a gritar pidiendo ayuda. Tiempo después, presos allí presentes relataron que sus últimas palabras fueron desgarradoras. Heredia fue fusilado el 21 de noviembre de 1936 y su cuerpo nunca fue encontrado. Una investigación posterior dictaminó que no había pruebas de que fuera masón.

El otro protagonista de nuestra historia fue Josep Suñol, que, además de presidir el Barcelona desde 1935, era miembro del partido nacionalista Esquerra Republicana de Cataluña. La guerra estalló en España y el fútbol pasó a segundo plano, por no decir al último. Las funciones de Josep pasarían a ser íntegramente políticas y viajó a Valencia para unas gestiones, previo paso de su viaje a Madrid. La capital española y sus inmediaciones eran, como no podía ser de otra forma, un punto clave durante el conflicto bélico.

Suñol fue a visitar a las tropas republicanas, asentadas en la sierra madrileña, junto a un periodista, un teniente republicano y un chófer. También le iba a dar 50 000 pesetas al frente republicano, aunque, como hemos dicho antes, la sierra madrileña era un lugar complejo y, sin saberlo, se adentraron en una zona controlada por sublevados. Allí fueron detenidos y juzgados por procedimiento sumarísimo. En ese punto exacto, en el kilómetro cincuenta de la carretera de Segovia, fueron ejecutados.

Los militares del ejército sublevado, además de matar a los cuatro hombres, se apoderaron del dinero que llevaban los republicanos. Según cuentan los diarios de la época, el coche no hizo caso de los disparos que les advertían del peligro que corrían si continuaban su ascenso a la montaña. Un despiste terminó con la vida del presidente del Barcelona un año después de que tomase posesión de dicho cargo en el club de sus amores.

Joaquín Heredia y Josep Suñol fueron dos casos más de las decenas de miles de muertes que se produjeron por ambos bandos en España, que se rompió en mil pedazos y que cuenta con muchos episodios negros. Algunos de ellos salpicaron al fútbol, como a todos los estratos de la sociedad. Sin ir más lejos, el portero Ricardo Zamora (más información en la página 31), la gran estrella de principios de siglo XX, fue encarcelado durante aquellos años, aunque corrió mejor suerte que Joaquín Heredia y Josep Suñol.

CITA:

¡Que nadie le toque un pelo! ¡Es Zamora! ¡Yo os lo prohíbo! [Pedro Luis de Gálvez, infuyente poeta que se acercó a la prisión para proteger a Zamora, encarcelado por el bando republicano]

EL FUTBOLISTA QUE NO TENÍA MIEDO DEL FRANQUISMO

Manuel Fernández nació en Navia, Vigo, allá por 1923. Pronto se ganaría el sobrenombre de Paíño, un ave marina que se podía ver por las playas gallegas. Allí era precisamente donde comenzó a jugar Paíño, olvidándose de las hambrunas provocadas por la Guerra Civil y la dura postguerra. Pronto comenzaría a jugar en el mejor equipo de la zona, el Celta de Vigo. Un periodista del *Faro de Vigo* comenzó a escribir su nombre como Pahíño, con una «h» intercalada, y así se quedaría de por vida. Un nombre que se hizo muy conocido en España por el fichaje del delantero por el Real Madrid.

Las cifras goleadoras del jugador gallego en Madrid fueron apabullantes; se convirtió en la primera gran estrella del recién construido estadio de Chamartín. Lamentablemente, no llegó a coincidir con el que luego fuera su amigo, Alfredo Di Stéfano. Por entonces, ya tenía problemas con Santiago Bernabéu, con el que no llegó a un acuerdo para la renovación de su contrato. Se volvería a Galicia, en este caso al Dépor, para el que también fue leyenda. Los problemas de Pahíño con los mandatarios del fútbol no habían empezado con Bernabéu, sino mucho antes.

El diario falangista *Arriba* titulaba: «Qué se puede esperar de un futbolista que lee a Tolstoi y a Dostoievski». Y es que así era Pahíño, un hombre que leía literatura prohibida durante la Dictadura, libros que conseguía en sus viajes por el mundo o de contrabando en España. Un hombre que desafiaba al Régimen y que firmó su sentencia con la selección española cuando en su primer partido un militar entró al vestuario y dijo: «Ahora, cojones y españolía». Pahíño no pudo ocultar una sonrisa burlona. Según el propio jugador, se quedó sin ir al Mundial 1950 precisamente por no seguir las normas.

MAPA DE LA COPA DE LA REPÚBLICA DE 1937

En 1936, con el estallido de la Guerra Civil española, *se cancelaron todos los títulos oficiales hasta terminar el conflicto bélico. Por iniciativa del presidente del Valencia, surgió la Copa de la España Libre o Trofeo Presidente de la República, para tratar de que la actividad del club no se detuviera completamente. Serían cuatro los equipos que la disputarían: Valencia, Levante, Espanyol y Girona, mientras que se desestimaría la opción del Granollers debido a problemas de comunicación y de taquilla, ya que no tenían tanta afición. Los cuatro equipos jugarían una liguilla en la que los dos primeros jugarían una final. Debido a los problemas de seguridad, la final no pudo ser en Valencia y se disputó en Barcelona entre el Valencia y el Levante.*

Equipos de fútbol

	PJ	G	E	P	GF	GC	Dif	Pts
Levante FC	6	3	2	1	18	9	+9	8
Valencia FC	6	2	2	2	12	13	-1	6
CD Español	6	3	0	3	12	16	-4	6
Gerona FC	6	0	4	2	11	15	-9	4

Final: Valencia 0-1 Levante

Y FRANCISCO FRANCO SALVÓ AL BARCELONA

El devenir de muchos clubes españoles ha dependido de la propia historia del país, dividido desde 1939 tras la victoria de Francisco Franco frente al rival republicano. El Real Madrid ha sido uno de los equipos a los que más etiquetas les fueron asignadas. Vinculado de forma más o menos tácita al Gobierno —varios presidentes del país, como Mariano Rajoy o José María Aznar, han declarado su simpatía por él—, el equipo de Chamartín también contó con el apoyo de Franco. De hecho, al dictador se le atribuye protagonismo en distintas operaciones que beneficiaron al Real Madrid a lo largo de su historia. La primera, que todavía se sigue esgrimiendo, hace referencia a las seis Copas de Europa logradas durante el mandato del dictador. Se cree que influyó en la obtención de los títulos gracias al poder que tenía en las altas esferas. Se aduce también que los propios campeonatos servían de canal diplomático para la consecución de acuerdos internacionales. Asimismo se alude a la diferencia de títulos, sobre todo ligueros, entre los blancos y el F. C. Barcelona, su principal competidor. Entre 1939 y 1975, catorce fueron madridistas, frente a las ocho de los culés.

Aunque la diferencia es notoria, otro de los casos que se emplean para reafirmar estos argumentos es el de Alfredo Di Stéfano, que llegó a tener un precontrato y un acuerdo cerrado con el F. C. Barcelona antes de fichar por el Real Madrid y cambiar desde este la historia del fútbol español. Sin embargo, aquellas palabras todavía resuenan en la afición culé, para la que eran prueba evidente de la cercanía entre el club de Chamartín y Francisco Franco, que llegó a prestar al equipo merengue distintos favores, popularizados con el paso del tiempo.

La dictadura franquista ayudó al F. C. Barcelona en tres recalificaciones de sus terrenos para evitar la desaparición del club. El periodista Bernardo Salazar publicó un artículo detallando cada uno de los apoyos que recibieron los culés para permanecer con vida. Disponer de jugadores de la talla de Kubala, Ramallets o Basora invitaba a la entidad a soñar con un recinto más grande para sus aficionados. El club planteó el proyecto en septiembre de 1950, firmándose una opción de compra por unos terrenos de dos millones de palmos situados entre la Riera Blanca y la calle de la Maternidad, con un valor total de casi 11 millones de pesetas. Tras varias reuniones entre la directiva y representantes públicos, llegaron a un acuerdo para hacer una permuta de los terrenos adquiridos por otros de la avenida Diagonal, que divide la Ciudad Condal. El 28 de marzo de 1954, tras todo aprobado, el Camp Nou se empieza a construir.

Sin embargo, la ayuda más flagrante del régimen al cuadro culé ocurrió un año después, en 1955, cuando el presidente Francisco Miró-Sans arrojó luz sobre la realidad de las parcelas obtenidas. «Conviene decir que no todos los terrenos adquiridos están totalmente libres y a nuestra disposición, puesto que se está desalojando a los arrendatarios y meros ocupantes allí establecidos», declaró. Lo que había detrás, financieramente, era insostenible para la entidad, que llegó a tener una deuda de 230.320.291,9 pesetas. La única solución del F. C. Barcelona era vender Les Corts, pero aquello nunca llegó a suceder por la cesión al Ayuntamiento de 1000 metros cuadrados en la Travesera de Les Corts por parte del club, que además se comprometió a construir instalaciones deportivas en el resto de los terrenos.

Por último, en 1965, y como colofón de las operaciones anteriores, el régimen hubo de tomar cartas en el asunto cuando se produjeron algunas reclamaciones relacionadas con aquellas intervenciones. Juan Gich, directivo del F. C. Barcelona, contactó con Torcuarto Fernández Mirada, que logró que este tema se tratara en el Consejo de Ministros y con Francisco Franco delante. Se llegó así a firmar un decreto por el que se aprobaba «el cambio de uso de una zona verde del Plan Parcial de Ordenación Urbana de la Zona Norte de la Avenida del Generalísimo Franco, entre las plazas de Calvo Sotelo y del Papa Pío XII, de Barcelona» y que fue rubricado por el propio dictador. El Barcelona, en suma, recibió el beneplácito de Franco, lo que no significa que ambas partes llegaran a empatizar.

CITA:

¿El equipo del régimen? Lo que han hecho los Gobiernos de Franco es explotarnos, y nunca nos han dado ni cinco céntimos (Santiago Bernabéu).

CUANDO FRANCO ACERTÓ LA QUINIELA

La quiniela es uno de los juegos de azar de carácter estatal más populares en España. Al igual que en el resto del mundo, las apuestas sobre los resultados de los partidos de primera o segunda división contribuyen a dar emoción a la jornada liguera. Fue Pablo Hernández Coronado, entrenador de fútbol y director técnico del Patronato de Apuestas Mutuas Deportivo-Benéficas quien, en 1948, creó el «1-X-2», si bien no llegó a convencer a Franco de su implantación, mérito que se atribuye al general Roldán y a Julio Cueto. No obstante, el propio dictador fue protagonista de una de las historias más sorprendentes que ha vivido el premio.

El dictador llegó a ser un gran aficionado a la quiniela. Tenía como rutina hacer la predicción de los partidos de la jornada y en mayo de 1967 obtuvo uno de los botes más grandes de siempre. El boleto fue verificado y enviado por el general Carmelo Moscardó y la cuantía alcanzaba el millón de pesetas, mientas que Jacinto Pérez Herrero, director comercial de Loterías y Apuestas del Estado, fue el encargado de comprobar su validez y de dar a conocer la realidad de la historia. Si bien Francisco Franco ganó, no fue sino una quiniela de tercera categoría, es decir, obtuvo 12 aciertos en aquella jornada, que le reportaron unos beneficios de 2838 pesetas.

La confusión en cuanto al importe del premio de Franco pudo deberse a un cruce de datos con el de Saturnino García Pereda, un carnicero de Santander que fue el primero en ganar un millón de pesetas en una apuesta, en 1952. El secreto de este buen hombre es que fue cronista deportivo, y no tuvo ningún reparo en apostar en contra de su equipo, el Racing de Santander.

CINCO CURIOSIDADES SOBRE FRANCO Y EL FÚTBOL

La camiseta de Franco: Con el dictador ya fallecido, incluso postmortem siguió generando polémicas en el deporte rey. En 2015, el futbolista Nuno Silva fue presentado como nuevo jugador del Real Jaén. Lo más sorprendente de todo fue su indumentaria. El extremo portugués se plantó en la presentación con una camiseta de Franco. Aquello generó bastante revuelo, aludiendo que desconocía cualquier referencia sobre el dictador español. Lo más curioso es que esta prenda pertenece a una colección de dictadores (también hay de Hitler y Stalin). Y, para más inri, el precio supera los 90 euros.

Por el nombre de Franco: El pueblo de Isla Mayor empezó a ser denominado así en el año 2000. Sin embargo, el club de la zona mantiene el nombre de la región tal y como era conocida antes: Villafranco, por el apellido del Caudillo. El presidente del equipo de fútbol, explicó el motivo por el cual conserva aún ese nombre: «Hemos hablado de cambiar el nombre de Villafranco, sí, pero no hemos ido más allá porque tenemos 800 socios y a la mayoría no les importa mantenerlo. Además, no sabemos si perderíamos derechos o descenderíamos. Si no hay más remedio, nos cambiaremos el nombre, o al menos lo someteremos a votación. Pero es que la gente no se queja».

Envenenamiento a la URSS: Se dice que, antes de que España jugara contra la URSS en la final de la Eurocopa de 1964 en el Santiago Bernabéu, Francisco Franco llegó a plantearse el envenenamiento del combinado soviético por miedo a perder en su propio campo ante un equipo comunista y que representa la ideología del dictador ruso. No tardó en desestimar la idea al considerar que pudiera derivar en un conflicto bélico de mayor envergadura.

Cambió los nombres: En plena españolización, el régimen franquista obligó a equipos como el Sporting de Gijón a cambiarse el nombre por otro con un concepto más «español», como, por ejemplo, Real Gijón, o como el Athletic Club, que se cambió a Atlético Club.

Atentado contra Franco: La Copa del Generalísimo de 1964, que mediría al Real Zaragoza y el Atlético de Madrid, sería el momento asignado por los anarquistas Fernando Carvalho Blanco y Stuart Christie para atentar contra el dictador, según recogía el Consejo de Guerra llevado a cabo tras las detenciones de ambos. Uno de ellos, el pequeño Christie, de 17 años, portaba un kilo de explosivos destinados a materializar el asesinato.

EL DÍA QUE PELÉ SE PUDO QUEDAR FUERA DE SU MEJOR MUNDIAL

El Mundial en el que hubo más dieces fue el del México 1970. Pese a que otros digan lo contrario, cinco números 10 conquistaron al país azteca, y todos recordarán sus nombres. Jugaban para Brasil y en la memoria del aficionado aparecen de carrerrilla: Gerson, Rivelino, Jairzinho, Tostao y Pelé. Era el mejor repóker con el que se podía jugar. Y todo empezó con Joao Saldanha, y no con Zagallo, mítico futbolista y posterior entrenador de éxito. Todo podía haber cambiado de no haber sido así.

Brasil encarrilaba el Mundial de México 1970 con Saldanha al mando, conocido por su pasado como futbolista pero también por su profesión de periodista, lo que ayudaría para que la crítica de los periódicos no fuera tan incisiva. Joao Havelange, presidente de la Federación Brasileña y, años después, de la FIFA, creyó que era lo más oportuno a falta de un año para jugar la cita mundialista. Sin embargo, los problemas que acuciaron principalmente al seleccionador no fueron mediáticos, sino más bien políticos.

El país vivía bajo la dictadura del general Emilio Garrastazu Médici, aficionado al fútbol e hincha de Atlético Mineiro. Para él, como para otros dictadores, este deporte era necesario para contener a las masas y para distraerlas. La selección brasileña, y en esto fue inteligente, tenía que ser una representación de lo que era el país, ganador e imaginativo, pero también global. Él también creía que Saldanha era una gran opción para el combinado nacional..., hasta que le tocaron a su equipo.

El dictador sentía especial devoción por el artillero del Atlético Mineiro Darío *Dadá* Maravilha, que años después se situaría entre los cinco máximos goleadores de la historia de Brasil. Para Médici, la presencia del futbolista tenía que ser cuestión de Estado, que lo fue. Mientras tanto, Saldanha quiso solidificar una plantilla que siempre comulgó con sus ideas. A pesar de todas las acusaciones que se vertían sobre él en los medios, la *Seleçao* creía en lo que planteaba, menos uno de ellos: Pelé.

El mejor futbolista de todos los tiempos hasta entonces se mostraba indiferente a los ideales políticos del entrenador, pero siempre se acercaba al sol que más calentaba, es decir, al poder. En una entrevista en *The Blizzard,* Tostao explicó las preferencias de Saldanha con respecto a la posición de Pelé. «Yo le dije un día que todos los entrenadores me veían únicamente como reserva de Pelé, y él me dijo: "Se acabó. Usted es el primer nombre del equipo. Por delante de Pelé"» (trad. Chema R. Bravo, *Ecos del Balón*), contó el brasileño. Además, el seleccionador quiso probar que la edad no pasaba en balde para *O Rei*, del cual aseguraba que era miope. Mostradas todas las armas, solo faltaba que estallara la guerra, y solo una cabeza podía ser cortada. Y todo el mundo sabe cuál cortaron.

Joao Havelange sucumbió ante la presión de Médici, que le pedía que Darío Maravilha fuera el sustituto de Tostao, por entonces de baja por un desprendimiento de retina. Saldanha se negó rotundamente, espetando a los dirigentes que de la *canarinha* se encargaba él. Su cabeza fue cortada *ipso facto*. El sustituto fue encontrado rápidamente, Mario Zagallo. El técnico, que hacía dos días todavía era jugador, tenía nociones para poder liderar a una Brasil que se plantaba ante México con el libreto del «difunto» Saldanha. Entre los retoques tácticos y posicionales que planteó, se ocupó de colocar a los mejores «10» que había en el campeonato brasileño: Pelé (Santos), Gerson (São Paulo), Tostao (Cruzeiro), Rivelino (Corinthians) y Jairzinho (Botafogo).

Y Brasil conquistó su tercer Mundial con Pelé al frente de ataque, junto a cuatro compañeros de su misma condición. Fue la exultación de Brasil jamás vista. Ni Carlos Alberto Parreira ni Luiz Felipe Scolari consiguieron un fútbol tan arrollador y temido. Ese equipo de Saldanha y Zagallo fue el mejor de todos. Y también aquella edición del campeonato, que contó con los mejores «10» del mundo.

GARRINCHA, EL FUTBOLISTA DE LAS PIERNAS TORCIDAS

Mané Garrincha era un futbolista especial, único en su forma de vivir y en su manera de jugar. Su talento se resumía en excepcionales arrancadas y en regates imposibles. Seguramente, uno de los primeros en controlar el ritmo del juego a sus anchas, sabiendo medir las carreras y las pausas. De lo que no hay duda es de que fue de los pocos que pudo mirar a la cara a Pelé en su condición de estrella. Jugó gran parte de su carrera en el Botafogo, donde le adoraron, pero internacionalmente se le conoció en el Mundial de 1962, donde, a falta de Pelé, que cayó lesionado, acudió como única estrella. Se dice que ganó en Chile él solo.

Sin embargo, era una persona de hábitos poco saludables. Le gustaba mucho beber y la fiesta, dos armas de doble filo que, a la larga, acabaron con su vida. Además, era un amante empedernido y tuvo hijos ilegítimos por doquier. Pero el bueno de Garrincha, apodo que le pusieron sus hermanos porque se parecía a un pájaro, resumió así su forma de entender la vida: «Yo no vivo la vida, la vida me vive a mí». No era la persona más locuaz y elocuente, pero era un genio con el esférico, algo sorprendente dadas sus condiciones físicas. Tenía la pierna derecha seis centímetros más larga que la izquierda, algo arqueada por una desviación de columna. Era casi imposible que llegara a ser un deportista de élite. Él demostró lo contrario.

CITA:

Nunca habrá otro Pelé; mi madre y mi padre cerraron la fábrica y rompieron el molde. Soy único e irrepetible (Pelé).

El pobre Garrincha quiso vivir como jugaba, demasiado rápido para el resto. Su coqueteo con el alcohol fue a mayores hasta fallecer a los 50 años con un alcoholismo irreversible que le comió por dentro. Se dice que este pobre genio llegaba a beber colonia para saciar su sed. Nada hizo para sí mismo, pero sí que pudo hacer feliz al prójimo con su espontaneidad y talento. Y queremos quedarnos con el recuerdo del Garrincha hábil con la pelota, y no con el que fue torpe con la vida.

LO QUE HEMOS APRENDIDO DEL *DRAW MY LIFE* DE PELÉ

El *Draw my Life* de Pelé tardamos bastante en llevarlo a cabo. Queríamos guardarnos un as en la manga para no mostrar toda nuestra baraja. Porque contar la historia de Pelé en un vídeo de menos de cuatro minutos es muy complicado. Por ello la documentación fue lo más exhaustiva posible y condensada de forma precisa. Quizás, lo más sorprendente para nosotros fueron sus inicios, de lo que se habla muy poco. Primero, su padre Dondinho le puso Edison en memoria del inventor de la bombilla, Thomas Edison. Antes de que le brotaran todas las ideas, tuvo que saber lo que era ganarse la vida y empezó a trabajar con su madre en una lavandería limpiando zapatos. Historias de humildad típicas de los grandes futbolistas.

EL PARTIDO DE LA VERGÜENZA

Informe Robinson, conocido programa en España presentado por el exfutbolista del Liverpool, Michael Robinson, llevó a cabo un exhaustivo reportaje que tenía una localización muy concreta: el Estadio Nacional de Santiago. La pieza se titulaba «Por la razón o la fuerza», como reza el lema grabado en la estructura del edificio deportivo. Y es que allí sucedió un hecho sin precedentes, quizás vergonzoso en la memoria de los chilenos. La locura y la cobardía estuvieron presentes en un partido en el que ocurrió de todo.

El 11 septiembre de 1973, el general Augusto Pinochet asalta el Palacio de la Moneda con el presidente Salvador Allende dentro. Este muere en el virulento ataque. El país sudamericano vive uno de sus peores momentos: persecuciones, secuestros, encarcelamientos y, lo más grave de todo, asesinatos. Chile está fracturado.

El propio Salvador Allende, como así lo recoge el reportaje anteriormente mencionado, creía que el fútbol tenía un poder unificador, incluso pacificador. Sin embargo, habiendo sucedido un golpe de Estado, la propia desestabilización social y política afectó a la cosa más importante de las menos importantes, que diría Jorge Valdano. Semanas después, Chile debía jugar la repesca para entrar en el Mundial de Alemania de 1974 y su rival, la URSS, tenía cierto recelo sobre la situación que vivía el país sudamericano.

El primer partido de los dos se disputaría en territorio soviético. La expedición chilena, comandada por jugadores de la talla de Carlos Caszely, Elías Figueroa o Francisco Valdés, viajó a Moscú pero, antes de llegar al estadio, Caszely y Figueroa fueron retenidos en el aeropuerto porque la foto de su pasaporte no se correspondía con el aspecto que lucían ante los guardias. Un claro ejemplo de la desconfianza que tenían los soviéticos en Chile.

El partido en el Estadio Central Lenin acabó con empate a cero, resultado positivo para la Roja de cara a la vuelta. Pero Chile no estaba catalogada como segura. El propio Estadio Nacional de Santiago se había convertido en un pequeño campo de concentración, usado por los militares para encarcelar a sospechosos. No obstante, la intención era dar una sensación de normalidad ante la visita que se esperaba, previa aprobación de la FIFA para que el partido se disputase en territorio chileno y no en campo neutral.

Nadie se esperaba el giro que daría la historia cuando la URSS confirmó que no iría a Chile y que rechazaban su opción de ir al Mundial de Alemania. Y la FIFA, pese a todo, quiso seguir hacia adelante, pero... ¿cómo? Los jugadores chilenos debían salir y aceptar una pantomima de la máxima institución, que no quiso que la realidad del país condicionara el calendario. De esta manera, los once jugadores salieron al campo y el árbitro pitó el inicio. Más de 10 000 personas, entre ellos algunos exreclusos, vieron como Francisco Valdés, tras una jugada pusilánime de Chile, marcaba ante la portería vacía. El resultado que finalmente se asignó fue un 2-0. Después, dada la calamidad, empezó un partido amistoso que jugaron contra Santos, que para colmo acabaría con derrota.

Leonardo Veliz, en unas palabras recogidas en el diario *Marca*, reconocía no saber en qué quedaría todo. «Nadie se imaginaba que esa situación iba a transformarse en 17 años de Dictadura. Éramos futbolistas, solo queríamos ir a un Mundial. Pero, con el paso del tiempo, uno quizás pudo negarse a jugar en esas condiciones», confesó. Y es que aquel partido fue el ejemplo del desastre que vendría después. Un partido de vergüenza, carente de fuerza y de razón.

LA TEMIBLE AFRENTA A PINOCHET

A la hora de buscar una frase que concentre la verdad, se encuentra no poca verosimilitud en las palabras de Carlos Caszely, protagonista de esta historia. «No le di la mano a Pinochet; rompió el corazón a Chile».

Y para entender esto, hay que retroceder al momento álgido de la barbarie, cuando este futbolista comprometido vio cómo se ultrajaban los derechos humanos de tantos chilenos durante la Dictadura de Augusto Pinochet.

El propio Caszely, en más de una entrevista, ha confesado el hecho, tan conocido en Chile y en el mundo. Antes de partir para jugar el Mundial de Alemania en 1974, donde la Roja no pasó de la primera ronda, la expedición chilena visitó al dictador. En el besamanos protocolario, el propio futbolista, de una manera muy elegante, le retiró el saludo a la persona más importante y temida del país, un gesto que podría haber tenido un coste importante, básicamente el de la propia vida. No obstante, se dice que, pese a ser contrario a Pinochet, este sentía un respeto enorme por el futbolista.

Caszely, que hizo carrera en España jugando en el Levante y el Espanyol, es uno de los mejores jugadores de la historia de Chile. Pero su activismo contra la Dictadura encontró su cénit cuando Olga Garrido, su madre, hizo una confesión desgarradora en la televisión nacional en la que detallaba, una por una, todas las vejaciones que sufrió cuando los militares la secuestraron. Esta historia reforzaría el NO a Augusto Pinochet, que finalmente no fue elegido para seguir en el poder hasta 1997. Aquel país no podía continuar así, ya estaba roto por dentro. Palabra de Caszely.

ONCE IDEAL DE LA HISTORIA DE CHILE

CITA:

No le di la mano a Pinochet; rompió el corazón a Chile (Carlos Caszely, jugador chileno).

LA VERDAD DETRÁS DE LA JUGADA MÁS HUMILLANTE

La Copa del Mundo disputada en Alemania Federal en 1974 tuvo como protagonistas, entre otros, a Johan Cruyff y la Naranja Mecánica, practicantes de un fútbol total de impresión que, sin embargo, no consiguió alzar el trofeo. Sí lo logró la anfitriona, Alemania Federal, que, liderada por el elegante Beckenbauer, se coronó 20 años después de su primer Mundial. También fueron protagonistas los polacos, que enamoraron con un juego dinámico y sorprendente.

No fueron aquellos los únicos hechos destacados: las dos Alemanias (Federal y Democrática) se enfrentaron por primera vez en una fase final..., ¡y ganaron los del Este! Aquella Copa del Mundo fue la primera tras el cambio de nombre (antes se la conocía como Copa Jules Rimet) y de trofeo.

Pero si por muchos es recordado también el Mundial de 1974, además de por todos los aspectos mencionados, es por acoger la primera participación de una selección de la África negra. La pintoresca Zaire, actual República Democrática del Congo, se había proclamado campeona de África ese mismo año contra Zambia y cayó en un complicado grupo mundialista formado por Escocia, Yugoslavia y la todopoderosa Brasil.

Los primeros partidos mostraron el verdadero nivel de Zaire. Perdieron 2-0 contra Escocia y 9-0 frente a Yugoslavia. Ya eliminados, se encontrarían en la última jornada con Brasil. La campeona, que no había empezado con buen pie, necesitaba ganar a los africanos por más de tres goles de diferencia y esperar un pinchazo de los escoceses ante Yugoslavia si querían seguir defendiendo el cetro mundial en la siguiente ronda. Zaire, por su parte, solo esperaba despedirse de su primera participación en una Copa del Mundo de la forma más digna posible. Y si era evitando la clasificación brasileña, mejor.

Fue allí, en aquel partido, donde se produjo una de las jugadas más extrañas de siempre. Los brasileños salieron en tromba, pero no fue hasta el minuto 80 cuando consiguieron el tercer gol, que les daba el pase. Aun así debían conseguir uno más que les diera tranquilidad, por lo que no dejaron de atacar. En esas estaban cuando Buanga Tshimen cometió una falta sobre Mirandinha en la frontal del área africana. El colegiado rumano, Nicolai Rainea, colocó la barrera africana. Rivelino, jugador dotado de un terrorífico golpeo de falta, se preparaba para lanzar. El árbitro sopla el silbato y en ese momento salta de la barrera uno de los jugadores de Zaire y despeja el balón ante la incrédula mirada de todos los jugadores, técnicos y aficionados congregados en el Parkstadion de Gelsenkirchen.

Después, aquellas miradas de asombro se tornaron en carcajadas. Al parecer, los africanos se iban a marchar de aquel Mundial con 14 goles encajados y aún no conocían las normas del juego. El nombre del jugador que había saltado de la barrera era Mwepu Ilunga: «En ese momento vi el gol en los ojos de Rivelino, iba a marcar el 4-0». Aquella imagen sería recordada durante años de forma desternillante.

Solo tras la muerte de Mobutu en 1997, por entonces dictador de Zaire, se atrevieron los jugadores a hablar. Al parecer, tras las severas derrotas de los dos primeros partidos, la guardia presidencial de Mobutu se había plantado en el hotel de concentración de los jugadores y les había lanzado un severo aviso: «Si perdíamos por cuatro goles ante Brasil, ninguno de nosotros volvería a casa», confesó Mwepu Ilunga.

«El público y los jugadores brasileños se rieron de mi acción. Encontraron divertido que un jugador no conociera las reglas, pero ninguno de ellos tenía la más remota idea de la presión a la que estábamos sometidos». Durante décadas se mantuvieran las bromas. Lo que pocos sabían era que, en un momento de pánico, había decidido hacer aquella locura con un objetivo: salvar su vida y la de sus compañeros.

CARLOVICH, EL CRACK QUE ERA MEJOR QUE MARADONA

Dicen los que le vieron jugar que nunca ha habido ni habrá nada igual. El problema es que no fueron muchos los que le vieron jugar.

Así se forjan las grandes leyendas, cuando surgen las habladurías y escasea la falta de pruebas. Y una de las más grandes leyendas ha sido siempre la de Tomás Felipe Carlovich, el Trinche. Las calles de Rosario han visto crecer a gente de fútbol como Messi, Di María, Menotti o Bielsa. Pero si hay un jugador que se recuerda con especial emoción en Rosario, ese fue el Trinche'.

Estuvo en las inferiores de Rosario Central y llegó a debutar en Primera, pero su indisciplina no casaba con el estilo físico y recto del técnico Miguel Ignomiriello. Dejó el club y se marchó al modesto Central Córdoba. Allí comenzó a dar lecciones de fútbol hasta ganarse a los aficionados, que se agolpaban partido tras partido para ver en directo al Trinche. Uno de aquellos hinchas fue Marcelo Bielsa, que durante cuatro años no faltó a una cita para ver a aquel fascinante futbolista. Otro de sus fans, José Pékerman, dijo de Carlovich que fue «el futbolista más maravilloso».

En 1974, la leyenda alcanzó su punto álgido. La selección de Argentina viajó a Rosario antes del Mundial para jugar contra un combinado de la ciudad. Griguol (DT de Central) y Montes (DT de Newell's) hicieron una selección rosarina en la que incluyeron a cinco jugadores de cada uno de sus equipos... y a otro de segunda división: Carlovich. Dicen los que vieron aquel partido que el baño que sufrió Argentina fue tremendo. 30.000 personas vieron aquel 3-1 en el que Carlovich, aquel jugador de segunda al que no conocía ni el seleccionador, bailó como quiso a la selección nacional. Apenas quedan imágenes de él. Menotti llegó a llamarle para una preconvocatoria para jugar con Argentina, aunque no jugase en primera. Carlovich nunca se presentó. Jorge Valdano le terminaría definiendo como «símbolo de un fútbol romántico que ya prácticamente no existe». Maradona, por su parte, también se pronunció: «El mejor ya jugó en Rosario... y es un tal Carlovich». No hace falta añadir más.

CITA:

El mejor ya jugó en Rosario, y es un tal Carlovich (Diego Armando Maradona).

ONCE MITOS DESCONOCIDOS DEL FÚTBOL

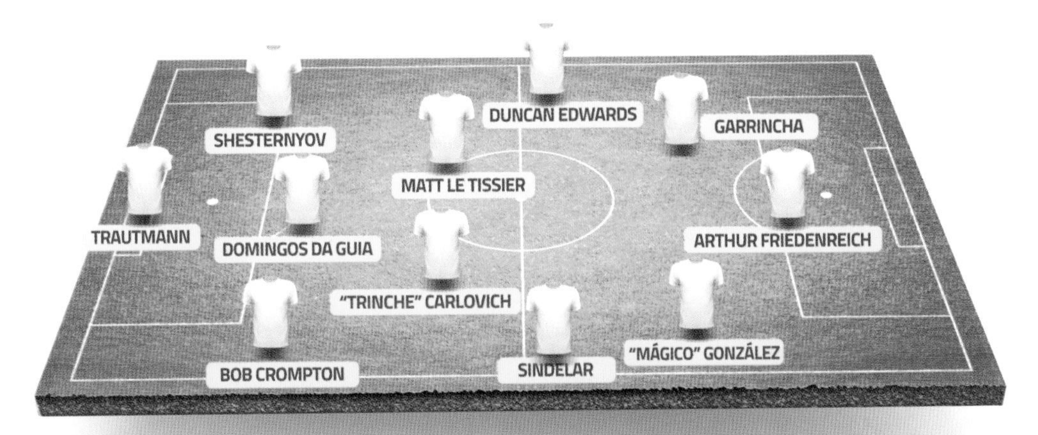

LA SOSPECHA DEL MUNDIAL DE 1978

La situación política de Argentina quizás no era la propicia para albergar un Mundial, pero Videla, dirigente al mando, creyó que era el mejor momento para apaciguar los ánimos y entretener al pueblo con el mejor torneo de fútbol en 1978. Varios literatos argentinos comparan la situación política con la del Mundial de 1934, con Benito Mussolini al mando, un régimen dictatorial que controlaba el país y que, por consiguiente, podía especular con la validez del campeonato. Sin embargo, la gran diferencia con respecto a entonces era la solidez de la FIFA como institución futbolística, que permitió que se jugara en esas condiciones. Para muchos, fue vergonzoso.

Y el fútbol, pese a todo, apaciguó a las masas y aportó cierta tranquilidad mientras se disputaba el campeonato, salvo algunas excepciones, que incluso alcanzaron a varios futbolistas. El caso más flagrante fue el de Ralf Edstrom, jugador de Suecia que fue secuestrado durante algunas horas en un hotel: «Una noche, al salir solo, dos hombres se me acercaron y me pidieron que les acompañara», explicó. Le escoltaron contra su voluntad por los pasillos del edificio y le condujeron ante una persona con gafas de sol. «Me preguntó que de dónde era. Era realmente desafiante. Saqué mi identificación e hice ver que era un jugador del Mundial, y las preguntas cesaron y me dejaron ir». La sensación de vulnerabilidad y de descontrol era palpable por los futbolistas, que tuvieron que ir acompañados, en todo momento, por los militares de Videla. No había naturalidad alguna.

En lo futbolístico, el Mundial no tenía muchas estrellas. Johan Cruyff se negó a participar con Países Bajos, por varias razones, como la inestabilidad política y algunos problemas con la Federación. Al cabo de unos años, confesó la verdadera razón de su ausencia: fue secuestrado a punta de pistola en su casa de Barcelona, en las Navidades de 1977. Aquel suceso le quitó las ganas de todo y dio prioridad a su familia. Otro de los grandes ausentes fue Diego Armando Maradona, que no fue convocado por Menotti dada su juventud. Si lo piensan bien, ambos futbolistas pudieron haber llegado a la final si las cosas hubieran sido de otra manera. Sin embargo, no cabe duda de que Argentina llevaba un gran plantel, liderado por Mario Alberto Kempes, la que sería estrella del torneo.

Un periodista y escritor argentino, Luciano Wenicke, dudó sobre la credibilidad de este torneo. «A Argentina le regalan un penal contra Francia. Para que veas, Argentina fue favorecida para jugar 24 horas después de que Brasil lo hiciera con Polonia. Los argentinos salieron a la cancha sabiendo la cantidad de goles que tenían que marcar a Perú», declaró para la revista *Kaiser Football.* Sus investigaciones y fuentes advertían de aquel encuentro del 21 de junio de 1978 como un amaño sin apenas precedentes.

Argentina jugaría contra Perú para luchar por la plaza que le metería en la final. Disputaría la posición con Brasil, pero necesitaba una diferencia de más de cuatro goles para alcanzar su objetivo. La albiceleste ganaría con un contundente 6-0, a lo que Luciano Wernicke encontró una explicación muy clara. «Lo más trágico es que sobornaran a un equipo para que Argentina llegara a la final contra Holanda. Ese equipo era Perú, y hay pruebas consistentes de que el Gobierno militar argentino le pagó al Gobierno militar peruano con dos buques cargados con trigo para que los jugadores se fueran para atrás. La situación era muy delicada», añadió.

Todo el mundo estaba de acuerdo con que Argentina era una de las grandes favoritas, más allá de las ayudas o de ser anfitriona. Tuvo un gran plantel para derrotar a Países Bajos, que sucumbió por 3-1 en el estadio Monumental. De esta manera, la albiceleste se hizo con su primera estrella en un Mundial cargado de polémicas y críticas. Sin embargo, mentiríamos si dijéramos que no hubo otra cosa. Al comienzo de este capítulo no destacamos nada futbolístico sobre este torneo. Y sí que hubo jugadas para la memoria: las de Mario Alberto Kempes en el doblete de la final. Aunque no lo quieras, la Copa del Mundo siempre te dejará detalles que recordar.

LA PEOR CONCENTRACIÓN DE UN MUNDIAL

Una de las anécdotas sobre ese Mundial nos la confirmó el gran delantero español Carlos Santillana, uno de los elegidos para viajar a Argentina. De su participación no se puede hablar, pues España no pasó de la primera fase, al ganar a Suecia, empatar contra Brasil y caer ante Austria. Sin embargo, a la expedición liderada por Ladislao Kubala le dio tiempo para disfrutar del país. Bueno, hablar de disfrute sería mentir. Digamos que pudieron apreciar una esencia bien distinta a la que se vivía en Buenos Aires.

La selección española tuvo que concentrarse en La Martona, una localización muy a las afueras y ahora bien distinta, convertida en un campo de golf. Aquello era el desierto. «El Mundial lo perdimos en La Martona. No había nada alrededor, ni luces. En el interior no llegaba la comida y, por supuesto, no había calefacción. Se dormía con el chándal. Sin embargo, los Países Bajos se alojaban en el Hindú Club con sus mujeres y todo. A nosotros nos llevan al medio de la nada y teníamos que subirnos a un autobús para ir a entrenar», explicó Rubén Cano. El propio Santillana remarcó una anécdota sobre la estancia: «Recuerdo que teníamos una especie de infernillos que enchufábamos por la noche a la corriente», aseguró. Se morían de frío, pero el propio delantero no quiso usar esta circunstancia como excusa. España se fue del Mundial en la primera derrota contra Austria. El propio Santillana se ocupó de matizar cómo fueron las condiciones con respecto al trato del pueblo argentino y de los militares que les acompañaron en todo momento: excepcional… a su manera. Sin embargo, confirmaba la mala organización del encuentro. Una chapuza la sufrida por la selección en el Mundial de 1978.

CITA:

Los derrotados pierden por él y los victoriosos ganan a pesar de él. Coartada de todos los errores, explicación de todas las desgracias. Los hinchas tendrían que inventarlo si él no existiera. Cuánto más lo odian, más lo necesitan. Durante más de un siglo, el árbitro vistió de luto. ¿Por quién? Por él. (Eduardo Galeano, escritor uruguayo).

CINCO GRANDES ROBOS EN LOS MUNDIALES

Inglaterra-Alemania (1966): En *Campeones*, se llevó a cabo este *ranking*, que cerramos con la final de la Copa del Mundo de 1966 entre Inglaterra y Alemania. Mucho antes, Portugal ya se quejó de la anfitriona al cambiarle la sede de Liverpool a Londres un día antes de jugarse las semifinales, cuando era Goodison Park el estadio donde debería haberse jugado. Los portugueses estaban cansados y cayeron 2-1. Pudo ser casualidad. No así uno de los goles de Geoff Hurst en la final de Wembley, que acabó 4-2: un disparo que dio en la madera y cayó sobre la línea, y no dentro. Años después, Sky se encargó de hacer un estudio meticuloso para demostrar que no había habido robo alguno. Pero, claro, Sky es inglesa…, y cómo no iban a hacer su análisis.

España-Corea del Sur (2002): Si le preguntas a cualquier persona española que viera ese Mundial y le pides que te dé un nombre, se acordarán del árbitro egipcio Gamal Al-Ghandour, que anuló dos goles válidos a España en el duelo ante la anfitriona en cuartos de final del Mundial de Corea y Japón. Además, decidió no escuchar al resto, ni a sus ayudantes, en la tanda de penaltis, permitiendo a Lee Woon Jae que se adelantara antes de la ejecución de los lanzamientos, algo prohibido por reglamento. Aún resuenan los insultos de Iván Helguera al terminar el encuentro.

Alemania-Austria (1982): Mundial de España. En el grupo 2, jugaban Austria y Alemania, duelo para decidir qué equipos se clasificaban en la segunda fase. Argelia tenía opciones, mientras que Chile era el farolillo rojo. El Molinón presenció cómo austriacos y alemanes, delante de todo el mundo, demostraban una pasividad absoluta. Con el gol de Hrubesch para los teutones, ambos conseguían pasar, dejando fuera a los argelinos. La grada asturiana, al ver tal esperpento, empezó a gritar: «¡Que se besen, que se besen!».

Argentina-Inglaterra (1986): Para muchos, el PARTIDO, materializado por Diego Armando Maradona en cuartos de final de Mexico ´86. Uno de los goles fue incontestable, pero el otro no tuvo justificación alguna. Lo que fue catalogado de pillería y trascendió en una religión, fue un robo como un templo. El Pelusa usó la mano para batir a Peter Shilton. La pelota entró llorando y Argentina pudo pasar a la siguiente fase.

Francia-Irlanda (repesca 2010): Por una parte, no pertenece a un Mundial, pero, por otra, sí. Partido de repesca para el Mundial de Sudáfrica. La República de Irlanda se medía a Francia. Los galos se clasificaron por una jugada polémica de Thierry Henry, que se llevó claramente el esférico con la mano antes de asistir a Gallas, quien marcaría el gol que les daba el pase. Años después se desveló que la FIFA había pagado 5,5 millones de euros a la Federación Irlandesa para que evitara impulsar acciones legales. Henry, pese a todo, pidió disculpas a todos los irlandeses, a los que habían dejado sin Mundial.

LA GUERRA DEL FÚTBOL

Es 1969 y solo falta un año para que México acoja el primer Mundial que no se disputaría ni en Europa ni en Sudamérica. También sería la última edición de la conocida como Copa Jules Rimet. Para la siguiente Copa del Mundo, en Alemania Occidental, ya tendríamos el trofeo que conocemos hoy en día. El país azteca había asegurado la clasificación de forma matemática como anfitrión del torneo y solo otra selección de la Concacaf (es decir, Norte, Centroamérica y el Caribe) podría acompañar a la tricolor en el Mundial.

En la fase de clasificación, habría 12 selecciones peleando por esta única plaza, después de que la FIFA excluyese a Cuba. Los 12 países se encuadraron en cuatro grupos de tres selecciones cada uno; solo el mejor de cada grupo accedería a las semifinales del torneo. Los cuatro ganadores de los diferentes grupos fueron Haití, Estados Unidos, Honduras y El Salvador. La suerte quiso que estos dos últimos, países vecinos que no atravesaban el mejor momento político de su historia, se enfrentasen en una de las semifinales.

Para entender el problema entre hondureños y salvadoreños hay que dar una breve explicación sobre la situación social de ambos países en esa época. La mayoría de los trabajadores eran jornaleros, de cuyo esfuerzo se lucraban grandes terratenientes de ambos países y empresas fruteras estadounidenses. La diferencia notable entre Honduras y El Salvador era que aquel tenía más tierras de labor y menos mano de obra, por lo que unos 300 000 agricultores salvadoreños trabajaban las tierras de Honduras.

Una pequeña crisis y un mal reparto económico provocaron que germinase el odio hacia los jornaleros salvadoreños asentados en Honduras. Ya saben, la típica retahíla sobre el inmigrante que viene a quitar el trabajo y provoca que el salario sea menor. En este marco, surgió un grupo paramilitar hondureño, llamado Mancha Brava, que creó el pánico entre los salvadoreños. Se produjeron varios asesinatos que sembraron el miedo entre los agricultores. Aunque lo que provocó la crisis definitiva entre ambos países fue la decisión del Gobierno hondureño de expropiar las tierras de los salvadoreños sin nacionalidad hondureña. Muchos no tuvieron otra opción que volver a su país natal. El problema es que lo hacían sin trabajo y, en algunos casos, sin hogar.

Con la tensión entre ambos países en el punto más álgido, llegaban las semifinales de clasificación para el Mundial. El primer encuentro sería en Honduras y lo ganaría el equipo local por la mínima, 1-0. En la grada hubo conflictos entre aficionados. La situación social, como no podía ser de otra forma, se reflejaba en el fútbol. La vuelta en El Salvador se antojaba explosiva. El equipo salvadoreño venció por 3-0, pero, como en aquel momento no contaba la diferencia de goles, que habría supuesto su clasificación para la final, tuvo que jugarse un partido de desempate, que se celebró el 27 de junio de 1969. La sede escogida sería el Estadio Azteca, buen anticipo de cara a la fase final, que se jugaría al año siguiente.

El resultado final sonrió a los salvadoreños, que vencieron por 3-2. Este resultado, como era de prever, no calmó la situación entre ambas naciones. Los salvadoreños asentados en Honduras sufrieron represalias por parte de quienes no les querían allí. La estabilidad pendía de un hilo y este terminó por romperse.

El 14 de julio, solo dos semanas después del partido de fútbol, el Gobierno de El Salvador tomó la medida de enviar su ejército a Honduras en defensa de sus trabajadores. Fueron atacados puntos clave y el conflicto armado terminó de tomar forma. Una guerra en la que se atacaba sin miramientos a la población civil. Afortunadamente, la intervención de la Organización de Estados Americanos (OEA) la frenó solo cuatro días después de su inicio. La Guerra del Fútbol, como pasó a denominarse por la coincidencia de estos partidos internacionales, también se denominó guerra de las Cien Horas, dada su corta duración.

En estos cuatro días, fallecieron de 4000 a 6000 personas, entre los que había numerosos civiles. El alto el fuego también se debió a la escasez de recursos de ambos ejércitos, que, por ejemplo, solo disponían de aviones de la Segunda Guerra Mundial. La negociación determinó el reparto de terrenos, lo que evitó que hubiera que lamentar más muertes. En el plano futbolístico, El Salvador se clasificó para su primer Mundial tras ganar en la final a Haití. Aunque en situaciones así, el fútbol es lo de menos.

ELCHE ES HISTORIA DE LOS MUNDIALES

El Martínez Valero de Elche se inauguró en 1976, por entonces bajó el nombre de Nuevo Estadio del Elche. No se trabajaron mucho el nombre, ya que era, ciertamente, el nuevo estadio del Elche, que sustituía al Altabix. Sería en 1988 cuando cambiaría el nombre por el de Manuel Martínez Valero, expresidente del club, fallecido en 1983, y que llegó a presenciar como el estadio pasaba a ser historia de los mundiales.

En 1982, el campo de la ciudad alicantina sería uno de los 17 estadios que albergarían el Mundial de fútbol. Concretamente, serían tres partidos los que acogería el estadio ilicitano, los tres del Grupo C: Hungría-El Salvador, Bélgica-El Salvador y Bélgica-Hungría. Sería en el primero de estos duelos en el que se escribiría la historia, y es que Hungría le endosaría un 10-1 a El Salvador. La mayor goleada de la historia de los Mundiales.

Lo más curioso es que, pese a la grandísima goleada, Hungría no conseguiría pasar la fase de grupos. Serían Argentina y Bélgica las selecciones clasificadas en este grupo. Sin embargo, aunque fuera para las estadísticas, la historia ya estaba escrita. Era la primera vez que una selección marcaba 10 goles en un mismo partido en un Mundial y los 23 000 espectadores que allí se reunieron pudieron presenciar un hecho histórico.

CITA:

No me gusta tomarme el fútbol como un trabajo. Si lo hiciera, no sería yo. Solo juego por divertirme. (Mágico González, el mejor jugador salvadoreño de la historia).

LAS MAYORES GOLEADAS DE LA HISTORIA DE LOS MUNDIALES

- Hungría 10-1 El Salvador (España, 1982). Estadio Martínez Valero (Elche). Fase de grupos.
- Hungría 9-0 Corea del Sur (Suiza, 1954). Hardturm-Stadion (Zúrich). Fase de grupos.
- Yugoslavia 9-0 Zaire (Alemania Occidental, 1974). Parkstadion (Gelsenkirchen). Fase de grupos.
- Suecia 8-0 Cuba (Francia, 1938). Fort Carreé (Antibes). Cuartos de final.
- Uruguay 8-0 Bolivia (Brasil, 1950). Estadio Independencia (Belo Horizonte). Fase de grupos.
- Alemania 8-0 Arabia Saudí (Corea y Japón, 2002). Sapporo Dome (Sapporo). Fase de grupos.
- Turquía 7-0 Corea del Sur (Suiza, 1954). Stade des Charmilles (Ginebra). Fase de grupos.
- Uruguay 7-0 Escocia (Suiza, 1954). St. Jakob Park (Basilea). Fase de grupos.
- Polonia 7-0 Haití (Alemania Occidental, 1974). Olímpico de Múnich (Múnich). Fase de grupos.
- Portugal 7-0 Corea del Norte (Sudáfrica, 2010). Estadio Green Point (Ciudad del Cabo). Fase de grupos.

LA BOTA DE ORO MÁS FRAUDULENTA

La sombra de la sospecha saltó en 1987 cuando el delantero austriaco Anton Polster se negó a recibir la Bota de Plata que le acreditaba como segundo máximo goleador europeo. El poderoso atacante, que pasaría después por la Liga española —los aficionados de Sevilla, Logroñés y Rayo disfrutaron de sus goles—, había anotado esa temporada 39 goles con el Austria Viena.

Sin embargo, para su sorpresa, había perdido la Bota de Oro después de toda una temporada pugnando por ella. El enfado de Polster llegó al comprobar que Rodion Camataru, un delantero rumano del Dinamo Bucarest, había conseguido superarle anotando 20 goles... en sus últimos 6 partidos. Casi nada.

Y, claro, conseguir 44 goles en una temporada (Piturca, segundo máximo goleador del campeonato solo pudo hacer 22), por menor que sea el torneo rumano, es algo muy complicado... Pero hacer 20 en los últimos 6 partidos es algo que no está al alcance de ningún mortal; de ahí el enfado de un Polster que solo entendía el amaño como explicación. El austriaco preguntó, y le comunicaron que, efectivamente, Camataru había conseguido 20 de los 21 goles que hizo el Dinamo Bucarest en esos 6 partidos. No se lo creyó, por supuesto. Y mayor fue su sorpresa cuando comprobó que, de esos 6 encuentros, el Dinamo solo había ganado uno.

¿Cómo se explica esto? Es imposible hablar del fútbol de la Rumanía de los años ochenta sin quedarse con la sombra de la duda que levantaron sus líderes. Durante aquellos tiempos, Nicolae Ceaucescu y su esposa Elena, que llevaban años sembrando el terror por Rumanía, decidían invertir parte de su tiempo libre en el fútbol. Nicolae era del Steaua, mientras que Elena —que controlaba el Ministerio de Interior y la Securitate, 'policía secreta rumana'— era fan del Dinamo y unos meses antes había ordenado el fichaje de Rodion Camataru desde la Universidad de Craiova.

En 1989, terminaba una tiranía de 24 años en Rumanía, los Ceaucescu eran ejecutados y France Football iniciaba una investigación que se prolongaría durante meses hasta destapar todo el escándalo. Al parecer, la Securitate, actuando por orden de Elena Ceaucescu, fue «avisando» a los clubes rivales del Dinamo para que facilitaran a Camataru su camino hasta el gol. Además, el Dinamo, que ya había perdido el campeonato en favor del Steaua, decidió alcanzar ese objetivo con planteamientos ultraofensivos, sin importar tanto el número de goles recibidos como las dianas logradas por su estrella. De esta manera, al confirmarse las sospechas iniciales, France Football determinó que el premio le fuera retirado al rumano. Anton Polster ganaba así el premio que se merecía y que no había recibido tres años antes. Justicia futbolística.

Lo curioso de todo el asunto es que aquella fue la única Bota de Oro de la era Ceaucescu que se investigó. Pero es que la década anterior la había conseguido en dos ocasiones otro jugador del Dinamo, Dudu Georgescu (hizo 33 goles en la 1974/75 y 47 en la 1976/77). Y solo dos años después del fraude de Camataru, otro jugador más del Dinamo, Dorin Mateut, se la llevó tras anotar 43 goles. Era la temporada 1988/89 y Mateut, que luego militaría en otros equipos europeos sin destacar como goleador, se llevaba un galardón con unas cifras de extraterrestre... y jugando como centrocampista.

No digo nada y lo digo todo.

EL GOLEADOR MÁS DEMOLEDOR DE LA HISTORIA

William nunca fue un niño normal, eso siempre lo supieron todos los que le conocían. En la Inglaterra de comienzos de siglo XX, el pequeño Bill, como siempre ha preferido que le llamen, era un moreno de pelo rizado que se divertía jugando al fútbol cuando sus obligaciones como lechero se lo permitían. Con el paso de los años, su físico le permitió ir destacando cada vez más. Y es que a su fortachón cuerpo unía una gran velocidad y un poderoso salto. Tenía las mejores condiciones para triunfar.

El Everton no dudó en invertir una pequeña fortuna en aquel adolescente que destacaba en el Tranmere. Y el tiempo les daría la razón. Dixie, como se le conocía porque recordaba físicamente a los trabajadores negros del profundo sur de los Estados Unidos, perforaba redes como quien oye llover, con una facilidad pasmosa. Sin embargo, un grave accidente de moto estuvo a punto de apartarle del fútbol para siempre. Varias fracturas, perforaciones y una rotura de cráneo —que tuvo que ser soldado con una placa de metal— fueron algunas de las lesiones que sufrió el joven Dean.

En otra ocasión, ya en el final de su carrera, fue insultado por un aficionado en mitad de un partido. Dean no dudó en darle un puñetazo. Al llegar un policía para separarles, este le estrechó la mano y le felicitó. Anécdotas aparte, nadie ha conseguido igualar nunca sus cifras. Dean marcó más goles que nadie en una sola temporada —60 en 34 partidos en la campaña de 1927/28—, siendo hasta la fecha el jugador que más tantos ha anotado en una sola temporada de las grandes ligas, por lo que su legado permanecerá para siempre, al igual que su recuerdo. Ese que simboliza la estatua que le dedicaron junto a Goodison Park, el templo en el que Dixie Dean, la leyenda, se hizo eterno.

CITA:

Dixie Dean fue el mejor delantero centro de la historia y pertenece a la estirpe de genios como Beethoven, Shakespeare o Rembrandt (Bill Shankly, mito del Liverpool y hater nº1 del Everton).

GRANDES RÉCORDS GOLEADORES

Más goles en la historia del fútbol:

Josef Bican, 805 goles (Fuente: RSSSF) // 1467 goles (Fuente IFFHS)

Primer gol oficial de la historia:

Kenny Davenport (Bolton Wanderers-Derby County) // 08/09/1888, 15:47

Más goles en un partido:

AS Adema 149-0 l'Emyrne Antananarivo (THB Champions League de Madagascar, 31/10/2002)

Más goles en un partido entre selecciones:

Australia 31-0 Samoa Americana (11/04/2001)

Más goles en un mismo torneo:

Aston Villa, 18 goles (1931)

Jugador con más goles en un partido:

Ronny Medina, 18 goles (Pelileo 44-1 Indi Native [2.ª Categoría de Tungurahua, Ecuador], 22/05/2016)

Más goles olímpicos:

Victor Legrotaglie, 12 goles

Hat-trick (3 goles) más rápido de la historia:

Eduardo Maglioni (Independiente-Gimnasia de La Plata) // 1 minuto y 51 segundos (Campeonato Metropolitano 1973, Argentina, 18/03/1973)

Póker (4 goles) más rápido de la historia:

Bebeto (Deportivo de La Coruña-Albacete): 4 goles en 6 minutos // 01/10/1995

Robert Lewandowski (Bayern Múnich-VfL Wolfsburgo): 4 goles en 6 minutos // 22/09/2015

Repóker (5 goles) más rápido de la historia:

Robert Lewandowski (Bayern Múnich-VfL Wolfsburgo): 5 goles en 8 min 57 s (Bundesliga, jornada 6, 22/09/2015)

LA PATADA QUE INICIÓ UNA GUERRA

La situación que se vivió en Yugoslavia durante la década de los '80 fue bastante compleja. En mayo de 1980 había muerto Tito, el mariscal que había sido padre y líder de la ahora extinta Yugoslavia. Aquel suceso, su fallecimiento, supuso el principio del fin de un Estado que estaba compuesto por seis repúblicas socialistas diferentes (Serbia, Montenegro, Croacia, Eslovenia, Macedonia y Bosnia).

Yugoslavia vivió pequeños conflictos que fueron llenando un vaso que se terminó desbordando el 13 de mayo de 1990. Para ese momento, la situación ya era prácticamente insostenible y fue un gesto, más bien una patada, lo que destapó la caja de los truenos. Aquel día debían jugar el clásico del fútbol yugoslavo el mejor equipo de Croacia, el Dinamo de Zagreb, contra el mejor de Serbia, el Estrella Roja de Belgrado. El escenario sería el estadio Maksimir de Zagreb.

Yugoslavia se encontraba dividida y en pleno fervor nacionalista unos días después de que Croacia celebrase sus primeras elecciones independientes tras medio siglo. La tensión podía palparse en el ambiente. Los aficionados más radicales de uno y otro equipo ya habían protagonizado disturbios horas antes del encuentro.

En ese tiempo en que los Estados se tambaleaban, en Yugoslavia no dejaban de brotar grandes talentos futbolísticos: Suker, Mijatovic, Savicevic, Pancev, Prosinecki, Katanec o Boban, entre otros. Y es precisamente este último, Zvonimir Boban, el protagonista de esta historia. El futbolista que desencadenó una guerra.

Zvonimir creció en una época en la que nada era sencillo. Su familia era relativamente pobre. Su padre trabajaba en una pequeña tienda de zapatos; de allí sacaban lo justo para no pasar hambre. Empezó pronto a destacar como un jugador de muchísimo talento. Era centrocampista y tenía una calidad excepcional en sus botas. Pero dentro de sí albergaba unas ideas que brotarían finalmente para provocar un episodio para la historia.

Una vez en el estadio, al ver el trato que daban algunos policías a ciertos aficionados croatas, Boban corrió tras un policía del ejército federal yugoslavo y le propinó una patada. Aquel encuentro, que no llegó a empezar, terminó con más de cien heridos. Pocos si se comparan con los más de 20 000 muertos que dejó la guerra de Croacia (1991-1995). Pocos, también, si se comparan con los más de 140 000 fallecidos que dejaron en total las guerras yugoslavas (hasta 1999).

Según cuenta el propio Boban, aquella patada la dio por idealismo. La policía había maltratado a sus aficionados, y en el momento en el que vio a un agente golpear a un chaval, no se pudo contener. Ese sentimiento que tenía dentro lo tenían también cientos de miles de croatas. El desenlace era inevitable, Boban solo abrió la espita de algo que estaba destinado a estallar en cualquier momento.

Décadas después, cuando le vuelven a preguntar si volvería a dar aquella patada, responde sin dudarlo: «Rotundamente sí. Y muy orgulloso». Así comenzó a fraguarse el fin de Yugoslavia, con la patada de un futbolista del Dinamo de Zagreb en un día en el que el fútbol importó un poco menos.

LA ÚLTIMA GRAN GENERACIÓN DEL FÚTBOL YUGOSLAVO

Si en estas páginas os estábamos hablando de la patada del futbolista que provocó el principio del fin de Yugoslavia, ahora queremos recordar a su gran generación, aquella en la que también estaba, por supuesto, el autor de esa patada, Zvonimir Boban.

En 1987 tuvo lugar el Mundial Juvenil de Chile, en el que Alemania Federal partía como principal favorita. Entrenados por Mirko Jozic, los yugoslavos consiguieron ir superando escollo tras escollo hasta plantarse en la final contra los alemanes. Una fantástica jugada de un montenegrino, Branko Brnovic, terminó en gol. Su autor, casualidades del destino, fue Zvonimir Boban. Alemania empató y llevó el partido a los penaltis. Ahí volvió a aparecer Boban para anotar el gol decisivo y dar el campeonato a Yugoslavia.

Suker, Mijatovic, Prosinecki, Jarni, Stimac Boban... Desgraciadamente, la guerra dividió Yugoslavia y nos dejó con las ganas de ver qué hubiera pasado años después si se hubiera mantenido unida. Aquella generación logró, en una época convulsa, que el fútbol volviera a unir a un pueblo, aunque fuera durante unas semanas.

ONCE IDEAL HIPOTÉTICO DE YUGOSLAVIA

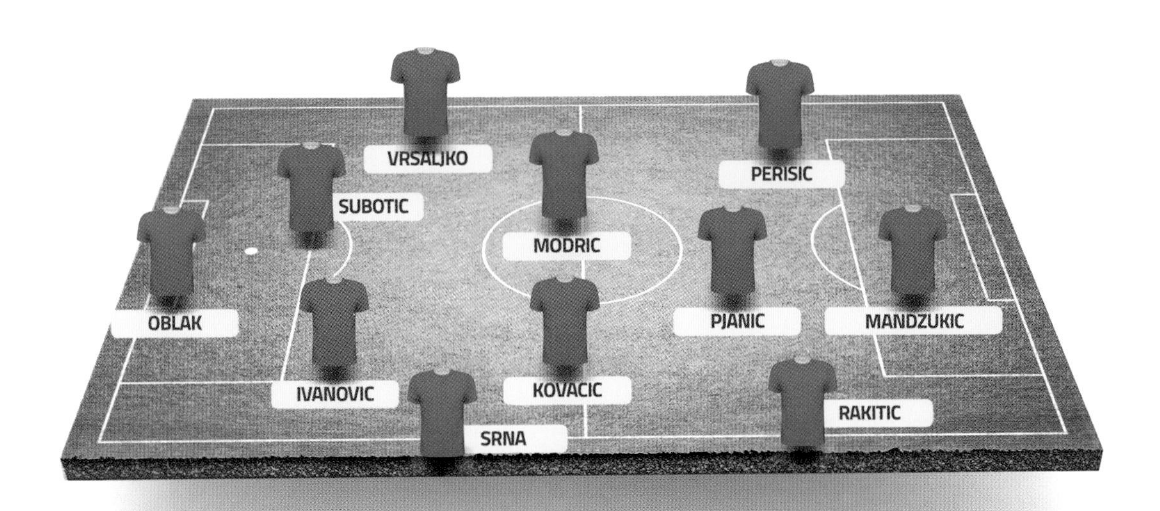

XI elaborado en 2017.

CITA:

Solo fui un croata rebelde; los héroes llegaron con la guerra (Zvonimir Boban).

D'AGOSTINO Y LOS ERRORES DE SU VIDA

La siguiente historia es de agradecimiento a un amigo de Campeones. El periodista Enrique Julián Gómez publicó un artículo en *Sphera Sports* donde desgranaba, paso a paso, algunos de los secretos de un jugador de inicios algo convulsos. Esta anécdota empezará por el final y no por el principio, porque la vida de Gaetano D'Agostino podría ser una película producida por los dirigentes italianos del sector, y todo tiene su razón, desde el nacimiento.

Gaetano fue un centrocampista fino y elegante al que la vida futbolística no le sonrió como quería y como intentó. Llegó a ser entrenador del Anzio, que milita en Serie D, no muy lejos de Roma. Esperemos que el futuro en los banquillos no sea tan aciago, porque el bueno de D'Agostino pasó por 12 clubes, cada cual más pintoresco, y todos italianos. Desde el humilde Lupa Roma, donde se retiró, hasta el Benevento, pasando por el Fidelis Andria, Pescara u otros más conocidos, como la Fiorentina o el Siena. Con la Nazionale, apenas intervino en cinco partidos. Los había que pensaban que podía ser un volante de futuro, pero nada fue así.

Después de pasar por el Messina, donde también jugó, hizo vida en Údine, en un extremo del país. El Udinese fue el equipo en el que más presencia tuvo y en el que más gozó de oportunidades. Su mejor temporada fue la 2008/09, en que marcó 11 goles y jugó con Alexis Sánchez, Antonio Di Natale, Mauricio Isla o Gokhan Inler, entre otros. Fue un lugar idóneo para él. Con todo lo que había vivido, logró desquitarse de la presión para ser un futbolista deseado por la Juventus, el Napoli y el Real Madrid.

«Mi antiguo abogado todavía tiene la copia del precontrato con el Real Madrid y los billetes de avión. Me llamó Ernesto Bronzetti, el intermediario. Recuerdo que estaba jugando a la Play Station. La oportunidad de irme a la Juve se había esfumado poco antes», confesó en una entrevista. Él no se creía la posibilidad de jugar para el Madrid y desoyó cualquier tipo de mensaje o llamada, incluso la del propio club. «Estaba con un cigarro en la boca y el mando en las manos. Vi un número extraño en el teléfono y respondí. Me dijo quién era y lo que quería proponerme. El Real Madrid. Pensé que era una broma y colgué», explicó (trad. Enrique Julián). Los madridistas acabarían fichando a Xabi Alonso, dado el desinterés o el elevado precio fijado por el italiano.

Pero hubo una vez en la que Gaetano fue triunfador. Tocó el cielo en la temporada 2000/01, al ganar con la Roma el tercer *scudetto* de su historia. Fabio Capello confió en él a pesar de fichar a Emerson y tener en plantilla a Tommassi y a Cristiano Zanetti. Su aportación fue nimia: un partido ante el Brescia, donde jugó 16 minutos y recibió una amarilla. Sin embargo, formaba parte de la plantilla campeona. Es el único título que ostenta.

Y llegamos a sus orígenes, porque lo mejor se guarda para el final. D'Agostino llegó a la Roma, a sus categorías inferiores, por una serie de catastróficas desdichas. Nació en 1982 en Palermo, donde su padre tuvo relaciones con la Cosa Nostra, una de las sociedades secretas más peligrosas de Italia. Giuseppe D'Agostino, como se llamaba su padre, fue detenido mientras estaba en un restaurante de Milán con los hermanos Giuseppe y Filippo Graviano, a los que se les vinculaba con varios atentados. La intención del padre no era otra que reunirse con la mano derecha de Silvio Berlusconi, para que Gaetano pudiera hacer una prueba en el todopoderoso AC Milan. Las pruebas se llevaron a cabo, pero nunca llegó a la cantera.

«Cometió un error: arruinar su vida para salvar la mía. No quería que acabara como el resto de chicos de mi edad. Sin el fútbol, en el mejor de los casos habría acabado como vendedor en el mercado. En el peor..., no lo sé», declaró en una entrevista en *La Repubblica*. Fruto de las calamidades sufridas, ha encontrado la paz, pese a todo, en el fútbol y en Dios. A él le habla todos los días para mejorar como persona y no pecar.

Con un padre que coqueteó con la mafia para buscar la prosperidad de su hijo y una carrera futbolística que se cortó por no tomarse en serio una llamada de teléfono, puede decirse que Gaetano D'Agostino fue un futbolista de mala fortuna, no cabe duda.

EL PELELE DE LA MAFIA NAPOLITANA

La mafia napolitana, la Camorra concretamente, ha sido una de las que más ha querido influir en el mundo del fútbol. Y no pudo ser en otra época cuando un futbolista divino aterrizó en Nápoles para salvar al aficionado de San Paolo. Cuando Diego Armando Maradona se enfundó la elástica, muchos vieron en el argentino un filón que aprovechar. El Pelusa era algo más que un futbolista, era una estrella social, política e, incluso, económica, algo que sería de valor para una de las organizaciones más temidas de Italia.

El positivo de Maradona en Italia fue la condena de Diego, que había vivido años dorados con el Napoli. Sin embargo, sentía la presión de la mafia a cada paso que daba. «En Nápoles tienes que ser Maradona para sobrevivir. Sos más bajo que Maradona y te matan. Es así. Donde caía, podía estar la mafia, la Camorra. Yo entraba. Fui su bandera [...] porque era lindo o porque era bueno; ellos me querían porque yo le había ganado al norte. Y los capos me querían porque yo había hecho feliz al pueblo, al que por ahí ellos exprimían. Pero una vez a la semana, los domingos, los hacía felices. Pero en Nápoles la droga estaba en todas partes. Casi me la ofrecían en bandeja», declaró el propio futbolista durante su periodo de desintoxicación.

Más allá de lo que le afectara a Maradona, se habló mucho de la influencia de la Camorra sobre él, al relacionársele con un presunto amaño de partidos en la temporada 1987/88, en la que el Napoli partía con ventaja en el campeonato y Diego ni se preocupó. La mafia quería evitar el pago de todos los ganadores en loterías ilegales, según cuentan.

Le quisieron usar para cualquier cosa, incluso le llegaron a robar el Balón de Oro concedido por ganar el Mundial de 1986; no el que entregaba y entrega ahora France Football, sino el del campeonato. La Camorra lo robó en el asalto al Banco de Nápoles en 1989 y lo fundió poco después. Esto lo confesó Salvatore Lo Russo, capo de la Camorra y amigo de Diego Armando Maradona. Bueno, sí se puede llamar así.

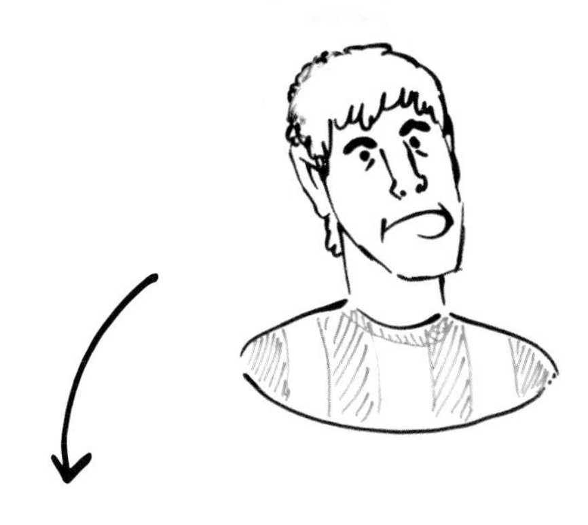

CITA:

Yo me equivoqué y pagué, pero la pelota no se mancha (Diego Armando Maradona).

LO QUE HEMOS APRENDIDO DEL *DRAW MY LIFE* DE MARADONA

En *Campeones* nos consideramos amantes del fútbol histórico, y ahí entra Diego Armando Maradona. Sin duda, era uno de los jugadores de la época que más merecía un *Draw my Life*. Porque, siendo sinceros, su vida es de dibujos animados, aunque también podría ser la historia perfecta de una película de suspense. A nosotros lo que nos atañe es el fútbol y su vida siempre fue eso. Por ello, recordamos con añoranza la documentación sobre esta pieza audiovisual, donde comprobamos que River Plate estuvo cerca de ficharle antes de llegar a Boca Juniors, cuando todavía estaba en Argentinos. De hecho, todavía corre un vídeo por YouTube donde confiesa sus ganas de enfundarse la camiseta con la franja. Imaginaos cómo podría haber cambiado la historia del fútbol argentino. Y la del mundo.

LA SELECCIÓN AFRICANA QUE HIZO LA MILI

El fútbol es importante para la política y viceversa. Influye y, otras veces, hacen que influya. Y las manifestaciones que suelen darse a raíz de los partidos pueden ser de cualquier índole, desde beneficiosas hasta represivas. La siguiente historia se encuentra entre estas segundas: la inestabilidad del país afectó al deporte rey.

La Copa Africana de Naciones de 2000 se puso en marcha el 22 de enero. Una de las grandes candidatas, Costa de Marfil, estaba viviendo un momento delicado en el país. No obstante, eso no afectaría a su participación. Los Elefantes estuvieron emparejados con Togo, Ghana y Camerún en el grupo A, unos cruces complicados. En su partido inaugural con los togoleses, empataron a cero, una calamidad tratándose del más asequible. Y el desastre se reflejó en el segundo encuentro ante el conjunto camerunés, que le aplastó 3-0. Necesitarían un milagro ante su último rival, una diferencia mayor de tres goles, para pasar a cuartos de final. Kalou y Sie hicieron dos, pero el tercero no quiso entrar. Costa de Marfil caería eliminada en un cuadro en el que los cuatro equipos empataron a cuatro puntos. Camerún y Ghana tuvieron mejor fortuna. Era el momento de regresar a casa.

Por aquel entonces, Costa de Marfil vivía una situación política desastrosa y no cabe resumirla a la ligera. Henri Konan Bédié, presidente del país, fue derrocado tras un golpe militar llevado a cabo por Robert Guëí, quien fuera comandante del ejército, pero destituido por Bédié. A finales de diciembre, Costa de Marfil era un país controlado por los militares, aunque la situación no les cogió de nuevas a los futbolistas que participaron en la Copa Africana de Naciones.

La selección salió al día siguiente de acabar su torneo. Se dirigían hacia Abiyán, la capital del país, pero hubo un repentino cambio de planes. Aterrizarían en Yamusukro por supuestos problemas aéreos en el aeropuerto. Y fue allí donde se encontraron algo que no esperaban. Camiones militares aguardaban en la puerta para ser trasladados a un campo militar. Los futbolistas estaban indecisos por lo que estaba ocurriendo. Básicamente, Guëí pensó que era buena idea que los jugadores que habían representado a Costa de Marfil tuvieran una instrucción adecuada. Aquello se vendió como un ejercicio de patriotismo absoluto.

Fueron destinados a Zambrako, a varios kilómetros de la capital, donde harían su particular mili. No podían tener contacto con nadie, ya que fueron requisadas todas sus pertenencias, entre ellas los teléfonos móviles. Serían tratados como militares novatos y aprenderían todo lo necesario para servir en el ejército. Hicieron pruebas cuya dureza sería mitigada por el aliento de los soldados, que les pedían autógrafos y jugaban con ellos a la pelota. Para los futbolistas, aquellos tres días fueron un infierno.

Aquel militar tenía un motivo para recluir a los jugadores y, como no podía ser de otro modo, el fútbol como principal excusa. «He pedido que seáis enviados al cuartel para reflexionar. Es un primer aviso, habéis sido indignos. Los pies y el corazón son los que deben jugar. Es la última vez que nos decepcionáis de esa manera. La próxima vez que ocurra os quedaréis 18 meses, que es lo que dura el servicio militar, y os meteremos entre rejas», declaró.

Dado el injusto internamiento, el Gobierno golpista recibió una presión internacional que no supo manejar y, por ello, decidió liberar al combinado nacional. Pronto volverían a sus casas y, poco después, acabaría el mandato de Robert Guëí, que dos años después fallecería al saltar la guerra civil en el país africano. La frase «quien siembra recoge» tiene sentido en esta historia, y no para aquella selección que lo único que hizo fue hacer su trabajo. Y acabaron haciendo la mili.

EL ASALTO A TOGO

Quizás no debieron pasar por ahí, pero la selección de Togo vivió una pesadilla en su viaje a la Copa Africana de Naciones de 2010, evento que se inauguraba el 8 de enero de ese año.

El torneo se disputaría en Angola y el combinado togolés viajó en autobús desde la República Democrática del Congo. Craso error. En plena carretera, fueron asaltados por un grupo separatista angoleño de la provincia de Cabinda, una región que se quiso separar de Angola tras haber logrado su independencia con la firma del Tratado de Alvor.

El autobús fue detenido por este grupo separatista, que disparó sin piedad hacia el interior del vehículo para intentar asesinar a todas las personas que se encontraban en su interior. Fue un asalto de media hora. El conductor, Mário Adjoua, fue la primera víctima mortal. No tenían posibilidad de escapar y la muerte parecía cuestión de minutos. Murieron un total de tres personas, y más de nueve ocupantes resultaron heridos. El propio Emmanuel Adebayor, que aseguró haber tenido «la peor experiencia de su vida», tuvo que ayudar a varios de sus compañeros a abandonar el autobús y desplazarse al hospital más cercano.

La selección de Togo pidió a la organización del evento un respeto por las víctimas y se negó a jugar. Se encontraban en un momento delicado, sobre todo psicológicamente. La organización continental, al ver que el Gobierno togolés había pedido a sus ciudadanos que volvieran, descalificó a la selección de la Copa Africana de Naciones, en la que uno de los grupos lo conformarían tres equipos. Aquel ataque terrorista nunca se borrará de la memoria. Nadie puede darle la vuelta a un problema de tal calibre.

ONCE IDEAL DE ÁFRICA

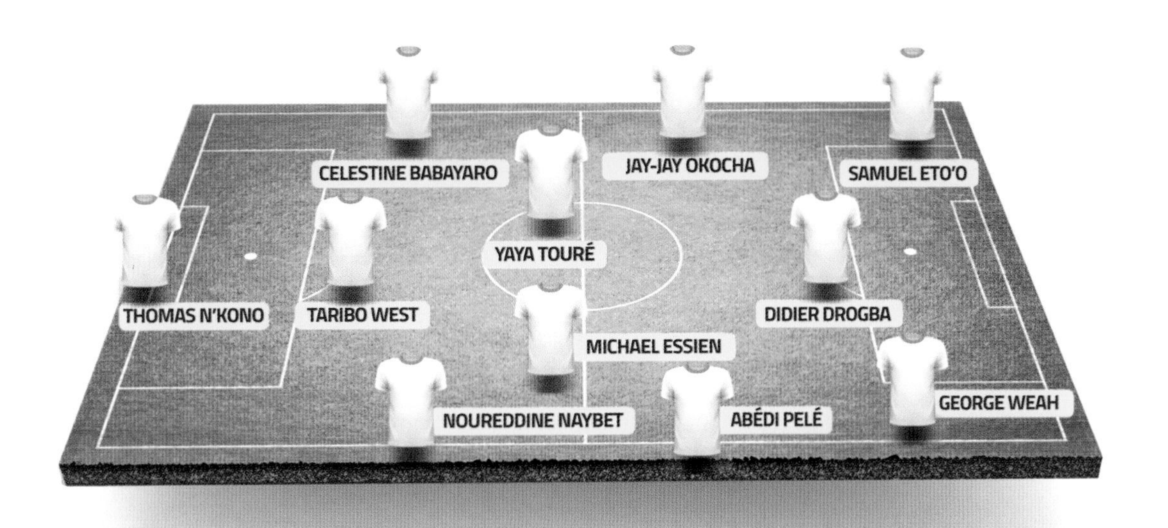

CITA:

Correré como un negro para vivir mañana como un blanco (Samuel Eto'o).

LOCOS DEL FÚTBOL

Somos de la fanfarronería de George Best, de la excentricidad de Vinnie Jones y de las locuras de Mario Balotelli. Porque el fútbol no es lo mismo sin los protagonistas dementes de este capítulo. Son el mejor aderezo para salirse de lo común.

LA PELEA MÁS VERGONZOSA DE BEST

George Best dijo en una ocasión que si él hubiera nacido feo, no habríamos oído hablar de Pelé. Con esta afirmación podemos sacar varias conclusiones sobre el carácter del jugador norirlandés. La primera es que no tenía problemas para regalarse oídos; la segunda, que sabía que podía haber sido mejor jugador de no haberse dejado llevar por los excesos. Nunca dijo que no a tomar una copa y vivía más de noche que de día.

Tras dar pruebas de que era uno de los mejores jugadores de los sesenta, fue abandonándose paulatinamente. Ganador del Balón de Oro y de la Copa de Europa, terminó su carrera deportiva entre Estados Unidos y clubes menores de Gran Bretaña. A América llegó para ser una nueva estrella del New York Cosmos, como Pelé o Beckenbauer. Sin embargo, la NASL no aceptaba esta descompensación de estrellas entre unos equipos y otros, y tuvo que firmar por Los Angeles Aztecs. Algo parecido le pasó a Cruyff, que, pese a jugar amistosos con el New York Cosmos, tuvo que irse también a los Aztecs y posteriormente a Washington Diplomats.

En Estados Unidos se bebió hasta el agua de los floreros, algo que nunca negó. La suya fue una vida cargada de excesos, en la que no estaba solo. Su entrenador en Los Ángeles le preguntó sobre algún otro jugador con calidad suficiente para jugar con los Aztecs. Best no lo dudó y se llevó a Estados Unidos a uno de sus mejores amigos en los bares británicos, Bobby McAllister. Para que lo aceptasen solo tuvo que decir que era un notable jugador del Manchester City. La realidad era bien distinta: solo jugó un partido en el Manchester City en tres años y luego pasó por clubes menores. Pero la palabra de Best era sagrada y le ficharon.

Más adelante se uniría una tercera pata a esta mesa de cierrabares. Charlie Cooke fue catalogado por Best como una parte muy importante del club de bebedores londinenses de los sesenta. Y es que Cooke fue un notable jugador del Chelsea y amigo de Best en los bares ingleses. Aunque la decepción de Best fue tremenda cuando llegó a Los Ángeles, Cooke había dejado el alcohol e intentó que el *beatle* norirlandés también lo hiciera. No fue posible. En una de sus andanzas, George Best y Bobby McAllister se fueron a un bar neoyorquino a tomar unas cervezas mientras seguían la retransmisión del tercer y último combate entre Muhammad Ali y Joe Frazier, disputado en Filipinas. El conocido como *Thrilla in Manila*, que iba a dilucidar el campeón de los pesos pesados, tuvo una enorme expectación. No en vano está considerado como una de las mejores peleas de la historia. Best y McAllister preferían la victoria de Ali, mientras que la mayor parte de la gente del bar se decantaban por Frazier.

En el decimotercer asalto, Ali infligió un duro castigo a su rival. Con un derechazo le sacó el protector bucal, momento que aprovechó para ensañarse con la mandíbula. El asalto fue eterno para Frazier, al igual que el decimocuarto, en que Ali mantuvo el castigo. El entrenador de Frazier detuvo el combate entre rounds, le dijo a su pupilo que nunca nadie olvidaría lo que había hecho en Manila, pero que ya se había acabado. Ali era campeón de los pesos pesados y, en un bar de Nueva York, Best y McAllister festejaban la victoria. La sorna con que se emplearon no fue bien recibida por los lugareños y uno de ellos estalló retándoles a pelear en la calle. Él solo, contra los dos futbolistas. Seguramente aquel bravucón no sabría quiénes eran. El *soccer* en Estados Unidos no estaba asentado y Best era uno más en un bar de Nueva York.

Mientras se dirigían hacia la calle, Best le dijo a McAllister que si conseguía darle un puñetazo, tocaría salir corriendo. Aquel hombre era mucho más grande que los dos británicos envalentonados por el alcohol, aunque conocedores de sus limitaciones. Ya sobre el asfalto pudieron evitar un par de andanadas, al tiempo que Best atinaba a darle una patada en sus partes nobles. Tocaba correr, habían ganado el combate. De una forma muy distinta a como lo ganó Ali a cientos de kilómetros, eso sí. Una pelea que era una prueba más del momento que vivía Best en Estados Unidos.

CITA:

Hace años dije que si me daban a elegir entre marcar un golazo al Liverpool o acostarme con una Miss Mundo, iba a tener una difícil elección. Por suerte, pude hacer ambas cosas (George Best).

UNA AMISTAD QUE NO ENTIENDE DE RIVALIDADES

Mike Sumerbee firmó por el Manchester City en 1965. Por entonces ya llevaba más de 200 partidos en el fútbol inglés con el Swindon Town. El City estaba ese año en segunda división y no concitaba la atención que recibe ahora; todas las miradas se concentraban en el Manchester United. El bueno de Mike, que aún conocía poco la ciudad, se fue a tomar algo a una cafetería el día que firmó. Al abrir la puerta había dos personas dentro. En una mesa, una chica rubia; en la otra, nada más y nada menos que George Best, la estrella del Manchester United. Sumerbee no lo dudó y fue a presentarse. Obviamente, él conocía a Best, pero Best no le conocía a él. Comenzaba así una historia de amistad inquebrantable.

Si el Manchester United jugaba fuera, Mike Sumerbee iba a recoger a Best a su regreso en Old Trafford. Si era el City el que jugaba a domicilio, Best lo esperaba en Maine Road. Ambos representaban a los dos equipos de la ciudad, dos jugadores que nunca entendieron de rivalidad. No había bar que no pisasen juntos; eso sí, hablaban poco de fútbol, no les gustaba hablar de trabajo en el tiempo de ocio. Por entonces, las cosas eran diferentes y, aunque Best era una gran estrella, podían hacer vida normal sin que nadie les molestase.

Viajaban juntos, compartían pintas, muchas pintas, e incluso Best fue el padrino de bodas de la estrella del City. También les dio tiempo a aventurarse en un negocio conjunto, una tienda de moda que abrieron en el centro de Manchester. Sumerbee siempre ha alabado a Best, recalcando que se tiene una imagen muy equivocada de él, que Best, pese a ser un gran fiestero, también tenía una personalidad tímida y era muy buena persona. Siempre dispuesto a ayudar. Reconoce que no fue a verle cuando se estaba muriendo, no quería verle así, quería quedarse con la imagen de un tipo jovial que se convirtió en su mejor amigo dentro y fuera del fútbol.

ONCE IDEAL DE FUTBOLISTAS QUE NO JUGARON UN MUNDIAL

Danny Blind, llegó a estar convocado en 9 partidos mundialistas, pero no jugó ni un minuto.
Di Stéfano, llegó a acudir al Mundial de Chile 1962 con España, pero no jugó.
En este XI ideal, no están incluidos jugadores en activo en 2017.

CUANDO LA LAZIO ERA UN EQUIPO DE GÁNGSTERS

El día que Luigi Martini llegó a Roma para firmar por la Lazio no podía ni tan siquiera imaginarse lo que allí se iba a encontrar. Aquel joven lateral de fuerte carácter acababa de fichar procedente del Livorno. A su llegada se encontró con que en el equipo había dos líderes de vestuario. El cabecilla era Giorgio Chinaglia, que junto a su amigo Pino Wilson, ambos de origen inglés y dos de los más veteranos del equipo, hacía y deshacía a su antojo. Aquello no le gustaba a Martini, que no dudó en plantarles cara más de una vez. De forma natural, con la llegada de Martini en el verano de 1971, el vestuario *laziale* se fue dividiendo en dos facciones: los amigos de Chinaglia y los amigos de Martini.

Los jugadores acostumbraban a ir a los entrenamientos con la bolsa de ropa, la cartera, las llaves del coche... y un revólver. «Salir de casa sin la pistola era como salir sin el móvil», confiesan ahora los miembros de aquella escuadra. Las concentraciones en los hoteles eran caóticas. Para divertirse, los jugadores desenfundaban sus revólveres y comenzaban a disparar a las farolas. Los hombres de la Lazio irrumpían en las habitaciones de los jugadores recién llegados pistola en mano y les disparaban entre las piernas para ver si eran «dignos jugadores de la Lazio». La «broma» se alargó hasta que un día uno de los proyectiles casi acaba con un chico sordomudo. En los campos de entrenamiento había dos vestuarios y la división era tan clara que, incluso en las sesiones de preparación, los jugadores se cambiaban en uno u otro vestuario dependiendo del grupo en el que estuvieran. Ningún jugador podía entrar en el vestuario del grupo rival.

Si la cosa nunca fue a más, no solo en aquella, sino en muchas otras ocasiones, fue gracias a una figura, la del entrenador Tommaso Maestrelli, el hombre que amansaba a las fieras y conseguía apaciguar los ánimos para que aquel equipo de salvajes no perdiera el rumbo por completo. Era el más respetado del vestuario. Durante la semana, la tensión interna era máxima. Insultos, amenazas y hasta peleas entre unos jugadores que, cuando llegaba el domingo de partido, dejaban de lado sus diferencias y se mostraban unidos y compactos. Si un rival osaba tocar a un compañero, aunque este fuera de la otra facción, todo el equipo daba la cara por él.

En una ocasión, en un partido en la Copa de la UEFA 73/74, se vivió un episodio dantesco. El Ipswich Town inglés les había ganado 4-0 en el partido de ida. Pero aquel equipo no veía barreras, por lo que se conjuraron para lograr la remontada. Pero algo raro pasó ese día.

Según aseguran los jugadores de la Lazio, el colegiado no estaba en condiciones para arbitrar. Antes del partido percibieron que olía a alcohol. La Lazio salió en tromba y cerró el primer tiempo con 2-0 en el marcador. La remontada iba por el buen camino. En la segunda mitad, el tercer gol italiano estaba a punto de llegar a la red cuando Alan Hunter se lanzó y paró el balón con la mano. El árbitro no pitó penalti. Los jugadores de la Lazio se desgañitaban, uno incluso dio alguna patada al árbitro, que veía cómo aquellos futbolistas de azul le rodeaban y zarandeaban. Sir Bobby Robson, por entonces entrenador del Ipswich, dejó para el recuerdo una frase: «Creedme, esto no era fútbol, era la guerra». La UEFA tomó la decisión de sancionar a la Lazio con un año sin competir en Europa.

Aquel equipo, que había comenzado sus andanzas entre pistolas en la segunda división italiana, terminaría proclamándose campeón de Italia, por primera vez en su historia, en 1974. Los jugadores lo tenían claro, aquella victoria histórica tenía un «culpable», el entrenador Tommaso Maestrelli. La temporada siguiente al título todo empezó a torcerse. Diagnosticaron un cáncer de hígado al entrenador, que terminó falleciendo en diciembre de 1976, poco después de otro palo: la marcha de Chinaglia al Cosmos de Pelé.

Y por si fuera poco, solo un mes después de la desaparición del entrenador, un disparo acabaría con la vida de Re Cecconi, probablemente el miembro más tranquilo del equipo *laziale*. Pagaban justos por pecadores. Lo cierto es que el final de la Lazio de las pistolas había llegado... por una pistola.

LA MUERTE QUE PUSO FIN A LA LAZIO DE LAS PISTOLAS

En aquella escuadra de salvajes, una figura sobresalía por su temple y serenidad, la del entrenador Tommaso Maestrelli. Sobre el campo (y fuera de él) tuvo que lidiar con el ímpetu de la mayoría de sus futbolistas. Todos eran problemáticos, salvo uno, Luciano Re Cecconi. La marcha de Chinaglia al Cosmos y la posterior muerte del entrenador Maestrelli hizo entrar en una depresión interna al equipo y el peso de este recayó en dos hombres, Wilson y Re Cecconi. La Lazio ya no era la misma, y a pesar de eso, sus jugadores no aparcaron su pasión por las pistolas.

El 18 de enero de 1977, Re Cecconi acompaña a su compañero Pietro Ghedin a una joyería. Según cuenta la versión oficial, Re Cecconi decidió gastar una broma con la mano en los bolsillos diciendo: «Todos quietos, esto es un atraco». El joyero, que estaba de espaldas en ese momento, tomó su arma, se volvió, apretó el gatillo y acabó con la vida del jugador ante la mirada de Ghedin.

Aquella fue la versión oficial..., la que pocos creen. Nadie que lo conociera se imagina a aquel calmado padre de dos hijos gastando una broma como aquella en un tiempo tan convulso. Un mes después de la muerte de Maestrelli, la tragedia se volvía a encontrar con la Lazio. Paradójicamente, una pistola acabó con el más cuerdo de la Lazio de las Pistolas.

CITA:

En aquella Lazio, salir de casa sin pistola era como salir sin el móvil (Vincenzo D'Amico).

LOS 10 GRANDES CLÁSICOS DEL FÚTBOL MUNDIAL

Los clásicos no suelen ser los mejores partidos del mundo, pero sí que están entre los más emocionantes y que más pasiones levantan. A continuación, una recopilación de los más vibrantes duelos del fútbol.

Lazio-Roma
Derby della Capitale, Roma (Italia)

Real Madrid-Barcelona
El Clásico Madrid/Barcelona (España)

Boca Juniors-River Plate
El Superclásico, Buenos Aires (Argentina)

Celtic-Rangers
Old Firm, Glasgow (Escocia)

Estrella Roja-Partizán
Derbi Eterno de Belgrado, Belgrado (Serbia)

Paris Saint-Germain-Olympique de Marsella
Le Classique París/Marsella (Francia)

Panathinaikos-Olympiacos
Derbi de los Eternos Enemigos, Atenas (Grecia)

Galatasaray-Fenerbahçe
Clásico Intercontinental, Estambul (Turquía)

América-Guadalajara
Clásico de clásicos, Ciudad de México/Guadalajara (México)

Nacional-Peñarol
Superclásico de Uruguay, Montevideo (Uruguay)

CUANDO ARAGONÉS PASÓ A HABLAR «DE TÚ A USTED»

A Luis Aragonés se le reconoce, sobre todo, por su labor como entrenador. Exitoso como pocos en España, cambió la concepción de muchos equipos en los que estuvo, sobre todo en el Atlético de Madrid y en la selección nacional. Su comportamiento, sus maneras y sus gestos no eran más que una prolongación de lo que fue Luis como futbolista, con aspecto desgarbado pero elegante con el esférico. Apreciaba la técnica porque la poseía, pero su principal virtud era la táctica. Fue entrenador mientras fue futbolista, de eso no cabe duda.

La historia del Atlético cambió de la noche a la mañana en una sola temporada. Hablamos de la 1973/74, recordada hasta la saciedad por el colchonero. Aquel año, los rojiblancos miraban a la cara a cualquier equipo del mundo. Jugadores como Adelardo, Ufarte, Gárate, Irureta... fueron la envidia de España. Y Luis Aragonés fue el cerebro de un equipo que tocó su primera final de la Copa de Europa ante el Bayern de Múnich, el temido club bávaro con Franz Beckenbauer a la cabeza y con Gerd Müller como ariete. Y Zapatones, como llamaban a Luis, no quería que nadie ni nada fueran más que el *Atleti*. «Guapo, pero mira qué guapo es», le dijo al *Káiser* cuando se vieron las caras. Los jugadores del Atlético de Madrid estaban tranquilos, en parte por la ayuda de su líder.

Lo que hizo y lo que fue como jugador se puede explicar en la falta que lanzó en aquella final, ya en la prórroga. Era un maestro del golpe franco porque entrenó esta habilidad. La practicó con Urtiaga, canterano y exjugador del Valencia que fichó por el Atlético. A Luis Aragonés le maravillaba cómo tiraba las faltas Waldo, un futbolista brasileño del equipo *che* que fue pichichi de la liga, y le pidió a su compañero que le enseñara cómo lo hacía. Entrenaba todo y se convirtió en un futbolista prolífico de cara al gol. Y aquel libre directo al borde del área, no iba a ser menos, a pesar de la experiencia de Sepp Maier en la portería. Antes de que entrara la pelota, el 'ocho' del Atlético ya sabía que entraba.

Después, ocurrió el desastre que persigue al Atlético de Madrid desde hace años. A los seis minutos de ponerse delante, el central Schwarzenbeck mete un inesperado zapatazo que no puede detener Miguel Reina. Y a partir de ahí, como por entonces no se lanzaban penaltis, tuvieron que repetir el encuentro en Heysel. Y se desplomaron como un castillo de naipes. Gerd Müller y Uli Hoeness hicieron su trabajo con un doloroso 4-0.

Era momento de olvidar y la directiva, comenzada la temporada 1974/75, decidió destituir al técnico argentino Juan Carlos Lorenzo. Sonaban muchos nombres, entre ellos un antiguo rival, Ferenc *Pancho* Puskás, estrella del Real Madrid que dejó un buen regusto con el Panathinaikos en 1971, llegando a la final de la Copa de Europa ante el Ajax. Pero Vicente Calderón no dudó ni lo más mínimo. Tenía un jugador en el vestuario que se ganó la confianza de sus compañeros por su forma de ser, por su profesionalidad y por su entrega. De la noche a la mañana, Luis Aragonés pasó de futbolista de 36 años a entrenador del primer equipo del Atlético de Madrid. Cambió la equipación y las botas por el chándal y el silbato.

Y este detalle lo contó Adelardo, compañero y capitán del Atlético de Madrid, a la revista *Kaiser Football* en un especial de Luis Aragonés. «Bueno, como verán ustedes, soy el entrenador de este equipo y quiero toda su responsabilidad», narró como si lo volviera a vivir en aquel vestuario. El propio Adelardo hizo especial hincapié en ese momento, en el que pasó de llamarle de tú a hacerlo de usted. «Ahí nos demostró lo que era Luis», dijo para constatar el cambio de futbolista a entrenador.

Y ese respeto lo ha destacado Luis Aragonés durante toda su carrera como entrenador. Un claro defensor de sus futbolistas, anteponiendo siempre el respeto y la seriedad. Y, de vez en cuando, le salía el alma de jugador, como cuando le llamó *guapo* a Beckenbauer o cuando llamó *Wallace* a Michael Ballack en la final de la Eurocopa 2008.

CITA:

No pise usted ese escudo (Luis Aragonés al cuarto árbitro, que pisaba el escudo del Atleti sobre el césped en un España-Eslovaquia en el Calderón).

CUANDO ARAGONÉS AGARRÓ A GIL DEL MICHELÍN

Luis Aragonés ha sido la gran institución del Atlético de Madrid y el colchonero de a pie lo entiende como tal por lo que ha dado al equipo. Desde pedir a un colegiado que no pise el escudo de sus amores ni sin querer, hasta encararse con Jesús Gil defendiendo a sus jugadores. Es oportuno contar aquí una historia que verdaderamente explica la relevancia del Sabio de Hortaleza.

Era la última etapa de Luis Aragonés en el Atlético de Madrid y los jugadores no estaban recibiendo sus nóminas. En una comida de Navidad del club, el que fuera capitán del equipo, Santi Denia, se levanta para hablar con Jesús Gil. Se acerca al mandatario y le pide, por favor, que se solucione el tema de los pagos porque los jugadores llevaban dos meses sin cobrar. El dirigente, con su fanfarronería, le dio largas al futbolista, que se marchó a su sitio con la cabeza gacha.

Luis Aragonés vio aquello, le pidió calma y le dijo que lo solucionaría rápido. Fue como una exhalación a la mesa del presidente y le agarró de un michelín de la tripa, mientras le decía: «Va a pagar a mis jugadores, me cago en mi madre». El temperamento del entrenador fue captado por Jesús Gil, que al día siguiente pagó a sus futbolistas. Una clara demostración de lo que era capaz de hacer Luis Aragonés por su plantilla.

EQUIPOS ESPAÑOLES DE LUIS ARAGONÉS

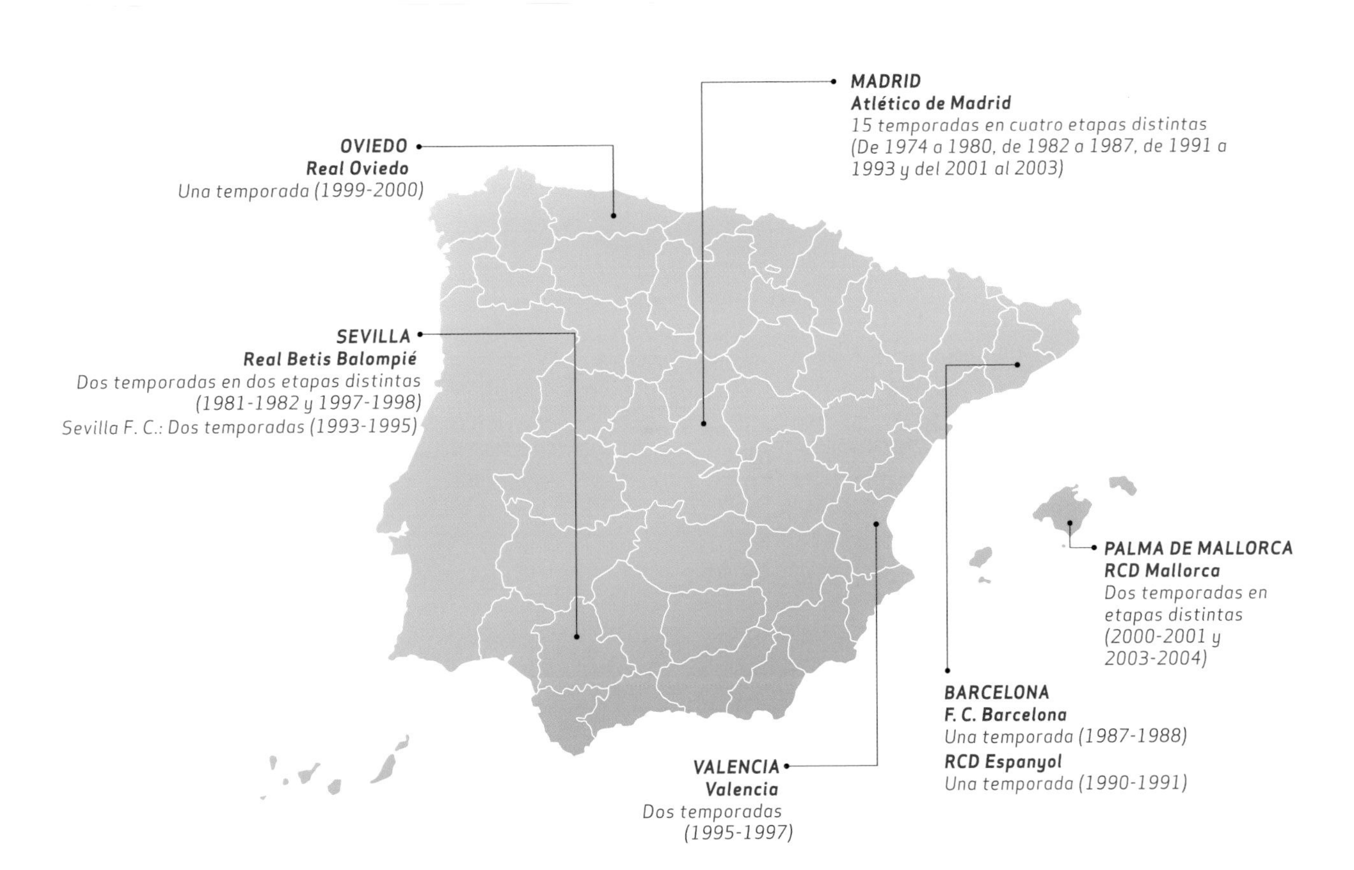

EL DÍA QUE VILLAR ABOFETEÓ A CRUYFF

El nombre propio de la temporada 1973/74 era Johan Cruyff. El Barcelona se había hecho con los servicios del mejor jugador del mundo por cien millones de pesetas. Un hombre que venía de ganar las últimas tres Copas de Europa con el Ajax y de llevarse dos Balones de Oro (1971 y 1973). Cruyff había llegado a la Ciudad Condal gracias a que volvieron a abrirse las fronteras en el fútbol español. Desde la temporada 1962/63 no se podían fichar extranjeros. Para el verano de 1973, el Barcelona fichó a Cruyff y Sotil. Johan llegaba a Barcelona con una única misión, recuperar el cetro liguero, un título que no conseguían los culés desde la temporada 1959/60. Y vaya sí lo consiguió, el Barcelona terminó logrando su novena liga.

La apertura de fronteras no afectó lo más mínimo al Athletic Club, dada su especial idiosincrasia, por la que solo pueden jugar futbolistas de la tierra (jugadores que hubieran nacido o con descendencia en Euskal Herria). Este cambio en el campeonato les repercutía negativamente, como se ha demostrado con el paso de los años. El Athletic, pese a ello, era uno de los mejores equipos del fútbol español en aquel momento. Con hombres de la cantera como Iribar, Iñaki Saez, Villar o los Rojo (I y II; era normal, por entonces, colocar una numeración a los jugadores que compartían apellido), el equipo consiguió la Copa de 1973.

Uno de los mejores jugadores del equipo era Ángel María Villar. Sí, el presidente prácticamente vitalicio de la Federación Española de Fútbol. Villar destacaba como mediocampista defensivo; iba bien al corte, sabía guardar la posición y, sobre todo, era inteligente con el balón. Protegía el esférico como pocos y no se complicaba, sabiendo buscar siempre al compañero que estaba detrás en la defensa para reorganizar el juego. Villar estuvo una década jugando en San Mamés, en la que disputó más de 300 partidos. Terminó sus días como futbolista en 1981. Aunque su acción más recordada en el fútbol español se produjo en 1974, precisamente ante Cruyff.

Los Athletic-Barcelona de la época estaban cargados de tensión, con dos equipos siempre muy parejos, pero había llegado el holandés volador para romper la igualdad. La misión de Villar para el partido era una sola (aunque la más complicada), frenar a Cruyff. Tras varias acciones que acabaron en choque, comenzó el intercambio de «piropos». En un lance concreto, Cruyff golpea a Villar y le parte la espinillera. Villar apunta la matrícula. Corre el minuto 36 cuando, en un córner, Cruyff tiene un nuevo intercambio de palabras con el jugador del Athletic. Este, cansado, le agrede. Villar no tiene que esperar a que el árbitro le expulse; él ya sabe lo que ha hecho y comienza a caminar hacia los vestuarios sin protestar la roja. El Athletic se queda con uno menos a falta de casi una hora para acabar el encuentro. La agresión tuvo mayor repercusión en España debido a que el partido estaba siendo emitido por televisión.

Años después, ya con las aguas más calmadas, el que posteriormente sería presidente de la Federación Española diría con sorna que no le dio bien, que Cruyff esquivó bien el golpe y que lo que iba a ser un puñetazo se quedó en una caricia. Lo cierto es que la acción no quedó impune, Villar fue sancionado con cuatro partidos, además de una multa de 200 000 pesetas. La mitad se la impuso la Federación, y la otra mitad, el Athletic, por su conducta inapropiada. Ese mes Villar salió perdiendo dinero al ver su nómina.

El jugador se recluyó tras aquello y no quiso conceder declaraciones. De hecho, estuvo varios días durmiendo fuera de casa, que estaba muy cerca de San Mamés, para evitar a la prensa y a todo curioso. Afortunadamente para los intereses del Athletic, el resultado no se movió y el partido terminó 0-0, pese a jugar los bilbaínos casi todo el partido con un hombre menos. Iribar, portero y capitán del Athletic, echó una bronca curiosa a Villar tras aquel partido. El guardameta tiró de galones y le recriminó que dejase al equipo con uno menos por un calentón. Aquel día en el césped de San Mamés habían chocado dos personalidades que, a la postre, serían eternamente conocidas en el fútbol español, cada uno con una función diferente.

EL TORTAZO QUE CAMBIÓ PARA SIEMPRE EL FÚTBOL ALEMÁN

El considerado mejor jugador alemán de todos los tiempos, Franz Beckenbauer, no era seguidor del Bayern en su niñez, como cabría pensar. Cuando Franz era un crío, el grande de la ciudad era el TSV 1860. De hecho fue el primer club de Múnich en ganar la Bundesliga en 1967, aunque para entonces el Káiser ya jugaba en el equipo rival, el Bayern. Nunca se había planteado acabar allí, pero un hecho vivido en su adolescencia cambió los acontecimientos y la forma de pensar del que en ese momento era delantero. Luego fue retrasando su posición hasta terminar en la zaga.

Beckenbauer representó, en su etapa de jugador, a la Alemania más conservadora, aquella a la que le gustaba de seguir las normas, de no salirse demasiado del guion establecido, en contraposición a lo que ofrecía Netzer en Mönchengladbach. Beckenbauer siempre hizo gala de sus valores tanto dentro como fuera del campo y no concebía la falta de educación. Por los valores que le habían enseñado, ya pensaba así con 14 años. En un torneo juvenil que disputó con su club de entonces, el 1906 Múnich, le tocó enfrentarse al club de sus amores, el 1860. En un lance del juego, un futbolista del equipo contrario le abofeteó. Franz no contestó en el campo, pero sí tomó una decisión fuera de él. No jugaría nunca en el 1860.

A las pocas semanas de aquel suceso, Franz Beckenbauer firmaba por el Bayern y, junto a los Müller, Maier, Roth..., construyó uno de los mejores equipos de la historia, tres veces consecutivas campeón de la Copa de Europa (último club en hacerlo). Pese a que no quiso seguir jugando y apoyando a un equipo que tuviera un jugador como aquel, Beckenbauer siempre ha sentido afecto por el 1860. En 2011, en una complicada situación del club bávaro, pidió a sus amigos que invirtieran en el equipo para evitar su desaparición. En palabras del jugador, Múnich no se concebía sin el 1860. En el fondo les sigue queriendo.

CITA:

Me he peleado con tanta gente que ya no sé a quién dar la mano antes de cada partido (Roy Keane).

OTRAS AGRESIONES RECORDADAS EN EL FÚTBOL

19 expulsados tras una tangana. Era 1971 y en la Bombonera se enfrentaban Boca Juniors y Sporting Cristal. El partido correspondía a la fase de grupos de la Copa Libertadores. Con empate a dos en el marcador, se armó la que probablemente es la mayor tangana de la historia del fútbol. Tras un posible penalti, hubo intercambio de golpes entre argentinos y peruanos, que acabó con 19 expulsados y prácticamente todos los jugadores en comisaría. Se libró un jugador de Boca, Meléndez, y los futbolistas que terminaron en el hospital. Lo más curioso es que, tras la tremenda pelea, los futbolistas se hicieron amigos en los calabozos. De hecho, Meléndez, el único en libertad, les llevó comida a todos. El calentón del momento les había arrebatado la humanidad que recuperaron estando arrestados.

El noqueo de Zandoná a Edmundo. La Supercopa Sudamericana acababa de comenzar. En octavos de final se enfrentaban Vélez y Flamengo. La vuelta en Maracaná se antojaba tranquila tras el 2-3 de la ida, y así fue —el equipo rubronegro, que por entonces tenía a futbolistas de la talla de Romário o Edmundo, ganaba 3-0— hasta que en un instante llegó el caos. Edmundo agrede a Zandoná, defensa argentino, que le devuelve la bofetada. Aquel se da la vuelta tapándose la cara, momento que aprovecha el argentino para una acción ruin: con su rival de espaldas, le da un puñetazo que le noquea. Edmundo cae de golpe al suelo mientras aparece Romário, que propina una patada al jugador de Vélez. La tangana fue de aúpa.

Pepe. Uno de los mejores centrales que han pasado por el fútbol español tendrá en su currículum una mancha que nunca podrá limpiar del todo, dada su gravedad. En la temporada 2008/09 se enfrentaban Real Madrid y Getafe en el Bernabéu. Los blancos se estaban jugando la Liga y la tensión era máxima, cuando, en un momento dado, a Pepe se le cruzaron los cables. Después de hacer penalti sobre Casquero, le dio dos patadas con el getafense tendido aún en el suelo. Al dirigirse Albín hacia él, Pepe lo recibió con un puñetazo. La sanción de 10 partidos era lo menos que se podía esperar. Lo más curioso es que Casquero falló el penalti y el Real Madrid terminó ganando el partido con un hombre menos.

Simeone-Guerrero. Simeone las tuvo de todos los colores en su etapa en España. Desde recibir un puñetazo de Romário, cuando el argentino militaba en el Sevilla, hasta clavarle los tacos a Guerrero en un Athletic-Atlético de la temporada 1996/97. El balón salía por la línea de fondo cuando Guerrero llegaba en carrera para tratar de evitarlo. En esas, Simeone le dio un pisotón, clavándole los tacos. La imagen de la pierna del jugador del Athletic recorrió España, un agujero tremendo que necesitó tres puntos de sutura.

EL PASEO DE JUANITO DE RODILLAS

Juan Gómez, también conocido como Juanito, nos demostró, con su propia vida, que el fútbol es para quienes lo aman y dan la vida por él. Cometió locuras e hizo genialidades, que siempre definirán al número 7 del Real Madrid, aunque sus comienzos no estuvieron en Chamartín. Ángel Castillo, técnico del Atlético de Madrid, decidió fichar en 1969 a un chico que despuntaba en el C. D. Boliches. Jugaría en las categorías inferiores hasta que, en un partido amistoso ante el Benfica, tuvo la primera oportunidad con el primer equipo. Su lozanía le pasó factura y, en una jugada fortuita con el portero, se fracturó la tibia y el peroné, obligándole a un proceso de recuperación que generó el desinterés del conjunto colchonero. Su época con el club de la ribera del Manzanares acabaría muy pronto.

Su explosividad vio la luz en el Burgos C. F., un equipo de segunda división que no dudó en contratarlo tras un año de estar cedido. Sin duda, la estrella, un extremo enjuto pero con un nervio único, se forjó en el Plantío. En la segunda temporada con el club, el Atlético de Madrid decidió venderle. Puso punto y final a una etapa en la que habría un resentimiento marcado. En la campaña 1975/76, logró el ascenso a pimera división. La máxima categoría serviría para ponerle en el escaparate y en la agenda de los mejores equipos de España. Su vida como jugador vino determinada por una decisión.

Antonio Martínez Laredo, presidente del Burgos, con ofertas en la mesa del Barcelona y el Valencia, ayudaría a Juanito a fichar por el Real Madrid. De su exequipo, nada quiso saber. «Al Atlético de Madrid no quiero ni verlo», diría en una entrevista en la que hablaba sobre su futuro. Santiago Bernabéu apostaría por este malagueño pagando 21 millones de pesetas. Llegaría a la par que Uli Stielike, y pronto demostraría que su velocidad e imprevisibilidad eran cuestión de espíritu. Precisamente, con el alemán tuvo una relación de amor-odio, una muestra de lo que podía ser Juanito.

Con los blancos, ganó tres ligas consecutivas en sus tres primeros años, y su presencia en el equipo se hizo primordial. En la que podría haber sido la cuarta para el conjunto merengue, en la temporada 1980/81, el Real Madrid debía ganar en el José Zorrilla ante el Real Valladolid y esperar al resultado entre el Sporting de Gijón y la Real Sociedad en el Molinón. Juanito prometió que si ganaban, iría de rodillas hasta los vestuarios. Lo celebraron antes de tiempo, antes de que Zamora marcara. En un pantallazo del reportaje de *Informe Robinson* sobre Juanito, se recoge la imagen que capta al extremo de rodillas cerca del túnel. Atrevido pero desacertado, así fue en ocasiones el bueno de Juanito.

Tras varias temporadas en el Real Madrid, volvería a Málaga. El desafortunado pisotón a Matthäus le había generado un aluvión de críticas que no pudo controlar. En el Málaga, dejaría sus últimas esencias como futbolista. En el día de su retirada del fútbol, su pasión por los toros tenía que estar presente. Curro Romero, tijera en mano, le cortó la coleta, poniendo fin a su carrera como jugador, aunque comenzaría otra, esta vez desde los banquillos.

El primer banquillo fue el del Mérida. No pasaba por su mejor situación económica, pero mantenía su pasión por el fútbol. No obstante, no hubo mucha posibilidad de ver su faceta como entrenador. En abril de 1992, Juanito viajaba a Madrid para ver a su exequipo en la eliminatoria de la Copa de la UEFA ante el Torino. Tras el encuentro, retomó, junto al preparador físico, Manuel Ángel Giménez, el camino hacia Mérida para el entrenamiento del día siguiente. Ya en carretera, un camión que transportaba troncos perdió la carga en el arcén. El conductor logró esquivarlos, pero chocó contra un tercer vehículo. Juan Gómez perdió la vida mientras dormía.

Y así fue Juanito, valiente, cercano, arrogante, temerario, fabuloso..., un sinfín de adjetivos para un futbolista que devoró la vida y se ganó a los suyos. No son muchos los que dejan esa huella. A él se le recuerda en el minuto siete de cada partido en el Santiago Bernabéu.

LAS SALIDAS DE TONO DE JUANITO

Juan Gómez era irreverente. No se callaba lo que pensaba, pero tenía buen corazón. Cuando se equivocaba, no tardaba en pedir perdón y arrepentirse. Dos de sus momentos más conocidos fueron fruto de la rabia, que desaparecía al instante, aunque dejara una huella imborrable.

Sus participaciones con la selección no fueron tan relevantes como con su club. Con más de una treintena de convocatorias y la participación en los Mundiales de 1978 y 1982, uno de los momentos más recordados con la camiseta nacional se da el 30 de noviembre de 1977, cuando España juega contra Yugoslavia por la clasificación para el Mundial de Argentina. En un partido en el que los yugoslavos jugaron de todo menos al fútbol, Juanito mandó a la grada unos gestos inapropiados que provocaron el lanzamiento de objetos. Tras haber sido sustituido, una botella le impactó en la cabeza y quedó tendido en el suelo. Tuvo que ser retirado del campo para evitar que el público siguiera tirándole cosas.

Juanito era pasional dentro y fuera del terreno de juego. Tanto era su compromiso con el Real Madrid que, a veces, la irracionalidad del malagueño aparecía con todo su vigor. El lado oscuro apareció en la Copa de Europa de 1987, en el partido de ida de semifinales ante el Bayern de Múnich. Matthäus hizo una dura entrada a Chendo, y el extremo reaccionó sobrepasando los límites: pisó la cabeza del alemán. Recibió por ello una sanción de 5 años sin poder jugar en competiciones europeas. Sería el billete a su tierra, para restablecerse en su entorno.

LAS MEJORES CURIOSIDADES DE JUANITO

El juvenil del Atlético de Madrid: Eugenio Leal, en un reportaje, contó la historia de Juanito cuando debutó como juvenil en el cuadro colchonero. Jugaría contra el Real Madrid y deslumbró a todos con su rapidez. Le marcó, al que años después sería su equipo, dos goles. A los meses, no perdonaría la traición de los rojiblancos.

90 minuti en el Bernabéu son molto longo: Esa frase, dirigida a los jugadores del Inter de Milán, marca lo que fue Juanito y en lo que se convirtió su espíritu. Las eliminatorias se ganaban en el Santiago Bernabéu pese a lo que ocurriera a domicilio y él era uno de los principales líderes de la remontada

Jorge Valdano viajaba para ver a Juanito: El exjugador y exentrenador del Real Madrid, Jorge Valdano, confesó que, durante su etapa en el Alavés, cuando estaba lesionado, bajaba a Burgos para ver a un joven futbolista al que pocos podían parar.

La tienda de deportes de Juanito: Algunos jugadores se acostumbran a hacer negocios fuera del fútbol. Juanito lo relacionó con dos tiendas de deportes, una en Madrid y otra en Fuengirola, Málaga. Se dice que ninguna de las dos llegó a buen puerto, generándole deudas y compromisos a largo plazo.

Amante del toreo: A Juanito le gustaban mucho los toros y alardeaba de ello cuando podía. Pero a veces se iba de la lengua cuando enseñaba vídeos suyos toreando en una capea. El material se lo llegó a mostrar a los directivos, que le aseguraron que aquello estaba prohibido.

CITA:

Yo me siento madridista hasta la médula (Juan Gómez, Juanito).

LA COPA LIBERTADORES DE LAS PEDRADAS

El torneo más importante de Sudámerica ha vivido toda clase de circunstancias, con sonadas trifulcas en las rondas finales. Los partidos cargados de tensión han terminado estallando en más de una ocasión. En 1981, se vivió uno de los episodios más curiosos y vergonzosos. A la final de la Copa Libertadores llegaron Flamengo y Cobreloa. La estrella del Flamengo, el gran Zico, dijo que aquel encuentro supuso la victoria del fútbol sobre la violencia, pero, ¿por qué?

El camino de Flamengo hacia la final también tuvo su miga. En la fase de grupos empataron a puntos con sus compatriotas del Atlético Mineiro. Para dilucidar qué equipo pasaría de ronda, se jugaría un partido de desempate. El encuentro duró poco, eso sí; concretamente, 37 minutos, lo que el árbitro tardó en expulsar a cinco jugadores del Atlético Mineiro. No se puede jugar con menos de siete futbolistas. Siempre se sospechó de un árbitro que viajó al campo con los rubronegros.

El Flamengo, era un equipo que practicaba buen fútbol y se plantó en la final por méritos propios. Tenía al mejor brasileño de la época, un tal Zico, que fue el más destacado de las finales. En la ida ante Cobreloa, marcó los dos goles de su equipo, aunque un gol de los chilenos dejaba todo muy abierto para la vuelta. Fue precisamente en ese partido donde surgió la polémica. Zico siempre ha dicho que el defensa Mario Soto portaba una piedra durante el partido y que agredió a dos jugadores del Flamengo. Lico y Adilio fueron los apedreados, y lo cierto es que el primero tuvo que abandonar el partido por un fuerte golpe.

Mario Soto siempre ha afirmado sobre la cuestión de si llevaba piedras o no, que se trataba de meras habladurías, que él abogaba por un juego limpio, sin este tipo de violencia, y se justificaba señalando que él tiene las muñecas duras y que por eso los jugadores de Flamengo pensaron que habían sido golpeados por una piedra, pero que él nunca portaría algo así. La realidad es que las imágenes no han podido demostrar que Soto llevase una piedra, ya que, aunque el partido fue grabado, las imágenes no son de una gran calidad y no había plano al detalle que permitiesen ver si Soto protagonizó la ilegalidad de la que se le acusa.

El partido en Chile terminó 1-0 para Cobreloa. Con las normas actuales, el 2-1 de la ida y este resultado le habrían dado el título al conjunto chileno, pero por entonces no existía la norma de que, en caso de empate, los goles fuera de casa tuvieran mayor valor. En el cómputo global, la final registraba un empate a dos y se tuvo que ir a un partido de desempate que se jugaría tres días después de este partido en Chile, pero en esta ocasión sería en terreno neutral. Montevideo, la capital de Uruguay, acogería el encuentro definitivo entre Flamengo y Cobreloa para dilucidar el campeón sudamericano de 1981.

En este encuentro de desempate, Zico no dio opciones a Cobreloa. Demostró por qué era por aquella época uno de los mejores jugadores del mundo. Su brillo continuaría un año más tarde, en el Mundial de España '82. Dos goles de Zico, el segundo de ellos tras un gran lanzamiento de falta, dieron el título al equipo dirigido por Carpeggiani. Aunque aún hubo tiempo para la polémica antes del pitido final.

Carpeggiani dio entrada a Anselmo en los minutos finales, con el partido ya sentenciado, con una única misión: agredir a Mario Soto. Los jugadores del Flamengo siempre defendieron que Soto les apedreó y, tras este partido de desempate en el que Soto también empleó un juego duro, el entrenador metió a Anselmo para tomarse la justicia por su mano. Anselmo le agredió nada más entrar y, como es obvio, terminó expulsado y la tangana estaba servida. Zico señaló que esa acción perjudicó de por vida a Anselmo, que era un gran delantero. Sea como fuese, se le recordará por agredir a Mario Soto, un jugador que, por otra parte, siempre será recordado por mucha gente por apedrear a los jugadores de Flamengo.

CITA:

El fútbol profesional es ganar y solo ganar. Yo soy como Muhammad Ali: durante la competencia no tengo amigos, y a los contrarios, si puedo, los mato y los piso (Bilardo).

LA ACCIÓN QUE AVERGONZÓ AL FÚTBOL

Maracaná ha vivido algunos de los mejores momentos de la historia del deporte rey, encuentros que nunca se olvidarán, pero también ha tenido episodios de infausto recuerdo. El 3 de septiembre de 1989 se enfrentaban en Río de Janeiro, Brasil y Chile. A la Roja solo le valía ganar para clasificarse para el Mundial de Italia '90. La *canarinha* con un empate estaba clasificada. Era una auténtica final que, sin embargo, terminó siendo un espectáculo dantesco que será eternamente recordado por la vergüenza que produjo a los amantes del deporte.

En el minuto 67 de juego, una bengala sale disparada de la grada, cae cerca del portero chileno Roberto Rojas que, instantáneamente, se derrumba. Parece que la bengala le ha impactado; la selección chilena abandona el terreno de juego ante la agresión a su portero, que está sangrando. En ese momento, Brasil ya ganaba por 1-0 merced al gol de Careca, pero la clasificación ahora estaba en el aire tras una agresión de ese calibre. Sin embargo, las tornas cambiaron poco después.

Las imágenes demostraron que la bengala lanzada desde la grada no había impactado en Rojas. Entonces, ¿cómo se hizo el corte? El portero chileno llevaba una cuchilla en su media y se autolesionó para, de esta forma, forzar la suspensión del partido. Llevaba la cuchilla, precisamente, para aprovechar cualquier lance y provocar la suspensión del partido. La sanción fue ejemplar, Rojas quedaría suspendido de por vida y Chile eliminada, tanto del Mundial '90 como del siguiente en Estados Unidos. Una acción que avergonzó al deporte, conocida como el Maracanazo de la selección chilena.

ONCE IDEAL DE TRAMPOSOS

Roberto Rojas: El portero chileno fue suspendido de por vida después de autolesionarse con una cuchilla. Buscaba la sanción de Brasil, pero el que acabó sancionado fue él mismo.

Malbernat: Más información en la página 88.

Sasa Mus: La FIFA no dudó en sancionar de por vida a Sasa Mus por amaños de partidos durante su estancia en Hong Kong. El jugador no podría volver a participar en ningún campeonato oficial en todo el mundo.

Soto: Más información en la página 190.

Ali Dia: Más información en la página 197.

Venancio Ramos: El jugador uruguayo protagonizó una de las acciones más recordadas en Sudamérica. En la clasificación para el Mundial de México 1986, se enfrentaban Uruguay y Chile, y a los charrúas solo les valía ganar. A poco del final, Chile tenía una falta favorable para empatar y Venancio quiso asegurarse de que el balón no entrara mediante el lanzamiento de un limón al encargado de lanzar la falta. Muy curioso.

Bilardo: Más información en la página 217.

Gerardo Jiménez: El futbolista mexicano fue uno de los implicados en el conocido caso de los cachirules. La selección mexicana sub-20 acudió al Mundial de Fútbol Juvenil con varios jugadores que superaban la edad permitida. Los documentos fueron adulterados y, en consecuencia, México se quedó sin jugar el Mundial absoluto de 1990.

Luciano: El futbolista brasileño falsificó su documento de identidad. Jugó varios años con el nombre falso de Eriberto, incluso cuando ya estaba en la Serie A italiana; también se rebajó en cuatro años su edad. El jugador defendió que lo hizo aconsejado por representantes.

Raposo: Más información en la página 196.

Luis Suárez: El delantero del FC Barcelona, además de ser conocido por mover a varios jugadores como Baykal, Chiellini e Ivanovic, acabó con las esperanzas de Ghana en el Mundial de Sudáfrica 2010 al parar un balón, que era un gol seguro, con las manos. El árbitro lo vio pero los ghaneses fallaron el penalti.

VINNIE JONES, EL MAYOR CARNICERO DE LA HISTORIA

Pese a no dedicarse al honorable oficio de carnicero, el bueno de Vinnie Jones bien podría tratar con productos cárnicos. De hecho, en su etapa como futbolista (si es que le podemos llamar así) machacó mucha carne. Si no que se lo digan a Paul Gascoigne, que en un encuentro se retorció de dolor después de que Jones le retorciese sus *criadillas*. Al término del partido, nuestro carnicero favorito dijo: «Es increíble que Paul pueda seguir usándolos, ¿verdad?». Todo un pieza tanto fuera como dentro del campo.

Vinnie Jones fue un futbolista sin demasiadas aptitudes deportivas. El propio jugador reconocía que era malo con el balón y que tenía muchas carencias, pero destacaba en su papel como destructor de juego (y de piernas). El Wimbledon fue el primero en el fútbol inglés que le dio una oportunidad cuando era solo un chaval, y fue allí donde vivió sus mejores años. La final de la FA Cup de 1988 será eternamente recordada por el enfrentamiento entre dos clubes antagónicos: el Wimbledon, que hacia un juego basado en el físico, y el Liverpool, con más calidad técnica. La sorpresa llegó gracias al gol de Lawrie Sánchez. El comentarista de aquella tarde, Tommy Docherty, dejó una frase para la historia: «El himno del Liverpool es *Nunca caminarás solo*. El del Wimbledon es *Nunca volverás a caminar*».

Después de consagrarse como un buen repartidor de leña en el Wimbledon, Vinnie Jones fichó por el histórico Leeds United, que en aquel momento estaba en Segunda División. Allí consiguió el objetivo del ascenso, y a la temporada siguiente se marchó..., pero el Leeds nunca se fue de él. Siempre reconoció que ese club le marcó. Tanto es así que tiene un tatuaje con el escudo del equipo y una leyenda: «Campeón de 2.ª, 1989/90». En su cuerpo también tiene un recuerdo para la anteriormente mencionada FA Cup y para el escudo de Gales. Este último tatuaje es curioso, ya que Vinnie Jones nació en Inglaterra.

Criado en Watford, el futbolista inglés, ante la imposibilidad de jugar con los Three Lions, buscó alternativas y las encontró en Gales. Su abuela había nacido allí, suficiente pretexto para poder jugar en esa selección. Su bagaje con los galeses dejó mucho que desear: siete encuentros y ninguna victoria. Aunque sí que fue objeto de sorna por parte de muchas personalidades del fútbol inglés, como el mítico Jimmy Greaves, que llegó a declarar: «Que me apedreen. Tenemos la cocaína, la corrupción, incluso el Arsenal marcó dos goles en casa el otro día. Pero justo cuando piensas que no te queda nada por ver en el fútbol, resulta que te cuentan que Vinnie Jones es internacional».

Vinnie Jones no hizo demasiados amigos dentro del fútbol inglés. Se ganó una mala reputación debido a su comportamiento dentro y fuera de la cancha. En una ocasión, jugando para el Sheffield United, fue amonestado a los tres segundos de partido por una dura entrada. Aquel partido acabó expulsado. Tras llenar con algo de sudor, unas pocas lágrimas y mucha mucha sangre los terrenos de juego ingleses, se retiró en la temporada 1998/99 en el Queens Park Rangers, previo paso por el Sheffield United, el Chelsea y nuevamente el Wimbledon. Y es aquí donde le vino nuevamente la fama.

En 1998 cuando aún no se había retirado, apareció en la película *Lock, stock and two smoking barrels*. El futbolista nunca había ocultado su pasión por el séptimo arte e incluso en una ocasión ya había sido objeto de una sonada polémica por una grabación en VHS protagonizada por él. Se trataba de un vídeo plagado de recomendaciones sobre juego sucio dentro de los terrenos de juego. Por la producción de este vídeo, Vinnie Jones sufrió una sanción económica por parte de la federación de fútbol inglés. El tipo siempre estuvo orgulloso de lo que era.

Tras esta película, de relativo éxito, la carrera de Vinnie Jones en el cine fue creciendo, con papeles cada vez más importantes. En el año 2000 apareció en *Snatch*, junto a actores de la talla de Brad Pitt o Benicio del Toro, y en 2006 tuvo un papel en *X-Men: la decisión final*. Nadie podía esperar que aquel futbolista de dudosa ética terminase triunfando como actor. Un hombre que en sus películas siempre desempeña el papel de tipo duro, como no podía ser de otra forma, y que ataca a la crítica con la misma ferocidad que lo hacía cuando era futbolista.

DE DANDY DEL FÚTBOL A DANDY EN HOLLYWOOD

La vida de Juan de Garchitorena bien podría relatarse en un libro, y quizás nos quedaríamos cortos. Cumplió dos sueños que la mayoría de personas solo llegamos a imaginar: fue futbolista profesional y actor en Hollywood. Nació en Manila (Filipinas) cuando todavía era una colonia española, aunque al poco de nacer pasó a ser colonia estadounidense. Sea como fuere, Juan se apasionó pronto por el fútbol y terminó recalando en el Barcelona. Los orígenes españoles (concretamente vascos) de su familia le llamaban. En la Ciudad Condal se hizo conocido por su aspecto poco habitual para la época. Un hombre metrosexual en un tiempo en el que no existía aún este término.

En el club azulgrana fue protagonista de una sonada polémica. Tras jugar en 1916 la final de la copa catalana ante el Espanyol (en ese momento, *Español*), el equipo perico denunció al Barcelona por alineación indebida. Por aquel entonces no podían jugar extranjeros y se demostró que Juan no tenía la nacionalidad española y que el Barcelona había alterado sus documentos. La Copa fue ganada en los despachos por los pericos, en una de las primeras polémicas de la historia del fútbol español. Juan de Garchitorena no se despeinó pese a ello (y nunca mejor dicho, pues le gustaba ir bien peinado siempre); poco después, encontraría una nueva pasión.

Se fue a Estados Unidos y bajó el nombre artístico de Juan Torena salió en unas 36 películas. En Hollywood su papel era siempre el del típico dandy latino, aunque en alguna ocasión hizo de filipino, su verdadero origen, como en *Guerrilleros en Filipinas* (1950). En América se asentó y se casó con una actriz. Allí moriría en 1983. Un tipo especial este Juan de Garchitorena o Juan Torena, como prefieran. Uno de los pocos futbolistas que también ha pasado por el cine activamente.

CITA:

Se me acercó y me dijo: «Me llamo Vinnie Jones, soy gitano, gano mucho dinero. Te voy a arrancar la oreja con los dientes y luego la voy a escupir en la hierba. ¡Estás solo, gordo, solo conmigo! » (Paul Gascoigne, sobre las lindezas que le soltó Vinnie Jones).

OTROS JUGADORES QUE SALIERON EN LA GRAN PANTALLA

Pelé. No podíamos empezar este listado sin hablaros de la aparición estelar de Pelé en *Evasión o victoria*, película de 1981. En ella aparece uno de los futbolistas más grandes de la historia junto a actores de la talla de Sylvester Stallone o Michael Caine. Pelé no es el único futbolista en esta cinta; le acompañan: Bobby Moore, Osvaldo Ardiles, Paul van Himst y Kazimierz Deyna.

Cantona. El excéntrico Éric Cantona podría competir con Vinnie Jones o con Juan Torena en lo referente a filmografía. Una amplia lista de películas en las que Cantona tiene mayor o menor protagonismo. En *Buscando a Éric* hace de sí mismo. La trama versa sobre un esquizofrénico que se obsesiona con el jugador. En otra película, *Les rencontres d'après minuit*, llega a mostrar su miembro viril.

Di Stéfano. La Saeta Rubia hizo de sí mismo en varias películas. Papel destacado el que tuvo en *Con los mismos colores*, un largometraje en el que era uno de los protagonistas y que realizó estando todavía en Argentina. En *Once pares de botas* sale con otros jugadores españoles de la época, como Zarra, Gaínza, Ramallets o Molowny.

Kubala. Uno de los grandes amigos que hizo Di Stéfano en España fue Kubala jugador que también tuvo su protagonismo en el cine con una película que versa sobre su propia vida: *Los ases buscan la paz.*

Ronaldo. La aparición del jugador brasileño en *Mike Bassett: England Manager* es, cuando menos, fugaz. Ronaldo Nazário aparece con los colores del Inter en un entrenamiento de su club, siendo preguntado sobre el protagonista de la película. En ese mismo film aparece también Pelé.

Zidane. El fantástico mediocampista galo tuvo su momento de protagonismo en la gran pantalla cuando apareció en una película de Astérix y Obélix. Concretamente en la película sobre los Juegos Olímpicos en la que Zidane hace de egipcio.

Collymore. El paso de Stan Collymore por el Oviedo fue poco menos que anecdótico. Un jugador al que le gustaba la buena vida, tanto que salió junto a Sharon Stone en *Instinto Básico 2.* Eso sí, duró menos en la película que por tierras asturianas. Se lo cargaron pronto.

Casillas. El papel de Iker Casillas en *Torrente 3* fue accesorio, como el de la mayoría de jugadores que han salido en la saga más taquillera del cine español. En su escena Casillas aparece acompañado de Guti y de Iván Helguera. También aparecen en otros momentos de la saga jugadores como Agüero, Cesc, Fernando Torres, Higuaín, Sergio Ramos, Arbeloa o Albiol. Ahí es nada.

EL JOVEN EQUIPO DE MARCELO BIELSA

Para disfrutar al Marcelo Bielsa ganador y triunfador en los banquillos, hay que saber cómo empezó todo. Primeramente, su descalabro como futbolista. El propio Jorge Griffa, persona importante en su carrera, lo catalogó como un jugador «limitado», aunque con el coraje que siempre le ha definido. Sin embargo, sus condiciones, a pesar de jugar en Newell's, no le valieron para destacar. De hecho, brillaba más por lo que estudiaba al rival que por sus maneras de defensa, algo lentas y parsimoniosas. Pero en sus análisis, en su pasión, pudo atisbarse desde muy pronto a un entrenador de categoría. Entre sus anécdotas, hay una que le piden siempre que recuerde.

Una vez acabada su carrera de Educación Física, quiso ponerse el mono de trabajo, la vestimenta de entrenador. Ricardo Lunari, uno de los jugadores a los que dirigió como técnico, disfrutó del privilegio de conocer de sus propios labios la historia más apasionante de Bielsa. En una conferencia de Carlos Timoteo Griguol, técnico de Rosario Central, River Plate y Real Betis, entre otros, Marcelo siente la necesidad de preguntarle cómo puede una persona que no ha triunfado como jugador, ser un entrenador de Primera División. El veterano entrenador le confesó que la mejor manera era coger a jugadores jóvenes de la zona y crecer con ellos para tener un equipo competente en un futuro. Dicho y hecho.

Acudió a Griffa para expresarle sus deseos de ser entrenador de Newell's, pero este le detuvo con conciencia. Antes de cualquier cosa, tenía que buscarse un equipo de futuro para demostrar su ingenio, algo que Jorge sabía, pero sin demorarse. Su locura se explica también en su búsqueda de jugadores, entre los cuales estaba Mauricio Pochettino.

Bielsa y Griffa viajaron hasta Murphy aconsejados durante un típico asado argentino. Les avisaron de que habían visto jugar a un delantero de 14 años, con un porte magnífico para su edad, que estaba cerca de fichar por Rosario Central, el mayor rival de Newell's. Cogieron el coche y se plantaron en un pueblo de la provincia de Santa Fe a una hora intempestiva, cuando las calles estaban desiertas. Tocaron la ventana y los padres de Mauricio Pochettino abrieron para atender a la visita. Hablaron con ellos y les hicieron ver sus intenciones de ficharlo. Dado el visto bueno, Bielsa no dudó en pasar por la habitación del joven, que estaba dormido, y levantarle las sábanas para decir con rotundidad: «Qué piernas de futbolista tiene».

Llegó a dividir el mapa de Argentina para poder entrevistar o probar a 1000 niños que pudieran jugar para Newell's. En un reportaje realizado por *Informe Robinson*, confirman que el Fiat 147 de Marcelo Bielsa hizo más de 25 000 kilómetros para encontrar futbolistas de la talla de Eduardo *Toto* Berizzo, Ricardo Lunari, Cristian Ruffini, Mauricio Pochettino, Darío Franco o Gabriel Batistuta, que sufriría de forma especialmente dura las indicaciones del Loco. Le obligó a bajar de peso, hasta cinco kilos, siendo tan solo un niño, porque quería que ese delantero que había visto fuera más efectivo y no «un gordo».

Formó a unos juveniles a los que aplicó métodos novedosos. Y es que sus procedimientos fueron revolucionarios, aunque algo duros para niños de 14, 15 o 16 años. Sin embargo, él estaba formando a futbolistas que, más pronto que tarde, pudieran ser campeones de la Primera División. Y al cabo del tiempo, sus éxitos en todas las categorías inferiores le llevaron a dirigir el primer equipo, subiendo a diez de los jugadores que habían estado con él.

Todo esto trajo éxitos, como la victoria en el Campeonato de Primera División de 1991 y el Clausura de 1992. Sin embargo, Marcelo Bielsa es un entrenador de pequeñas espinas en cada uno de sus retos. Y Newell's no iba a ser menos. Disputaron la final de la Copa Libertadores de 1992, pero cayeron en los penaltis ante Sao Paulo, entrenado por Tele Santana y donde jugaban Raí y Cafú.

Una bonita historia que resume lo que puede hacer Bielsa con un equipo de fútbol. Sus locuras exprimen al joven para convertirlo en un futbolista. Así compite Marcelo: vuelve a todos locos para convertirlos en auténticos genios, como él.

CUANDO BIELSA ESTUVO CERCA DE TIRAR UNA GRANADA

Las historias de Marcelo Bielsa pueden ser verdad o estar mitificadas, pero la siguiente corresponde con la actitud del rosarino, con ese carácter fuerte, a la par que valiente, contra todo lo que está en contra de su equipo o de su persona. Newell's recibió una de las mayores derrotas de su historia ante San Lorenzo de Almagro, un contundente 0-6 que fue una ofensa para la barra brava de los leprosos, que buscaron culpables de lo que habían presenciado y, como suele ocurrir, señalaron al entrenador. Aquellos aficionados no se esperaban, ni siquiera se imaginaban, lo que iba a ocurrir.

Hubo unos cuantos que se dirigieron a la residencia de Marcelo Bielsa con ganas de hacerle pasar una mala noche por lo que había ocurrido en el encuentro. El técnico, que prefiere evitar las hostilidades, actuó con pausa ante la barra encolerizada. La puerta se abrió, para asombro de todos los fanáticos que allí se habían apostado. El Loco llevaba algo en la mano.

Allí estaba Marcelo Bielsa, con cara de pocos amigos y una granada de mano en ristre. Miró a la veintena de hombres y les dijo: «Si no se van ahora mismo, saco la espoleta y se la tiro». Aquel acto de locura hizo retroceder a aquella pequeña incursión de temerarios, que llegaron valientes, pero se fueron cobardes. «Podíamos esperar que saliera con una escopeta, pero nunca con una granada de mano», confesó uno de los hinchas. Sin duda, esta anécdota demuestra dos cosas del rosarino, que verdaderamente puede estar loco y que nunca dejará indiferente a nadie.

OTRAS LOCURAS DE MARCELO BIELSA

Estuvo cerca de volverse loco: Confesó a Gastón Gaudio, tenista argentino, que necesitó buscar la paz interior porque salió muy afectado de su experiencia con Argentina. «Cuando dejé la selección argentina, me encerré en un convento. Me llevé los libros que quería leer, no tuve teléfono y tampoco televisión. Leo mucho y no creo que nadie lea tanto de fútbol como yo. Pero duré tres meses, porque empecé a hablar y responderme solo. Me estaba volviendo loco de verdad», confesó.

Me da igual mi contrato: Marcelo Bielsa es una persona comprometida hasta cierto punto. Ha dejado el cargo a la mitad, como le ocurrió con el Espanyol. Pero lo más flagrante sucedió con la Lazio, al dejar el puesto habiendo firmado 48 horas antes. Solo hizo un entrenamiento.

Os doy mi dedo: Antes de un partido ante Rosario Central, cuando era técnico de Newell's, le preguntó a uno de sus jugadores qué estarían dispuestos a dar por ganar el derbi más importante. Los jugadores clamaron que se dejarían todo en la cancha. Pero esa no era la respuesta que Bielsa esperaba: «Si me aseguran que van a ganar, me dejo cortar este dedo». La leyenda cuenta que finalmente no se lo cortó porque los leprosos no llegaron a ganar por cinco goles, la verdadera promesa.

También le preocupa la jardinería: En su etapa en el Athletic, se ocupó de que Lezama estuviera impecable a su vuelta a España, mientras se encontraba en Argentina. Llamaba todos los días al operario para cerciorarse de que las obras estarían acabadas a su regreso. Al comprobar que no fue así, increpó al jefe de obra, quien declaró que Bielsa le había agredido por no hacer su trabajo. Lo único que hizo Bielsa fue insultarle y echarle de su oficina de un empujón.

Nadie lo recordará: Algo parecido le dijo a Diego Pablo Simeone cuando se proclamó campeón de la Serie A con la Lazio, con un estilo muy pragmático que no era del gusto de Bielsa. Ni corto ni perezoso le confesó lo siguiente: «¿Usted se da cuenta? Aparte de los hinchas nadie se va a acordar de ese campeonato. Ustedes no jugaban a nada». Y a ver quién le decía algo al Loco.

CITA:

El fútbol se hace menos dramático cuando lo ejecutan los que saben (Marcelo Bielsa).

EL MAYOR ESTAFADOR DE LA HISTORIA DEL FÚTBOL

¿Quién no ha soñado de joven en convertirse en futbolista profesional y competir con los mejores jugadores del mundo? Probablemente, si estás leyendo este libro, tú también seas uno de ellos. Uno de los miles de niños que han crecido con la ilusión de defender los colores de su equipo en la Champions, de levantar una Copa del Mundo, de marcar un gol de chilena en el último minuto. Todos estos son deseos comunes, sí, pero pocos son los afortunados que llegan a la élite del fútbol. Y la historia de Carlos Henrique Raposo es la de uno de esos que, como tú y como yo, se quedó corto de talento para llegar a lo más alto, pero que no se rindió hasta conseguirlo. La forma en que lo hizo es, sin lugar a dudas, digna de las mejores películas.

Los que le conocían de verdad sabían que el fútbol no era lo suyo. Aquello estaba bastante claro. Pero él se empeñaba en camuflarlo. ¿Por qué esas supuestas limitaciones iban a ser un impedimento para llegar a ser futbolista profesional? (Nótese la ironía). A Raposo le gustaba mucho la fiesta. Y no cabe duda de que se manejaba mejor en la noche brasileña que sobre el césped. En las discotecas fue trabando grandes amistades con futbolistas de la época, como Ricardo Rocha, Romário, Bebeto, Renato Gaúcho o Maurício. Precisamente este último, leyenda del Botafogo, fue quien le consiguió su primer contrato profesional con 23 años. El equipo blanquinegro le dio la oportunidad, pero él la rechazó, entrenamiento tras entrenamiento, simulando lesiones y presentando certificados médicos que le hacía un amigo dentista. A final de temporada no le renovaron.

Entonces apareció Renato Gaúcho, que fue quien le recomendó al Flamengo. Y como venía de Botafogo, y por aquellos años todavía se confiaba bastante en la palabra de ciertos jugadores, el Fla acabó cayendo. Firmaron a Raposo, aunque, como había venido haciendo, no disputó un solo minuto ni en los entrenamientos, ocultando sus deficiencias con el balón, como tiempo después contó Renato: «El Káiser era enemigo del balón. En los entrenamientos acordaba con un compañero que le golpeara para así poder marcharse a la enfermería».

Para prolongar al máximo su engaño, Raposo tenía una estrategia: «Firmaba el contrato de riesgo, el más corto, normalmente de unos meses. Recibía las primas del contrato y me quedaba allí durante ese periodo». Durante un partido, y con su equipo perdiendo por 2-0, su presidente (del Bangú), el poderoso capo de las apuestas ilegales Castor de Andrade, llamó al entrenador de Raposo y le ordenó que le diera entrada. En ese momento, la cabeza del Káiser comenzó a trabajar. ¿Cómo podía evitar salir al campo? Ya había simulado demasiadas lesiones... Entonces tuvo una brillante idea. Se encaró con un espectador y empezó a gritarle. Aquello levantó tal revuelo que el árbitro terminó parando el partido y expulsando a Raposo. Un *show* de primera. Pero ahora tocaba dar explicaciones. Al término del partido, apareció en el vestuario un malhumorado Castor de Andrade dispuesto a decirle cuatro cosas, momento en que apareció el bueno de Raposo con el rostro inundado en lágrimas: «Antes de que diga cualquier cosa..., Dios me dio un padre y me lo quitó. Ahora que Dios me ha dado un segundo padre —dijo refiriéndose a su presidente— no voy a permitir que los hinchas digan que mi padre es un ladrón y que hace cosas malas». El corazón de Castor de Andrade se ablandó y renovó a Raposo por otros seis meses.

Otro de sus episodios más desternillantes se dio cuando decidió cruzar el charco para jugar en el Gazélec Ajaccio francés. El día de su presentación, un puñado de aficionados se presentaron en el estadio para ver al brasileño con su nueva camiseta haciendo algunos malabares con el balón. Si le veían tocar el balón, su coartada se caería, así que, ni corto ni perezoso, saltó al césped y fue lanzando los balones a la grada mientras se besaba la camiseta. La afición enloqueció, tenían nuevo ídolo.

Terminaría pasando por algunos equipos más, como Fluminense, Vasco da Gama... Y su mentira le acompañó hasta sus últimos días como «futbolista». La del Káiser no será una de las trayectorias más brillantes, está claro, pero sí es probable que sea una de las historias más increíbles que ha dado el deporte. La historia del impostor que engañó al mundo del fútbol.

CITA:

El único problema de Raposo era el balón (Ricardo Rocha).

EL FICHAJE DEL «PRIMO» DE WEAH

Ese día el teléfono no hacía más que sonar en el despacho de Graeme Souness. El legendario centrocampista del Liverpool dirigía al Southampton en aquella temporada 1996/97, los Saints estaban en puestos de descenso y habían sufrido una plaga de lesiones. Así las cosas, Souness y su equipo de trabajo se empleaban a fondo para cerrar algún fichaje que les permitiera revertir la situación y salvarse a final de temporada. El momento era precario.

Solo Matt Le Tissier y el noruego Østenstad —fichado esa temporada— parecían mantener el tipo en un equipo que alternaba grandes encuentros —ganó 6-3 al Manchester United— con actuaciones bochornosas, como la derrota por 7-1 frente al Everton solo dos jornadas después. Lo complicado, por tanto, era encontrar a un jugador sin equipo (ya que el mercado estaba cerrado) que pudiera aportar frescura al ataque del Southampton.

En esas llegó una llamada que interesó especialmente a Souness. Al otro lado de la línea estaba nada más y nada menos que George Weah. El liberiano, en las filas del Milan, era uno de los mejores jugadores del mundo y vigente Balón de Oro. Souness escuchó con atención. El crack del Milan le habló entonces de Ali Dia, un primo suyo que había jugado con él en el PSG (y hasta hacía poco en la Segunda División alemana). Souness se fió de su palabra y recibió al veterano Dia (tenía ya 30 años). Al fin y al cabo, su experiencia podría resultarle útil.

El 23 de noviembre de 1996, el Southampton recibía al Leeds United. Le Tissier caía lesionado en el minuto 32 y debía ser sustituido. Ali Dia sería su reemplazo; el senegalés debutaría en la Premier League. En ese momento, y hasta el minuto 85 en que volvió a ser sustituido, Ali Dia dejó para el recuerdo una colección de torpes saltos, jugadas erráticas y movimientos poco ortodoxos que provocaron la agonía de los fans del Southampton. Quedaba claro, Ali Dia no era futbolista. Nunca más volvería a vestir la camiseta del Southampton, ni la de ningún otro equipo de élite. Su historia quedaba así al descubierto, la farsa se había destapado. Y lo único cierto de aquella historia fue que George Weah, el auténtico, nunca realizó aquella llamada.

CLUBES DE RAPOSO

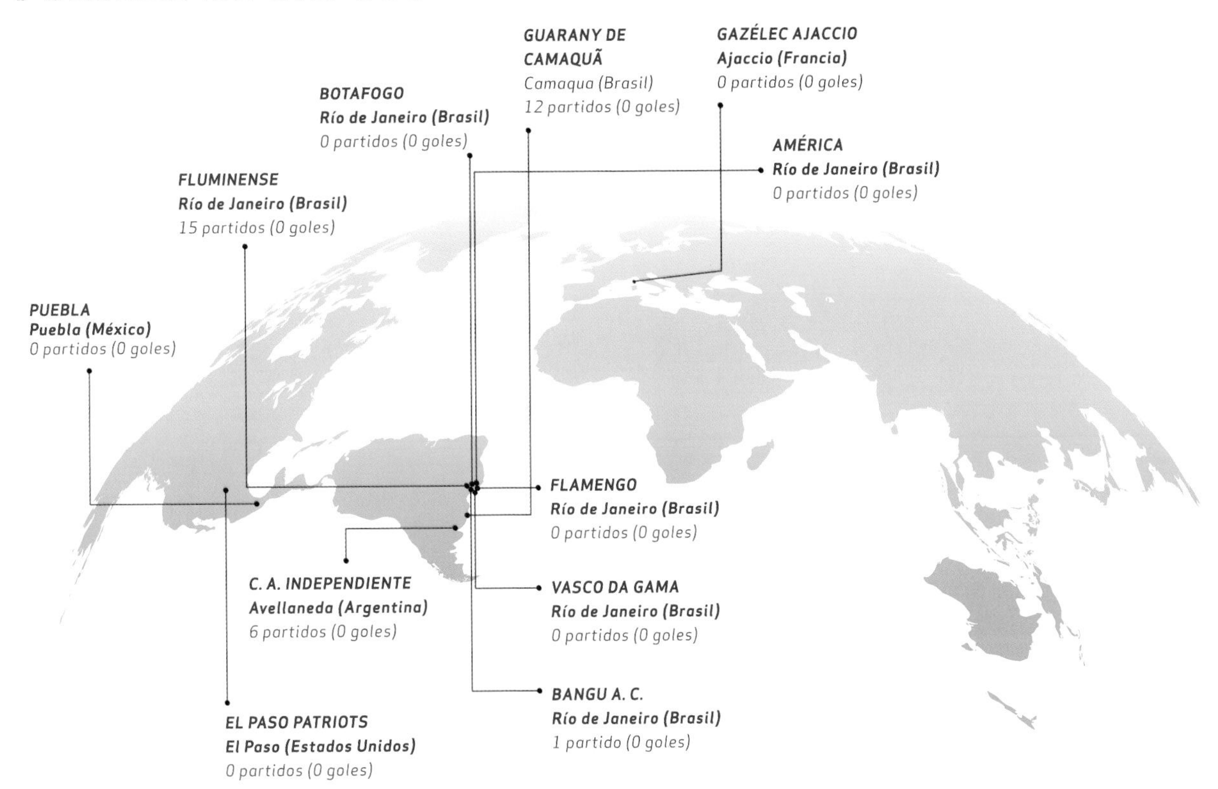

LA HISTORIA DETRÁS DE LA PATADA DE CANTONA A UN AFICIONADO

No fue un balón lo que recibió una patada para la historia del fútbol inglés, sino el pecho de un bravucón hincha del Crystal Palace. La anécdota, mil veces relatada desde que aconteciese en 1995, tiene una historia de fondo en la que el protagonista no es el polémico Éric Cantona, actor principal de todo tipo de peripecias en su carrera como jugador. El centro de atención de esta rocambolesca historia es Matthew Simmons, un joven inglés que saltó a la fama en un Crystal Palace-Manchester United de 1995. Recién comenzada la segunda parte, Cantona era expulsado por una agresión sobre Richard Shaw. El futbolista galo abandonaba Selhurst Park entre la sorna y el júbilo de los hinchas locales, que veían más opciones de ganar a un United con el que empataban a cero en ese momento (el partido terminó 1-1).

Cantona se fue del campo por el lateral de la cal, algo que facilitaba que los hinchas más cercanos a él pudieran hacerle burlas. Matthew Simmons, que estaba varias filas por encima del pie de campo, bajó raudo para dirigirse a la cara al galo. Tenía una gran lindeza que soltarle: «Vuélvete a Francia con tu puta madre, bastardo». Lo que se conoce como un tipo educado, vamos. Cantona, que nunca eludió responder a una provocación, subió un nivel más y con una patada de kung-fu sobre el pecho de Simmons zanjó el asunto. El estadio del Palace se convirtió en lo más parecido a un circo romano pidiendo la muerte de un gladiador. Un gladiador que tuvo que cumplir una sanción de ocho meses fuera de los terrenos de juego y pagar una multa de 20 000 dólares, además de 120 horas de servicio a la comunidad.

Hasta aquí la historia conocida del bueno de Éric. Ahora toca hablar del otro elemento en esta ecuación de salvajes. El Palace le retiró el abono a Simmons para el resto de la temporada, además de prohibirle la entrada a cualquier recinto deportivo por incitación al racismo. Pero no fue lo único que le pasó, pues tras intentar agredir al fiscal del caso, terminó pasando unos días en la cárcel. Podría parecer que la historia de este curioso hincha, que solo tenía 20 años cuando recibió la patada, termina aquí..., pero no. Además, por el caso de la patada de Cantona terminó siendo rechazado por buena parte de la sociedad británica e incluso llegó a recibir amenazas por parte de otros hinchas igual de «civilizados».

Simmons volvió a ser noticia en 2011 al comenzar un juicio contra un entrenador infantil. El hijo de nuestro protagonista jugaba en un club formativo cuando, tras un encuentro en el que su hijo no fue convocado, la emprendió a golpes con el entrenador. Cuentan los asistentes que Cooper, como se llamaba el director técnico, se llevó unos diez puñetazos. La justificación de Simmons fue que había dejado fuera a su hijo porque se había enterado de quién era él a través de una noticia local. También señaló que le pegó porque le había mirado de una manera tan amenazadora que parecía que le iba a pegar a él.

Aunque el acoso de Simmons sobre Cooper no termina aquí, y es que años después coincidieron en un estadio. Simmons le reconoció enseguida y empezó a increparle, le insultó y finalmente volvió a pegarle. Un abusón de colegio que nunca terminó de madurar y que fue objeto de investigación por todos los tabloides británicos, que descubrieron que, incluso antes de la famosa patada de Cantona, ya había tenido problemas con la justicia por intento de robo con violencia en una gasolinera regentada por un ciudadano originario de Sri Lanka. El dependiente declaró que temió por su vida y que no pudo hacer más que protegerse la cabeza de los ataques de este hombre, que portaba una llave inglesa para su robo.

Los tabloides también hicieron pública la vinculación de este hincha del Palace con el Partido Nacional Británico y con el Frente Nacional, ambos pertenecientes a la extrema derecha inglesa. Simmons, la víctima de la patada más recordada, no era ninguna víctima. No pretendemos, en todo caso, disculpar a Cantona, que, pasados los años, declaró que si volviera a tener la oportunidad de pegar a Simmons, lo haría y con más fuerza. Vaya dos patas para un banco.

EL DÍA QUE BRIAN CLOUGH PEGÓ A SUS PROPIOS AFICIONADOS

Uno de los nombres más míticos del fútbol mundial es el de Brian Clough.

Un hombre capaz de hacer bicampeón de Europa al Nottingham Forest, quizás la mayor hazaña de la historia de la competición, pero que también protagonizó episodios de dudosa ética. Fue un entrenador capaz de lo mejor y de lo peor, y con una personalidad complicada que le hizo tener problemas con muchas personalidades del fútbol inglés. Sus piques constantes con Don Revie, entrenador del Leeds, mientras él lo era del Derby County, pueden ser comparables a los que se vivieron en España entre Pep y Mou. Un día a Brian Clough se le fue definitivamente la mano y acabó agrediendo a los propios fans del Forest.

El Nottingham Forest acababa de vencer por 5-2 al Queens Park Rangers en los cuartos de final de la Copa de la Liga de la temporada 1989/90. Una victoria apabullante que fue celebrada por los fans saltando al campo para festejar con los jugadores. A Brian Clough esta invasión del campo no le hizo ni pizca de gracia y se lio a tortazos con todo el que pillaba. Uno de los aficionados que recibió los «cariños» de su entrenador declararía después que la única persona a la que no podía responder después de un tortazo era Brian Clough. Le idolatraban, con todas las consecuencias.

La Federación Inglesa sancionó a Clough con 5000 libras, y este pidió perdón a algunos de los aficionados, los que se acercaron al estadio para también disculparse por haber saltado al campo. Un perdón mutuo que Clough zanjó pidiéndoles un beso en la mejilla a cada uno. Un tipo carismático, sin duda. Afortunadamente, esta historia terminó bien para todos, ya que el Forest acabaría ganando la Copa de la Liga y levantaría un título una década después. La anécdota en cuartos de final quedaba olvidada.

ONCE IDEAL DE FUTBOLISTAS POLÉMICOS

CITA:

Daría todo el champán que he tomado en mi vida por jugar a su lado un gran partido europeo en Old Trafford (George Best sobre Cantona).

LAS GRANDES LOCURAS DE FABIÁN O'NEILL

Resulta curioso, pero la gente se siente extrañamente atraída por los desvaríos de algunos jugadores, de tal manera que futbolistas como Mágico González, Garrincha o George Best, consiguen captar la atención de los aficionados en gran medida por lo que hicieron fuera de los terrenos de juego. La vida de Fabián O'Neill no es muy distinta a la de estos cracks. Tataranieto de unos emigrantes irlandeses, el uruguayo se crió en Paso de los Toros. Allí no son muchos los que saben que fue monaguillo. De pequeño acudía a la iglesia antes de cada misa y asaltaba la caja en la que se guardaban las hostias y el vino de la comunión.

En una ocasión, estando en las categorías inferiores de Nacional, montaron una fiesta en casa de Nelson Abeijón (que también sería su compañero en Cagliari) para celebrar el campeonato. Al terminar esta, Fabián y algunos más se quedaron a dormir en casa de su compañero. Pero en mitad de la noche, una fémina se metió en su cama. A O'Neill le entró un súbito ardor y la abrazó, trató de propasarse y aquella, escandalizada, empezó a gritar. Era la madre de Abeijón. Enojada, no dudó en echar de casa a todos los chavales.

Otro día, jugando ya en el Cagliari, se fue de vacaciones a Uruguay. Cuando llegó el momento de regresar a Italia, y estando ya en el aeropuerto, O'Neill decidió darse la vuelta e irse a Paso de los Toros, que estaba más cerca de Italia. Hacía lo que quería y cuando quería. Como cuando le dijo a su mujer (la primera) que se iba a comprar unas pizzas y volvió veinte días después. Antes de llegar a la pizzería, O'Neill se encontró con el *Chango* Pintos Saldanha y se fueron a tomar algo al bar. La cosa se alargó y la juerga de O'Neill y el Chango se prolongó durante veinte días de alcohol, prostitutas y fiestas. Solo volvieron a casa cuando se quedaron sin dinero. La excusa del Chango cuando les vio su mujer fue desternillante: «Me raptaron los marcianos».

Como futbolista, O'Neill era corpulento, golpeaba el balón con las dos piernas, tenía buen regate y, aunque medía más metro ochenta y cinco, contaba con una calidad inusual en un futbolista de ese tamaño. Uno de los episodios más recordados de O'Neill en Italia se dio cuando humilló a Gennaro Gattuso. En un partido, cuando Gattuso (con 20 años) jugaba para la Salernitana, le hizo nada menos que tres caños, su equipo ganó y el italiano se volvió a casa con la cara colorada.

Aquellas actuaciones le llevaron a firmar por la Juventus en el año 2000. Allí coincidirá con Ancelotti (como entrenador) y con jugadores de la talla de Van der Sar, Zidane, Davids, Inzaghi, Del Piero o su compatriota Paolo Montero. Un día, el *Pippo* Inzaghi organizó una comida en su casa. Esta se alargó hasta la noche y de la comida se pasó a la bebida. El uruguayo bailó tanto que, exhausto, se quedó dormido en un sofá, mientras la mayoría de jugadores, casados ellos (a excepción de Inzaghi), disfrutaban de la compañía de algunas chicas. Por la mañana, O'Neill despertó completamente solo en la casa. Todos se habían ido con sus mujeres.

En la Vecchia Signora no consiguió consolidarse, pero jugadores como Zinedine Zidane han llegado a reconocer en más de una ocasión la grandísima calidad del futbolista charrúa, con el que alucinaban en cada entrenamiento. Uno de esos cracks que decidió alejarse de las canchas antes de los treinta años pero al que todos sus compañeros guardan un gran cariño.

En su último año le llegó una oferta del Cagliari. El club sardo estaba dispuesto a pagarle un millón de dólares para que volviera a vestir su camiseta. O'Neill dijo que no. El dinero era importante, pero su felicidad lo era más. Y aunque no tenía ni 30 años, él quería quedarse donde más feliz había sido, en Paso de los Toros. Fabián O'Neill repartía dinero, coches e incluso apartamentos entre la gente más necesitada de su pueblo. Tenía mucho dinero y podía permitirse hacer felices a otras personas, aunque estas, en muchas ocasiones, no se lo agradecieran. Pero así es O'Neill, alguien auténtico, al fin y al cabo.

CUANDO O'NEILL AMAÑÓ UN PARTIDO

Sobre el fútbol italiano siempre ha cernido la sombra de la sospecha por los escándalos de compra de partidos. Uno de ellos se dio cuando defendía la camiseta del Cagliari, en la última jornada del campeonato italiano. El uruguayo no tuvo ningún reparo en hablar del arreglo de aquel partido en un programa de televisión.

O'Neill era el capitán del Cagliari y encargado de cerrar el amaño. Aquel día, un empate salvaba a las dos escuadras del descenso, y así lo contó él: «En Italia yo participé en un encuentro amañado cuando militaba en el Cagliari. Había ido gente a verme a casa y les dije que cuando entrara el equipo en el campo y saludara en mitad de la cancha, si levantaba los dos brazos era que estaba amañado, pero si levantaba uno, era que no había arreglo».

El Cagliari y el Vicenza necesitaban el empate para no caer en la Serie C (tercera categoría del fútbol italiano), así que debieron de arreglar las tablas, como comenta el uruguayo, que, como curiosidad, no jugó aquel partido. Suazo adelantó a su escuadra, y Negri hizo el 2-0 a solo quince minutos del final. Fue entonces cuando llegó la «reacción» y, en diez minutos, el Vicenza hizo dos goles que sirvieron para empatar el partido y salvar a los dos. «Siempre se han arreglado partidos. Se amañan acá, en Uruguay, ¿no se van a arreglar en Italia?», zanjó O'Neill. Un tipo sin pelos en la lengua.

CINCO FRASES DE O'NEILL PARA EL RECUERDO

Pocos futbolistas han dado tanto juego fuera de las canchas como Fabián O'Neill, el crack uruguayo al que le gustaba tanto jugar al fútbol y hacer caños como beber. De entre las frases más curiosas de este excéntrico personaje, destacamos las siguientes.

«**Tengo 39 años** y llevo 30 tomando. Es hora de parar».

«**El respeto es como el dólar**, tiene valor en todos lados».

«**A veces me sentaba a tomar tranquilo**, solo, en la playa. Ahí, cada cincuenta metros, hay quioscos de esos que tienen bebidas. Imagínate cuántas me tomaba; cuando llegaba a la otra punta, ya estaba mamado».

«**En los entrenamientos** largaba todos los alcoholes en cada corrida».

«**Siempre se arreglaron partidos**. Se arreglaron en Uruguay, ¿no se van a arreglar en Italia?».

CITA:

El fenómeno es este, no yo. ¡Este sí que es un clase A! (Zidane sobre O'Neill).

JORGE CAMPOS, EL PORTERO MÁS EXCÉNTRICO

El portero vive en soledad. El resto de sus compañeros le dan la espalda y allí se encuentra, dirigiendo y observando bajo tres palos. Por eso, no nos extraña que alguno de ellos sea algo excéntrico, porque, de veras, hay que tener personalidad para afrontar la responsabilidad más grande del fútbol, la de mantener la portería a cero. Y algunos de ellos han sido recordados, unos por sus condiciones deportivas y otros por sus locuras y excentricidades. Y Jorge Campos es una mezcla de todas ellas, pero seguramente no destaque por su cordura.

Porque él pertenecía a los años noventa, una época en la que el fútbol era extraordinario y en la que México gozó de estrellas, una de las cuales fue Jorge Campos, conocido más por sus complementos que por sus habilidades, que las tuvo. El guardameta no llegaba al metro ochenta de estatura —medía 1,75 m—, algo difícil para sobrevivir bajo palos. Sin embargo, suplió la falta de altura con una tremenda agilidad. Era un gato en el área. Rápido, eléctrico y con mucha personalidad, lo que le provocó muchas críticas por cometer errores. No obstante, estas condiciones felinas se correspondían a un motivo: jugaba en dos posiciones. Algunos días era portero, y otros, delantero.

El de Acapulco pudo convencer a los entrenadores para jugar en dos posiciones, lo que le llevó a marcar más de 40 goles. Tenía dos dorsales, el 1 y el 9, y en su dilatada carrera deportiva, en la que se encuentran clubes como Pumas —donde jugó en cuatro ocasiones, distantes entre sí—, Atlante o Cruz Azul, fueron constantes los cambios de camiseta. También hizo carrera en Estados Unidos y en Canadá, pero esto no es lo más importante de Jorge Campos. El Brody, como le llamaban, fue catalogado como una estrella única.

Sin embargo, en torneos internacionales no tenía esta disponibilidad. Con el Tricolor, para el que fue una auténtica referencia debutó en 1991 de la mano de César Luis Menotti. Su participación con la selección mexicana fue plena, al ser habitual en todas las convocatorias. Su presentación pública oficial fue en 1994, cuando mostró una particularidad muy reconocible que, a lo largo de los años, se ha popularizado por permanecer en la memoria de muchos amantes al fútbol: sus estridentes y estrafalarios uniformes, con figuras geométricas incomprensibles y con colores demasiado llamativos. Existe una teoría que afirma que los delanteros reaccionan peor ante lo llamativo, al conllevar un componente de distracción que les hace fallar al buscar la portería. No obstante, su afición por lo estrambótico no se debe a una voluntad de persuasión, sino a algo más mundano, el propio gusto personal: «Es que desde pequeño me encanta la playa. Me gusta nadar, surfear, tomar el sol, y todo se debe a eso. Por suerte, fue bien y ahora me recuerdan por ello», confesó. El propio Jorge Campos diseñaba su particular colección.

Lo cierto es que tenía habilidad bajo los palos, aunque pareciera más un personaje que entretenía al espectador, con sus rarezas. Llegó a ser un guardameta considerable, entre los tres mejores del mundo en 1993, el año del bueno de Jorge Campos, temporada en la que consiguió una Copa de Oro derrotando a Estados Unidos y una final de la Copa América ante Argentina, con la que cayó merced a dos goles de Batistuta. Con esto se pretende demostrar que Jorge Campos llegó a ser bastante considerado en el mundo del fútbol, así como en el publicitario. De hecho, fue uno de los protagonistas del mítico anuncio de Nike en el que los mejores jugadores del mundo (Ronaldo, Cantona o Maldini) jugaban contra las huestes del demonio. Además, fue un personaje de dibujos animados en una de las recreaciones de *Oliver y Benji*—también conocida como Capitán Tsubasa—, concretamente de Ricardo Espadas.

En 2004, se retiró del fútbol en Puebla y pronto empezó a trabajar con Ricardo Lavolpe, una de las leyendas del fútbol mexicano, como ayudante técnico, dando soporte en el Tricolor y poniendo su grano de arena como referencia. Después, para terminar de tocar todos los palos que ofrece el mundo del balompié estuvo en la Televisión Azteca como comentarista,.

Jorge Campos fue tachado de estrambótico, pero, lejos de eso, se trata de uno de los mejores jugadores de la historia de México. Y que quede claro que no llamaba la atención solo por su vestuario, sino también, y sobre todo, por su capacidad como delantero y, aún más, como portero.

CITA:

Un gran portero se hace comiéndose 400 goles, siempre que no sean en el mismo campeonato (Amadeo Carrizo).

EL PORTERO DE LAS CAMISETAS MÁS PINTORESCAS

Si Jorge Campos marcó un antes y un después con sus camisetas, nuestro siguiente protagonista traía un halo de nostalgia en sus equipaciones. Pablo Aurrecochea, guardameta uruguayo que recorrió media Sudamérica entre Chile, Paraguay, Argentina y su país natal, Uruguay, conservaba los ideales de su compañero de profesión mexicano. Los colores de los porteros suelen ser sobrios, demasiado tristes. Quienes conceden importancia al aspecto cromático piensan que los colores oscuros ocultan mejor al guardameta y dificultan que los delanteros puedan leer dónde se encuentran en el momento del disparo. Aunque tenga su lógica, esto transciende algo más que a una simple teoría.

Pablo logró que la mayoría de los periódicos y medios de todo el mundo se fijaran en el guaraní paraguayo cuando salió al terreno de juego con una camiseta con el símbolo de Batman. Dejó asombrados a todos y consiguió que hablaran de él por su originalidad. «Partido tras partido estoy vistiendo una camiseta nueva. Tengo muchas opciones y me gusta, llama mucho la atención y a la gente le divierte. Me hace sentir bien con lo que hago. Lo elijo yo con mi señora, que es la que me diseña las camisetas», confesó. Y así era. Con su mujer, que fue la que tuvo la idea, hacía que cada encuentro fuera un espectáculo. Puso a Mickie Mouse, a Spiderman, a Hulk, a Supermán, a Bob Esponja... Pocos personajes de dibujos o superhéroes faltaron en su repertorio.

Sin embargo, su razón era una reivindicación de la posición del guardameta. «Es darle un poco de protagonismo a lo que uno hace; evitar vestirse solo con colores oscuros, darle más trascendencia al atuendo», aseguró. Y, por supuesto, lo consiguió. A medida que fue teniendo más alcance, todo el mundo le preguntaba cuál sería el siguiente personaje que luciría. Había logrado que todos se fijaran en el portero, una de las posiciones más difíciles. Aciertos o errores aparte, nos generó una sonrisa. Eso es empezar con buen pie.

OTROS PORTEROS EXCÉNTRICOS

Hugo Gatti: Aunque este mítico portero argentino fuera una de los responsables de que Boca Juniors ganara la primera Copa Libertadores, su actitud le ha convertido en uno de los más excéntricos de la historia, sobre todo por sus salidas de tono y por sus *cantadas* en el área. Aunque se antoja demasiado atrevido como para ser verdad, lo cierto es que llegó a grabar un disco con el nombre *Las locuras de Gatti*. Actualmente sigue siendo igual de «loco» en sus apariciones en la televisión española.

Bruce Grobbelaar: Guardameta nacido en Sudáfrica e internacional con la selección de Zimbabwe, hizo la mayor parte de su carrera en el Liverpool y en media Inglaterra. Aunque tenía unas condiciones atléticas impresionantes, no supo jamás tomarse en serio la profesión. Una muestra de su desparpajo fue en 1984 contra la Roma en la final de la Copa de Europa, donde empezó a danzar en el área para distraer a Graziani. En los entrenamientos, le gustaba salir de jugador.

René Higuita: Este portero colombiano ya desentonaba con su pelo largo y rizado, y con su mostacho, que siempre acompañaba de una sonrisa. Conocido por el famoso *escorpión*, (consiste en inclinar el cuerpo hacia adelante, dar un salto y, estando en el aire, golpear la pelota con los dos talones de forma que el balón salga rechazado hacia adelante), su vida en la portería fue una mezcla de excepcionales intervenciones y cantadas desproporcionadas. Ah, y los regates a los delanteros rivales. Era demasiado alegre como para solo parar.

Germán *el Mono* Burgos: El actual segundo entrenador del Atlético de Madrid fue una leyenda bajo palos y también jugó para el equipo colchonero. En España y Argentina siempre se le reconocerá por su gorra, que salió despedida en una gran parada con la cara que hizo a Luis Figo en un derbi. De hecho, la zona de los 11 metros era su especialidad.

Lutz Pfannenstiel: Este portero alemán, que se recorrió los cinco continentes jugando para 25 equipos, llegó a ser considerado clínicamente muerto en el Bradford Park Avenue, detenido en una cárcel de Singapur y encerrado en un iglú durante cinco días en Alemania. Lo hizo absolutamente todo en la vida. Y luego, si eso..., jugó de guardameta.

LA PELEA BARRIOBAJERA MÁS VERGONZOSA DEL FÚTBOL ESPAÑOL

Jesús Gil es probablemente la personalidad más estridente que ha pasado por el fútbol español. Un hombre que saltó a la fama en España por el homicidio imprudente de 58 personas en un restaurante de Los Ángeles de San Rafael. Jesús Gil dio por buenas las obras sin solicitar los permisos oportunos e inauguró el local. Como resultado, el restaurante se hundió en un evento con cientos de personas dentro. Gil cumplió pena de cárcel, pero fue indultado por Franco. Muchos años después pasaría a ser uno de los *showmen* más conocidos de España, presidía al Atlético de Madrid y era alcalde de Marbella, y no había día que no dejase un titular. Pero lo que pasó en 1996 ejemplificó la personalidad de este personaje.

El ambiente llevaba tiempo caldeado entre los presidentes del fútbol español y Jesús Gil estaba en casi todas las trifulcas. Ya había tenido problemas con Lopera, del Betis, y con la directiva del Espanyol, pero su mayor enemigo lo encontró en Santiago de Compostela. José María Caneda, presidente del Compostela, no tenía nada que envidiar de Jesús Gil en lo referente a pomposidad. Los presidentes de Atleti y Compostela ya tuvieron una conversación muy airada con los micrófonos mediante a comienzos de 1996. Había varios motivos de fondo; uno de ellos era el reparto televisivo. En marzo habría una reunión con todos los presidentes de la Liga para decidir sobre este y otros temas, como la reducción de la Liga a 20 equipos nuevamente tras la polémica surgida el verano anterior con Sevilla y Celta como protagonistas, equipos a los que se anunció su descenso por motivos administrativos, aunque finalmente se les perdonó.

Pocos días antes de la reunión en la sede de la Liga de Fútbol Profesional, Caneda dijo en un medio gallego que no entendía cómo los votantes de Marbella mantenían a Gil como alcalde. Ya estaba liada. El día en cuestión Jesús Gil se presentó con un par de guardaespaldas. Fue el único presidente de la Liga en ir con guardaespaldas. Respecto al momento de la llegada del polémico presidente del Atleti, hay dos versiones: una que sostiene que el encuentro en la puerta con Caneda fue fortuito y otra que asegura que Gil le estaba esperando cual matón de barrio. Lo cierto es que en la puerta de la sede y con el resto de presidentes ya en la sala de reuniones, comenzó uno de los espectáculos más lamentables que se han visto en el ámbito del fútbol español. Jesús Gil le espetó que quién era él para faltar a su gente de Marbella, y ahí comenzaron los insultos. En un momento dado, Gil llamó «hijo de puta» a Caneda. Es aquí cuando entró en acción el gerente del Compostela, el señor José González Fidalgo, que le respondió que el hijo de puta era él. Sin mediar más palabra, Gil le propinó un puñetazo.

Las cámaras de televisión ya estaban grabando todo lo acontecido, la noticia estaba en la puerta. No hubo más intercambio de golpes, pero sí de bravuconerías barriobajeras. Ambos presidentes se retaron a pegarse en la calle mientras accedían a la sede de la Liga y mientras les trataban de separar. Tras llamarse de todo, llegaron a la puerta de la sala de reuniones, de la que salieron algunos presidentes alarmados. Sería Gil Marín, hijo de Jesús Gil, el que pondría algo de calma y pediría perdón a los asistentes. En la reunión, como si de un colegio se tratase, se acordó también que el asunto quedase zanjado y que no siguiesen ambos presidentes avergonzando a la Liga Profesional.

Estas recomendaciones no se cumplieron del todo y, tras salir de la reunión, Gil dijo que le había pedido a Caneda que se olvidara de él, a lo que añadió con su particular verborrea que Caneda era para él un chino en Pekín. Los gallegos tampoco se callarían y, tras desestimar llevar a Gil a los tribunales, con el argumento de que eso podía ser el cuento de nunca acabar, ironizaron sobre la pelea. Fidalgo, el único que recibió un puñetazo, dijo con sorna que Gil tiene la pegada corta porque está obeso. Caneda, que no había dudado en llamarle cobarde por esconderse tras los guardaespaldas, añadió: «Sí yo vengo con guardaespaldas y metralletas, se lía». Dos presidentes de fútbol que se creían por encima de la ley.

EL DÍA QUE JESÚS GIL TUVO QUE GRITAR «HALA MADRID»

Jesús Gil está cómodamente sentado en el sofá de su finca de Valdeolivas (Cuenca), terminando de cenar, cuando de repente la televisión conecta con el Vicente Calderón.

Al día siguiente se va a jugar el Atleti-Real Madrid en el feudo colchonero. Parece que un grupo de ultras del Real Madrid se ha colado en el estadio y las cámaras ya están allí para grabar lo sucedido.

Una veintena de Ultras Sur están sembrando el pánico en las dependencias atléticas. Amenazan con explosionar varios artefactos si Jesús Gil no accede a las pretensiones blancas. También tienen retenido al gerente del Atlético de Madrid, Clemente Villaverde, que había acudido al campo para tratar de solucionar el problema. Jesús Gil, pese a la gravedad del asunto, mantiene la calma y trata en todo momento de dialogar con los asaltantes.

Los ultras piden algunas cosas que Gil no puede cumplir, como la venta de Futre al equipo blanco. Sin embargo, sí accede a gritar «Hala Madrid» por teléfono y se compromete a fotografiarse con la camiseta del equipo blanco si, a cambio, el cabecilla de los ultras accede a hacer lo mismo con la camiseta del Atleti. No llegan a un acuerdo y los ultras detonan varios explosivos. Gil observa todo atónito. Aunque más atónito se queda cuando los mismos ultras que veía por la tele entran en su casa. Se trataba de una broma del programa *Inocente, inocente* y todos estaban compinchados para sacar lo mejor (o peor) de Gil, pero el polémico presidente del Atlético de Madrid no perdió los papeles en esta ocasión. Todo quedó en una broma.

ONCE IDEAL DE LOS PEORES FICHAJES DEL ATLETI DE GIL

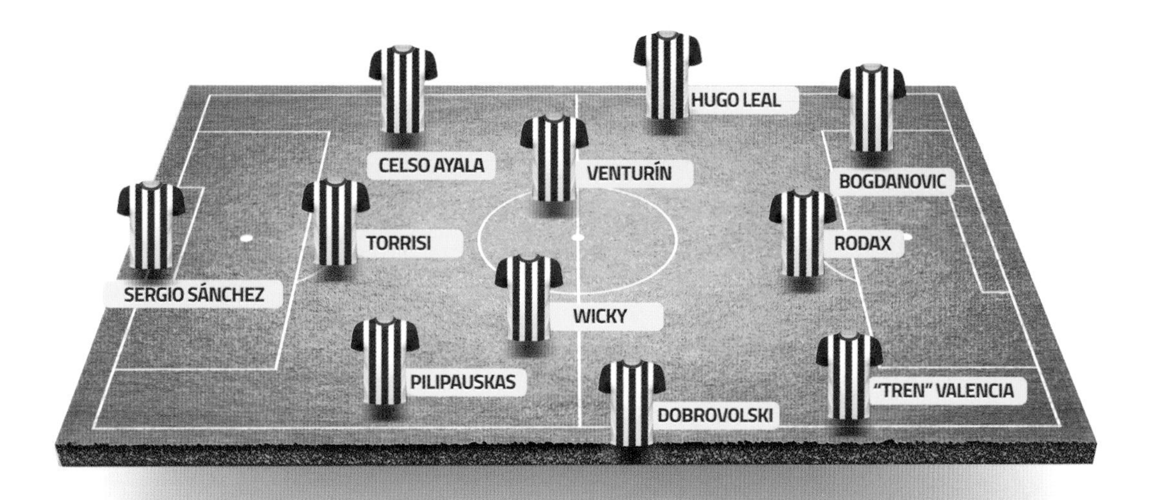

CITA:

No te voy a decir cuánto me he dejado en Las Vegas, pero si te gastas 500.000 pesetas eres un piojoso (Jesús Gil).

LA MAYOR LOCURA DE LOPERA

Manuel Ruiz de Lopera no fue un presidente normal; es más, creemos que no conocía el significado de esta palabra. Sus actos y declaraciones eran siempre estrambóticos, al hilo de la gran mayoría de presidentes de los noventa y principios de este siglo en España. Lopera podría luchar perfectamente por la segunda plaza en esta curiosa clasificación de presidentes excéntricos. El premio gordo es y será siempre de Jesús Gil, eso está claro. Pues bien, ahora les vamos a contar la mayor locura del expresidente del Real Betis Balompié.

Este es un relato con dos protagonistas, el primero ya ha sido presentado, y el segundo se presenta solo: Joaquín Sánchez. El mejor jugador del Betis de este siglo puede ser perfectamente el futbolista que mejor cae en España y parte del extranjero. Su animada personalidad, así como su permanente sonrisa nos tiene enamorados a todos. Los protagonistas de la historia no podían estar mejor seleccionados.

El jugador verdiblanco consideró en el verano de 2006 que su periplo en el Betis había tocado a su fin. Pese a que le costó mucho tomar esta decisión, ya que era el club de sus amores, finalmente tuvo en cuenta la oferta del Valencia. Hasta ese verano no había hecho caso a ofertas. Dos años antes, rechazó al Chelsea, que ofreció una mareante suma de dinero por él, que el propio Lopera ya había aceptado. Entonces, quiso seguir en el Betis, pero para el 2006 las cosas habían cambiado y Joaquín quería jugar en la ciudad del Turia.

Por un lado, tenemos a un jugador que quiere salir, mientras que, por el otro, nos encontramos con un presidente que no quiere vender. Para colmo, el inicio de la temporada 2006/07 está a la vuelta de la esquina y el partido con el que comienza la temporada es casualmente un Valencia-Betis. Nuestro relato lo tiene todo, aunque todavía falta un componente explosivo. Y es que Lopera hacía firmar un contrato a sus jugadores con una cláusula en la que dejaban al presidente ceder al jugador al equipo que quisiese, so pena de sufrir una penalización económica. La de Joaquín oscilaba en torno a los tres millones de euros.

Un día antes del Valencia-Betis que va a abrir la temporada liguera para ambos equipos, llega la situación más rocambolesca de esta historia. Con la prensa pendiente de todos los movimientos debido a que el propio jugador había declarado públicamente sus intenciones de salir, salta la noticia. Manuel Ruiz de Lopera va a ceder a Joaquín Sánchez al Albacete, equipo que por entonces milita en la Segunda División. Una de las estrellas del fútbol español se iba a ir a Segunda.

Joaquín, en principio, no se lo toma en serio, pero cuando ve los contratos, no se lo puede creer. Al día siguiente se tiene que personar en Albacete para evitar exponerse a la multa mencionada. Joaquín hace las casi seis horas de viaje que separan Sevilla de Albacete con su propio coche y realizando llamadas de todo tipo; a su familia, agente, abogados... Quiere una solución antes de verse en Segunda en la temporada que estaba a punto de comenzar.

Sobre las 7 de la tarde de este aciago día, el extremo gaditano llega a las oficinas del Albacete. Allí no hay nadie para recibirle, únicamente algunos operarios que se hacen fotos con él. El propio Joaquín cuenta que fueron muchas personas las que le reconocieron camino de Albacete y que no le habían regalado tantos quesos y navajas en su vida. Finalmente, decide llamar a un notario para demostrar que ha estado allí y de esta forma no pagar la multa. Ese mismo día coge su coche y se vuelve a Sevilla. Más de 11 horas de viaje en un día en el que Lopera quiso castigar a Joaquín por dejar el Betis.

Castigo, decimos bien, ya que no parecía otra cosa. Finalmente, Joaquín ficharía por el Valencia, pero Lopera demostraba, una vez más, ser un presidente diferente y capaz de todo en las negociaciones. La relación entre el presidente y la estrella del equipo, que hasta ese momento había sido buena, se rompió de golpe con la amenaza de cesión al Albacete. Joaquín cuenta que llegó a pensar en dejar el fútbol y que lo pasó muy mal en todo el proceso que le llevó a desvincularse del club de sus amores, al que volvería en 2015, nueve años después de su adiós tras pasar por Valencia, Málaga y Fiorentina. Siempre recordaremos con cariño y surrealismo su primera despedida. Él, quizás, no tanto.

CITA:

Yo soy diabético, es decir, dos veces bético (Manuel Ruiz de Lopera).

EL BETIS Y LAS CAMISETAS

Si la historia anteriormente mencionada no les ha parecido suficiente, volvemos a la carga con el Betis. Y es que un club con tantos años de historia tiene anécdotas de todos los colores. Historias de grandeza y otras no tanto. Grandes futbolistas y otros que se equivocaron de oficio. Momentos grandiosos e instantes que algunos desearían que no hubiesen ocurrido nunca. Solo con una historia así se pueden vivir dos momentos únicos y a la vez relacionados entre sí.

En 1994, el conjunto verdiblanco no atravesaba su mejor momento. Estaba en mitad de la tabla de Segunda División cuando le toca visitar a un rival directo, el Toledo. El entrenador, Kresic, ya había sido cesado con anterioridad, pero se sienta en el banquillo gracias a los jugadores, que se lo habían pedido al presidente Lopera. Sin embargo, ese sería su último partido como entrenador: el Betis pierde en Toledo y Kresic apela a la polémica surgida antes de empezar el partido. Betis y Toledo visten ambos con matices verdiblancos en sus camisetas y el Betis no trae su segunda equipación. El Toledo ofrece su segunda camiseta, totalmente blanca, pero claro el Betis se niega por tratarse de los colores del Sevilla. Total, que tras 45 minutos de discusiones y enfado general es el Toledo el que juega de blanco y el Betis con su verdiblanco habitual.

Este contraste de colores entre blanco y verdiblanco, habitual en el derbi sevillano, no fue aceptado en 2004. Y aquí llega la segunda historia del Betis relacionada con las camisetas. En el derbi sevillano de la temporada 2004/05, disputado en el Pizjuán, el colegiado Teixeiera Vitienes advierte al equipo verdiblanco que tienen que jugar con otra camiseta, que la verdiblanca habitual se puede confundir con la blanca sevillista. El Betis no lleva su segunda camiseta y el utillero tiene que viajar hasta el Benito Villamarín para conseguir una totalmente verde. El partido se retrasa 45 minutos entre el malestar general. Casualmente los dos partidos en los que el Betis tuvo problemas con las camisetas se saldaron con derrota verdiblanca, en esta ocasión por 2-1.

CAMPEONES DE ESPAÑA QUE DESCENDIERON

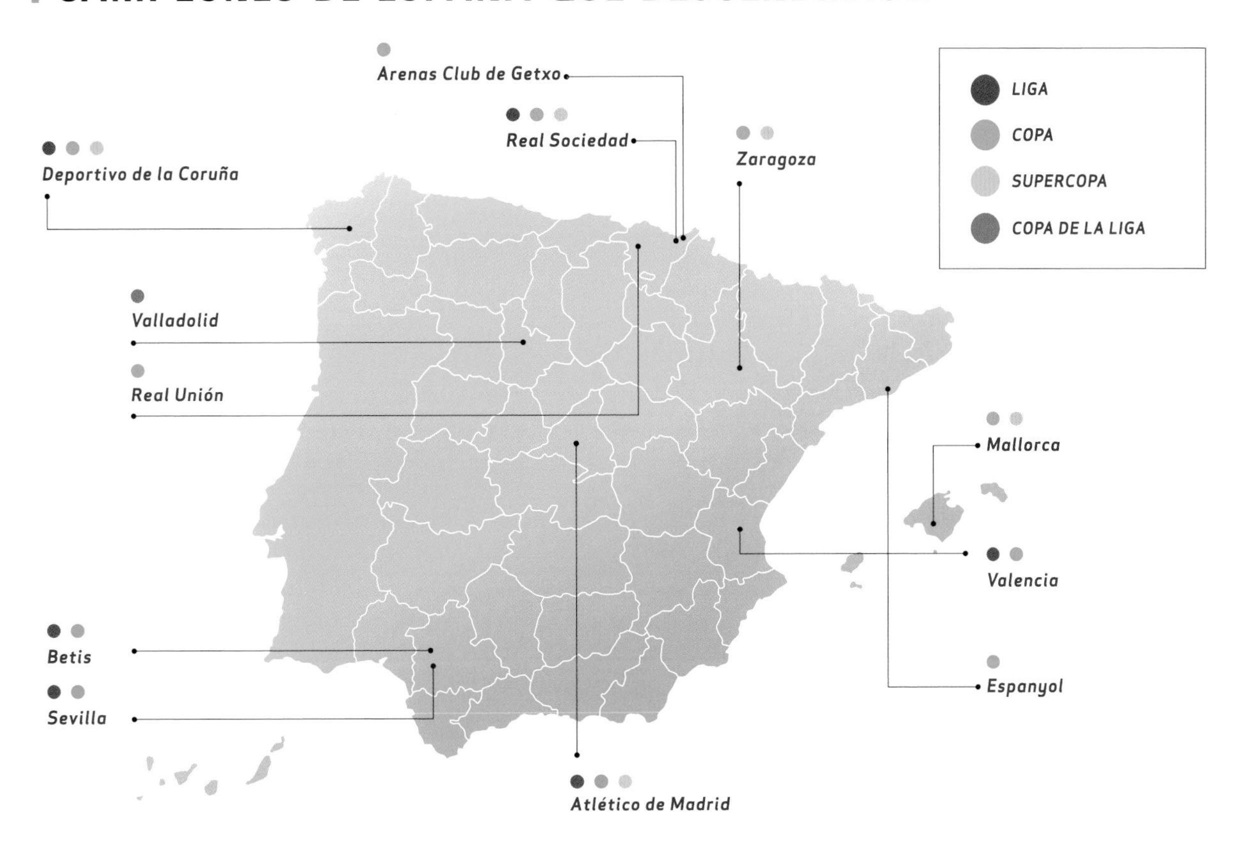

LAS GRANDES LOCURAS DE MARIO BALOTELLI

A Mario Balotelli hay que hacer por entenderle. Simplemente, porque ha conseguido sacar lo mejor y lo peor de su carrera deportiva y, pese a ello, sigue estando en algunos de los mejores clubes de Europa. Nació en 1990 en Palermo. Al año, sus padres, Rose y Thomas Barwuah, dos inmigrantes ghaneses se trasladaron a Bagnolo Mella, una ciudad de la provincia de Brescia. Sufrió una enfermedad intestinal que a punto estuvo de acabar con su vida y que, sumada a la precaria higiene del piso patera en el que dormía, hizo que fuera dado en adopción por decisión de los servicios sociales y con el consentimiento de sus padres biológicos. Una familia italiana, Francesco y Silvia Balotelli, decidió acogerle como un hijo más. Y se dieron cuenta de que era muy distinto al resto, sobre todo por la actividad que le pedía el cuerpo. Era hiperactivo y le tuvieron que apuntar a toda clase de actividades extraescolares para que llegara a casa únicamente para dormir. Todo un terremoto. El fútbol apareció en su vida como una combinación de observación y práctica, imitando en el parque lo que había visto en la «caja tonta».

Parecía que su cabeza estuviera habitada por fantasmas que le incitaban a obrar mal. Sus compañeros de equipo, como el Lumezzane, le admiraban, pero también le detestaban por sus extrafalarias salidas de tono, como cuando llegó a orinar sobre ellos en las duchas, algo que él solo concebía como broma. Quizás la «mejor» de todas ocurrió en un entrenamiento en el Manchester City, en el que se pasó de la raya. Y es que el delantero fue cazado lanzándole dardos a los jugadores de las categorías inferiores. Fue expedientado por el club y obligado a pagar más de 100 000 libras por aquello. Para él, era muy gracioso.

Sufrió en muchas ocasiones insultos y ataques racistas, lo que le llevó a mostrarse muy vengativo sobre el terreno de juego. Su mayor rivalidad la vivió con el Inter de Milán. Los *tifosi neroazzurri* no le perdonaron que posara en televisión con una camiseta del Milan y le dedicaron todo tipo de improperios. Él respondió lanzando la camiseta del Inter al suelo, a modo de desplante. Marco Materazzi se encaró con él por aquel gesto, momento que Ibrahimovic resumió en unas declaraciones a la Gazzetta: «Materazzi ha atacado a Mario en el túnel de vestuarios; no había visto algo así en toda mi carrera. Tendría que haberlo dejado y haber salido a celebrar. Si me llega a hacer algo así a mí, lo tumbo».

Propenso a la polémica y a la provocación, en el Manchester City llegó a pelearse con Roberto Mancini —de los pocos técnicos que le aguantaron— en un entrenamiento, por lo que tuvieron que ser separados por los miembros del equipo. Siempre le faltó tacto, las habilidades sociales nunca fueron su fuerte, como cuando dejó a una de sus novias mediante un SMS de participación del público mientras presentaba en directo el programa italiano *Chiambretti Night*, al tiempo que la calificaba de «estúpida y celosa». Todo aquello se leyó en directo.

Siempre ha hecho lo que ha venido en gana: desde jugar con el iPad mientras estaba en el banquillo hasta celebrar un gol con el mensaje *Why always me?* ('¿Por qué siempre yo?'). O como cuando quemó toda su casa por jugar con fuegos artificiales. Los lanzaba por la ventana del cuarto de baño y las toallas de la habitación empezaron a arder. El fuego se propagó, pero antes Balotelli se entretuvo en sacar algunas de sus pertenencias, como dinero y una maleta.

No conviene olvidar, sin embargo, que también ha mostrado grandes gestos. Mario Balotelli es un niño grande algo *malote*, pero en el fondo tiene corazón. Como cuando en Inglaterra le dio 1000 libras a un vagabundo tras haber ganado 25 000 en el casino. O cuando defendió a un niño que estaba siendo víctima de *bullying*.

En Google existen miles de referencias sobre todas las locuras de Mario Balotelli en su corta vida. Y, viendo su historial, creemos que la lista se ampliará.

GASCOIGNE, PIONERO DE LA LOCURA

Antes de Balotelli, estuvo Paul Gascoigne, jugador inglés de los años noventa conocido tanto por su juego —demostró más que Mario en su carrera— como por su espectáculo extrafutbolístico. No era el inglés más brillante del mundo, pero sí pura naturalidad. Sus estupideces las exponía públicamente, como su fútbol. Se puede decir que siempre provocó una sonrisa con sus locuras, y las hubo de todos los colores.

Por ejemplo, Gascoigne también orinó a uno de sus compañeros en una concentración. Pero no hizo la deposición sobre su cuerpo, sino en la boca, pues le molestaba que roncara. Y es que era pura improvisación. Durante su etapa con el Tottenham, creyó que era buena idea coger un avestruz del zoo, meterla en el coche y llevarla al campo de entrenamiento de los londinenses. Todavía suelta una carcajada cuando recuerda esa anécdota. Y, puestos a hablar de vehículos, en su periodo en el Middlesbrough estrelló el autobús del club: se animó como chófer y el vehículo no llegó ni a la vuelta de la esquina. Los daños alcanzaron las 14 000 libras.

Tenía dos caras: una más gamberra, incentivada por su hábito más común: ir a los pubs a emborracharse. Un día, en uno de ellos, quiso invitar a todo el mundo tras ganar un partido. Le dio 40 libras a un chaval para que bebiera varias pintas... Aquel niño no era otro que Wayne Rooney. Algunas de sus locuras fueron peligrosas. Cuando fichó por la Lazio, portaba un arma con la que solía entretenerse. Uno de sus juegos durante la firma del contrato con los italianos fue acertar a la tetera que llevaba la asistenta del presidente. Aunque, sin duda, una de las mejores —y menos agresivas— fue sobre un terreno de juego, concretamente en la liga escocesa. Al colegiado Dougie Smith se le cayó la cartulina amarilla y Gazza vio su oportunidad. Se acercó al trencilla y «le sacó» tarjeta. El colegiado, ante la falta de respeto, la recuperó y no dudó en amonestarle. Así era Gascoigne, tan genial con la pelota como perspicaz para idear locuras.

GRANDES LOCURAS DE OTROS FUTBOLISTAS

Éric Cantona: La vida de Matthew Simmons siempre estará ligada a la del francés, y viceversa. Este aficionado fue el que recibió una patada voladora de Cantona cuando le insultó desde la grada. Aunque ya estaba expulsado, aquella imagen es historia del fútbol, pero era una muestra del carácter y del poco tacto que tenía el delantero del Manchester United.

Robbie Savage: Este exjugador galés no se tomó muy bien su primera tarjeta roja. Fue en un partido de clasificación para el Mundial de 2006 entre Irlanda y Gales. Tras ser expulsado junto a Michael Hughes por una pelea, en la revisión de las imágenes consideró que Robbie no hizo lo suficiente para ser amonestado, o eso creía. Tal fue su indignación que no dudó en apelar al Tribunal Europeo de los Derechos Humanos por haber sufrido severana injusticia.

Antonio Cassano: Cuando abandonó la Roma y fichó por el Real Madrid, Cassano decidió abandonarse como jugador y como persona. Fue su peor etapa en cuanto a rendimiento, pero había un motivo. Residía en un hotel, donde estaba compinchado con uno de los empleados. El futbolista se traía a mujeres a su apartamento, a las cuales presentaba al trabajador a cambio de que le diera comida. Amor o comida, una de dos.

Taribo West: En su etapa en Milán, el nigeriano se mostró muy creyente. Cuando llegó de visita su hermana, pastora evangelista, esta le confesó que sentía presencias en su residencia. Hasta que un día, según cuenta, presenció un *poltergeist*. «Las puertas y ventanas comenzaron a abrirse y a cerrarse solas; después, los cajones. Como en una película mala, pero todo real», confesó.

Nicolas Anelka: El francés llegó a ser uno de los mejores delanteros de Francia. En su etapa en el Real Madrid, notó la presión mediática. Tras un entrenamiento con los blancos, quiso eludir a la prensa para encarrilar su viaje a París. Llamó a su hermano Didier, que le recogió en un todoterreno, y se metió en el maletero hasta que perdió de vista a esos indeseables periodistas españoles.

CITA:

Mis reglas son que hago lo que quiero, como quiero y cuando quiero (Paul Gascoigne en el Glasgow Rangers).

EQUIPOS PARA EL RECUERDO

Un escudo, unos colores, un himno, una afición... muchos componentes que dan lógica a lo que significa un equipo de fútbol. Sin embargo, hay algunos que marcan la diferencia, dando motivos para catalogarles como distintos, ya fuera por motivos ideológicos, por épicas remontadas o por ser los más gamberros del césped.

EL ÚNICO EQUIPO ESPAÑOL QUE HA CONSEGUIDO UNA LIGA PERFECTA

Cuando el Real Madrid de Mourinho alcanzó en la temporada 2011/12 los 100 puntos, todos nos llevamos las manos a la cabeza. Solo un año tardó el Barcelona en emular una liga de 100 puntos. Ambos equipos habían realizado sendas temporadas casi perfectas, pero no pudieron emular lo que consiguió el Orense años atrás. Antes de entrar en detalles, cabe destacar que durante el franquismo no se aceptaban los nombres en una lengua que no fuera el castellano; por ello el Ourense era el Orense. Otro ejemplo era el Athletic Club, que pasó a conocerse como Atlético Club. Debido a esa época, siempre se matiza que el club es de Bilbao, para evitar que se confundiera con el Atlético de Madrid, pero en el nombre oficial no aparece aquello de Athletic Club «de Bilbao». Un error muy extendido en nuestra era.

Volvamos al club protagonista de nuestra historia. El Orense fue fundado en 1952 tras la desaparición de la Unión Deportiva Orensana, que hasta ese momento era el club representante de la ciudad gallega. Tras estar tres temporadas en Segunda, descendió a Tercera, que en ese momento era la tercera categoría del fútbol español, y no como actualmente, que es la cuarta tras la inclusión de la Segunda B entre la Segunda y la Tercera en 1977. Para la temporada 1967/68, el Orense era uno de los favoritos de su grupo. El año anterior se había quedado cerca del ascenso al perder un *playoff* ante el Jerez (todavía no había cambiado su nombre por Xerez). Lo que no podían esperar era lo que iba a suceder esa temporada. Fueron pasando las fechas y el Orense no daba tregua a sus rivales en el grupo gallego. Así llegamos al término de la primera vuelta, 15 victorias en 15 partidos. Habían ganado a todos los rivales de su liga y ya empezaba a conocerse por España su gesta.

Cada partido que jugaban estaban más cerca de lograr lo que no había conseguido nadie nunca: ganar todos los partidos en una de las tres principales categorías del fútbol español. Con la presencia en los *playoffs* ya asegurada, el único objetivo era terminar la liga con un pleno de victorias: 30 de 30. La última fecha del grupo suponía *a priori* el partido más complicado de todos. Se enfrentarían al Compostela, segundo clasificado, en su campo. Los aficionados del Orense llevaron una pancarta que rezaba: «Si no ganamos en Santiaguinho, quedamos tan amiguinhos». Y ganaron, y festejaron e hicieron historia. 30 victorias, ningún empate y ninguna derrota. No solo eso: alcanzaron los 100 goles y únicamente encajaron ocho en todo el campeonato. En toda la España futbolera y parte de la no futbolera ya era conocida su machada.

El gran problema es que para ascender no bastaba con ganar tu Liga: en Tercera División eran 15 grupos y únicamente ascendían cuatro equipos a Segunda. Para subir, el Orense tenía que pasar dos eliminatorias. La primera ante el Condal la cerró con dos victorias. Ya llevaba 32 en otros tantos partidos. El último cruce sería ante el filial del Elche, el Ilicitano, que había quedado primero en su grupo, pero con más apuros que el Orense.

La ida en Orense supuso el primer partido del año en el que los gallegos no ganaban: empate a cero, que dejaba todo muy abierto para el encuentro en Altabix. Aunque al final, tras probar lo que era empatar, también probaron lo que era perder, en esta ocasión por 2-1. El mejor equipo de España en una Liga no consiguió su objetivo. Aquel año subieron a Segunda el Indauchu, Alavés, Onteniente e Ilicitano. Pero no el Orense.

Los jugadores de aquella gesta no pasaron a la posteridad de forma individual. Uno llegó a jugar en el Atlético de Madrid, pero pasó con más pena que gloria. Había acabado en los rojiblancos después de que le vieran en un amistoso organizado ante el filial colchonero. Los mandatarios del Atleti querían ver de cerca a ese equipo que estaba batiendo récords y si era factible fichar a algún jugador. Aunque no hicieran historia después, esos jugadores ya la habían hecho en un club humilde, y aquí les recordamos.

CITA:

No me importaría perder todos los partidos, siempre y cuando ganemos la Liga (Mark Viduka).

ORGULLOSOS DE SER EL PEOR EQUIPO DEL MUNDO

Son los antihéroes del fútbol, un equipo irreverente que no quiere seguir el canon establecido. Lo normal es pelear por ser el mejor, celebrar las victorias, los goles propios y luchar por superarse, pero hay un equipo que no quiere seguir esa línea. Debajo de su escudo se puede leer un lema: *Peor time do mundo* ('Peor equipo del mundo'). Y es que el Íbis Sport Club brasileño ha registrado esta frase con *copyright*. Están orgullosos de lo que son, de ser los peores.

El club fue fundado por y para los trabajadores de una fábrica de algodón en Paulista, ciudad de Pernambuco. Pese a sus orígenes humildes, no tenía la pretensión de ser el peor equipo, pero se ganaron su fama a pulso. Entre 1978 y 1984 solo ganaron un partido, por 1-0 ante el Ferroviário.

Curiosamente, el autor del gol, que era un atacante que estuvo diez años en el equipo y solo marcó ese gol. Mauro Shampoo, que así se llama el prolífico goleador, ahora regenta una peluquería frente al estadio. Es una leyenda de la institución, un antihéroe para la historia del club.

El Íbis pidió en 2001 ser reconocido como el peor equipo del mundo por el Libro Guinness, sin éxito, pero eso les dio igual, siguieron con su particular forma de ver el fútbol. En 2015, tras el despido de Mourinho del Chelsea, el club le hizo una oferta que no podría rechazar. Tendría una prima por cada derrota, aumento salarial si el equipo perdía por goleada y una cláusula en la que le despedirían de inmediato si el equipo ganaba algún título. Imposible que con un *marketing* así este club no levante simpatías.

EQUIPOS INVICTOS DE LAS PRINCIPALES LIGAS EUROPEAS

MAPA VIGENTE EN LA TEMPORADA 2016/2017

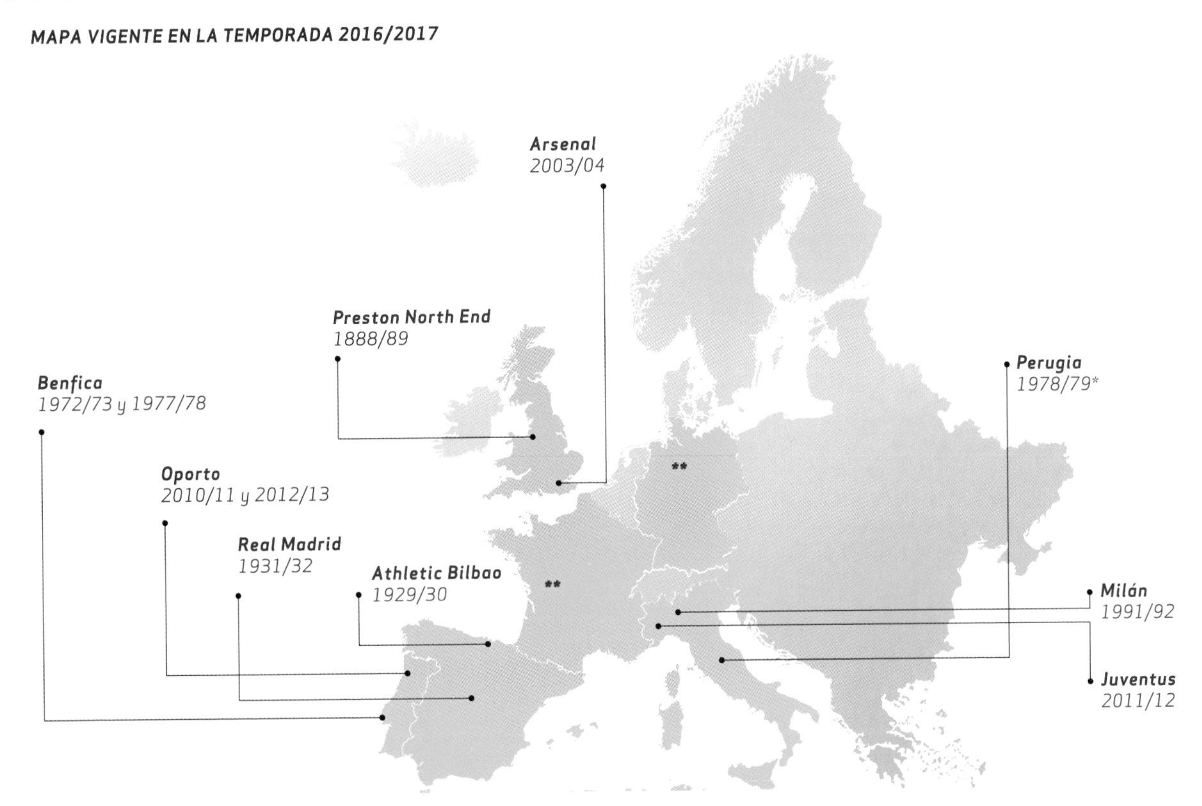

*Pese a terminar invicto la Liga, no ganó el título.

**Sin campeones invictos.

EL MILAGRO Y LAS FALSAS LEYENDAS DE COREA DEL NORTE

Una de las historias más heroicas del fútbol se vivió durante el Mundial de Inglaterra de 1966, cuando Corea del Norte alcanzó los cuartos de final con un equipo plagado de futbolistas no profesionales. De hecho, en su mayoría se trataba de soldados del Ejército norcoreano. Su peripecia, rodeada de leyendas, quedó para la historia grabada en letras doradas.

Por aquellos tiempos, las naciones de Asia, África y Oceanía solo disponían de una plaza para acceder al Mundial, por lo que la competencia para estar en cada cita mundialista era feroz. De hecho, hasta ese momento, las Indias Orientales Neerlandesas (actual Indonesia) y Corea del Sur, eran los únicos países asiáticos que habían tenido el privilegio de participar en un Mundial.

En 1966, las selecciones africanas renunciaron a modo de protesta. Corea del Sur había conseguido clasificarse desde la conferencia asiática, pero finalmente se retiró. La única plaza clasificatoria se decidiría en una eliminatoria entre la otra Corea, la del Norte, y Australia. Los norcoreanos aplastaron a los oceánicos y aseguraron su presencia en un Mundial por primera vez en su historia.

Las dudas, eso sí, no eran pocas. A los tiempos de poca información que se vivían, se unía el hermetismo propio del país asiático. Nadie sabía cómo jugaban, nadie sabía quiénes eran los jugadores a tener en cuenta. De esta forma aterrizaron los norcoreanos en Inglaterra en el verano de 1966. La cenicienta del torneo había llegado a las islas.

Juan Gardeazábal, un español, tuvo el privilegio de ser el árbitro del primer encuentro de Corea del Norte en un Mundial. Aquel partido les enfrentaría a otro país comunista, la Unión Soviética. Fue tras aquel encuentro cuando Gardeazábal soltó una de las frases que más se recuerdan y que más se han tergiversado en la historia de los Mundiales: «Si los coreanos hubieran cambiado al equipo entero en el descanso, nadie se hubiera dado cuenta». La hiperactividad de los norcoreanos y el parecido físico entre ellos hizo que, durante años, muchos insinuaran que habían hecho trampas cambiando al equipo al completo en el descanso, poniendo un plantel diferente en cada tiempo. Aun así, el nivel de la URSS era mayor y terminó venciendo por un contundente 3-0.

Sorprendentemente, los asiáticos consiguieron sacar un valioso empate, casi sobre la bocina, frente a Chile. Había opciones de pasar a la siguiente ronda. El problema era la selección que tendrían enfrente en el tercer partido, Italia. La potente selección *azzurra* tenía en sus filas a varios jugadores de talla mundial, como Gianni Rivera, Sandro Mazzola o Giacinto Facchetti. Y lo peor de todo era que los transalpinos también se jugaban la vida. Habían recibido muchas críticas después del partido ante la URSS, especialmente uno de sus referentes, Gigi Meroni, que sería castigado con el banquillo en el decisivo partido frente a los norcoreanos.

La presión de los jugadores italianos era máxima y los nervios estaban a flor de piel, especialmente en aficionados y periodistas. Ante tal situación de tensión, la «débil» y desconocida Corea del Norte consiguió dar la campanada y noquear a una inoperante Italia. Un solitario gol del dorsal 7, Pak Doo Ik, fue suficiente para dar a los norcoreanos una victoria histórica. Para que se hagan una idea del impacto que causó aquella derrota, algún medio transalpino calificó aquella catástrofe como «el mayor desastre desde la caída del Imperio romano». Y a aquel número 7 norcoreano, el «culpable» de la derrota italiana, se le conoció desde entonces como el Dentista, por el profundo daño que había causado a los italianos. Por eso se creyó erróneamente durante años que aquel era el verdadero oficio de Pak, que en realidad trabajaba en una imprenta como tipógrafo.

CITA:

Si los norcoreanos hubieran cambiado al equipo entero al descanso, nadie se hubiera dado cuenta (Juan Gardeazábal, árbitro español).

LOS COMPLICADOS ORÍGENES DE GARRINCHA

Hablar de Garrincha es hacerlo de uno de los mejores futbolistas de la historia. Sin discusión. Pocos jugadores han protagonizado exhibiciones individuales como la de Garrincha en la Copa del Mundo de Chile, en 1962. Lideró a Brasil con alguna que otra limitación psicológica, la columna desviada y una pierna más larga que la otra. Su vida es de lo más curiosa, pero sus orígenes lo son aún más.

En 1945, cuando solo tenía 12 años, Garrincha tuvo sexo por primera vez, aunque aquella no fue una experiencia especialmente bonita. Fue con una cabra. Sí, están leyendo bien. Garrincha era pobre y no tenía dinero suficiente para pagar a una prostituta, por lo que tuvo que recurrir a aquel animal. Algo que, por otro lado, no era poco común en la época... Poco después empezó a trabajar en una fábrica textil, en la sección de algodón, aunque era un holgazán que intentaba escaquearse siempre que podía. Su superior era presidente del SC Pau Grande, el equipo local para el que jugaba Garrincha y le pasaba por alto una tras otra. Hasta que la situación resultó insostenible y fue despedido. En aquellos tiempos había empezado a fumar y a beber, algo que le terminó llevando, cirrosis mediante, a la caja de pino antes de lo debido.

En 1950, Brasil perdió la final de su Mundial contra Uruguay. Dicen que aquello causó una ola de suicidios. Brasil estaba en *shock* y tardó en recuperarse. Todo el país había estado pendiente de aquel partido histórico. Bueno, todos... menos Garrincha. A él, que por entonces tenía 16 años, nunca le interesó ver el fútbol, solo practicarlo. Y vaya si lo practicó. Con la *verdeamarelha* terminaría guiando a Brasil a dos títulos mundiales. Pero, seguramente, todo aquello le importó bien poco. A él solo le importaba disfrutar.

PAÍSES QUE YA NO EXISTEN Y JUGARON EL MUNDIAL

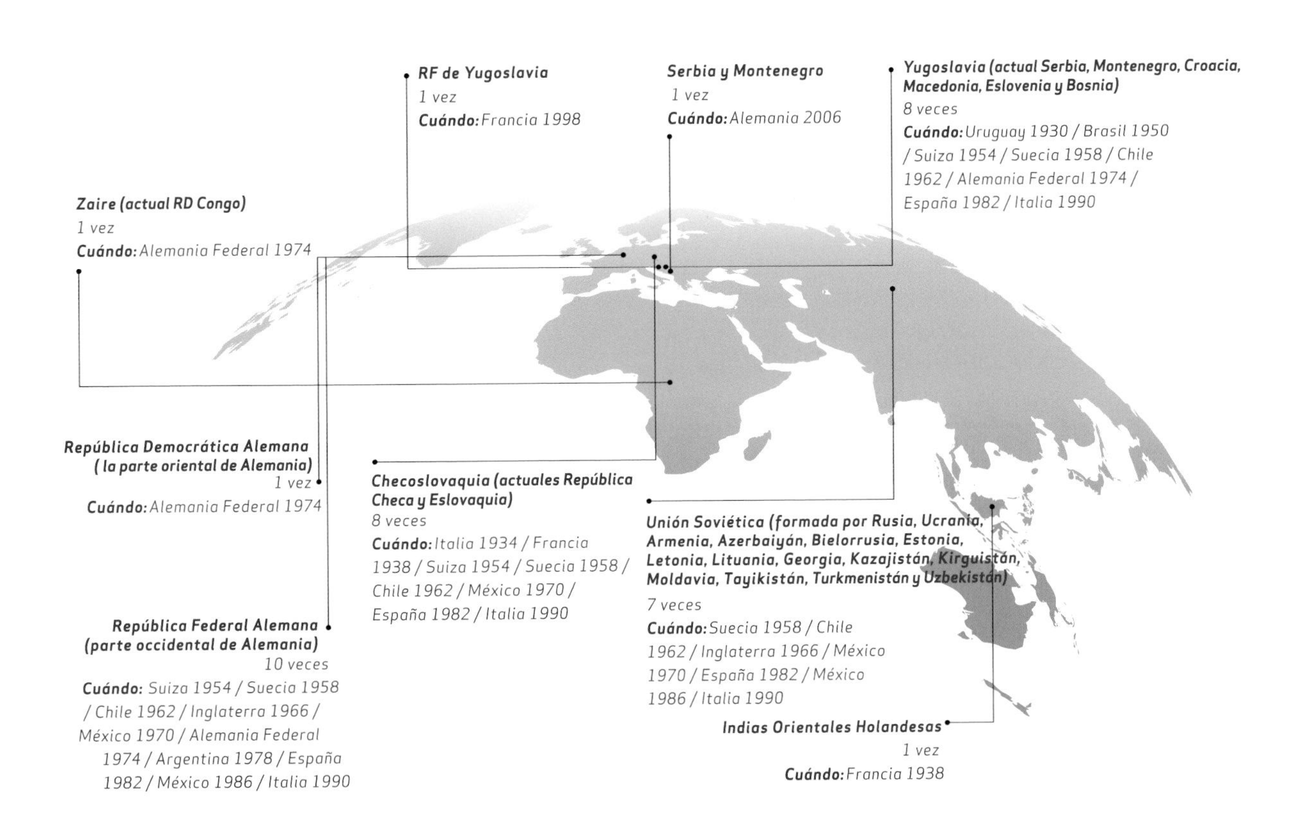

LA TRAMPA DE LA MONEDA DE ESTUDIANTES

El Estudiantes de La Plata de la segunda mitad de la década de los sesenta es recordado como uno de los equipos más peculiares y a la vez exitosos del fútbol argentino. Osvaldo Zubeldía había tomado las riendas como entrenador en 1965 con un objetivo: evitar como fuera el descenso del equipo. Y vaya si lo consiguió. A lo largo de los siguientes cinco años, Zubeldía logró no solo salvar a los Pincharratas, sino también formar una exitosa escuadra que marcó una época... y protagonizó algunos episodios cuestionables.

Zubeldía había sido jugador, nunca destacó en exceso, pero muchos todavía recuerdan un *hat-trick* que le hizo al legendario Amadeo Carrizo cuando jugaba para el Vélez Sarsfield. Después, como entrenador, llegó a ser un revolucionario que implantó algunos métodos que sentaron cátedra dentro del mundo del fútbol. Fue uno de los primeros en usar un mediocentro de contención, perfeccionó la trampa del fuera de juego, cambió las dinámicas de los entrenamientos imponiendo las dobles sesiones (mañana y tarde), etc.

Con Osvaldo Zubeldía dio comienzo la más exitosa etapa en la historia de Estudiantes, especialmente por los títulos internacionales cosechados. Fue tres veces campeón de la Copa Libertadores de Sudamérica, una vez de la Copa Interamericana y en otra ocasión logró alzar al cielo la Copa Intercontinental de campeón del mundo. Su legado, más allá de lo técnico y lo táctico, fue descomunal. De hecho, Rinus Michels, para muchos inventor del fútbol total, no tuvo reparo en decir lo siguiente de él: «¿El origen del fútbol total? Lo inventó Osvaldo Zubeldía». Palabras mayores. Pero si por algo se recuerda a ese Estudiantes de La Plata, más allá de aquellos títulos internacionales, es por una leyenda negra: las malas artes que empleaban para ganar sus partidos e intimidar a sus rivales.

Uno de los episodios más llamativos se dio en 1967. Por aquellos años eran habituales las giras por Europa de los principales clubes sudamericanos. De esta manera, Estudiantes disputó en agosto de ese año el Trofeo Luis Otero, en la provincia gallega de Pontevedra. El encuentro entre los locales y los Pincharratas finalizó con empate a un gol, resultado que se mantuvo tras la prórroga.

En el tiempo añadido, los argentinos, que no querían perder ni a las canicas, endurecieron su juego y hasta Madero fue expulsado por insultar al señor Orellano, árbitro del encuentro. Se llegó a la tanda de penaltis, pero tras anotar cada equipo tres de sus cinco lanzamientos, se procedió a resolver el encuentro de una forma más habitual en épocas anteriores: lanzar al aire una moneda.

Fue en ese momento cuando Carlos Salvador Bilardo (centrocampista del equipo) llamó al *Cacho* Malbernat, que, como capitán, sería el encargado de elegir el lado de la moneda: «Cacho, no importa lo que elijas. Cuando caiga la moneda al suelo, salga lo que salga, empezá a festejar y saltamos todos, nos tiramos al piso encima de la moneda y nos abrazamos».

Así actuó Malbernat y Estudiantes se llevó el premio, valorado en unas 100 000 pesetas de entonces. Y la copa, claro. El ganador de aquel torneo sabemos quién fue, pero el lado del que cayó la moneda nunca lo conoceremos. Así era aquel Estudiantes de La Plata que, solo un año después, sería campeón del mundo. La picaresca del fútbol, llevada al extremo.

CUANDO BILARDO PINCHABA A LOS RIVALES CON ALFILERES

El nombre de Carlos Salvador Bilardo es sinónimo de artimaña. El argentino las tiene, y muchas, como entrenador. Pero las tuvo aún más como jugador, especialmente cuando fue miembro del exitoso Estudiantes de La Plata de Zubeldía, allá por finales de los años setenta, probablemente el equipo de fútbol más tramposo de la historia.

Durante muchos años, los jugadores rivales salían al césped con miedo cada vez que se enfrentaban al equipo argentino. De hecho, incluso algunos conjuntos (especialmente los europeos en la Copa Intercontinental) llegaron al punto de no querer presentarse por temor a salir con varios jugadores lesionados. Y no solo eso: siempre se dijo que los jugadores de Estudiantes escondían en sus medias alfileres con los que pinchaban a los rivales en los córners.

Carlos Salvador Bilardo, uno de aquellos marrulleros jugadores (y médico de profesión), no tuvo reparo en participar años después en una campaña publicitaria para la detención de la diabetes. En el anuncio, Bilardo ironizaba contando que aquellos pinchazos a los jugadores rivales tenían la intención de verificar «el correcto nivel de azúcar en sangre de sus rivales». Para partirse...

CINCO LEYENDAS DEL ESTUDIANTES DE ZUBELDÍA

No todas estas artimañas están confirmadas, pero se lleva hablando de ellas desde hace décadas. Prácticas que tenían como objetivo desestabilizar a los rivales y ganar los partidos. Así actuaba el mítico Estudiantes de Zubeldía:

Investigaban a los rivales. Siempre se creyó que Bilardo era el encargado de conocer los problemas personales de los rivales antes de cada partido, y durante los encuentros les iban haciendo pequeños comentarios con el fin de desestabilizarlos. Roberto Perfumo, leyenda de Racing Club, llegó a asegurar que Bilardo sabía «hasta si había peleado con la novia».

Contrataba a árbitros para dar charlas a sus jugadores. Esto lo hacía para que sus hombres supieran hasta dónde podían llegar dentro de los límites del reglamento. Una de aquellas prácticas era la cesión al portero, al que le devolvían una y otra vez la pelota con el objetivo de perder tiempo.

Recomendaciones a las mujeres de los futbolistas. Según cuentan, solía decir a las mujeres de sus futbolistas que tratasen de practicar el sexo con sus maridos poniéndose ellas encima, para evitar el cansancio de sus jugadores. Tenían que ahorrar energía para darlo todo en el campo, claro.

Así motivó a sus jugadores. Cuando llegó a Estudiantes, decidió transformar un equipo perdedor en otro ganador. Lo primordial sería cambiar la mentalidad a sus jugadores. Por eso, les llevó a una estación a las siete de la mañana y les tuvo observando a la gente que iba a sus trabajos. «Si me hacen caso, llegaremos lejos. Si no, seremos uno más de ellos».

Compró a un recogepelotas rival. Se dice que Zubeldía acostumbraba a salir al campo con dinero que entregaba a recogepelotas rivales con el objetivo de que se retrasaran en la devolución de los balones cuando Estudiantes iba ganando. Una artimaña más para acercarse a la victoria.

CITA:

¿El origen del fútbol total? Lo inventó Osvaldo Zubeldía (Rinus Michels).

EL GOL QUE NADIE QUIERE MARCAR

Supongo que todos los que estén leyendo estas letras tendrán un equipo que les despierte más simpatías. Quizás sea un club que les haga enloquecer o puede que sean más sosegados, pero siempre se decantaran por alguno, aunque sea interiormente. Pues bien, ahora imagínense que ese club que han elegido para acompañarlo hasta el final de sus días está a punto de descender. Y no solo eso: usted juega en el equipo contrario y un gol suyo le hará descender a segunda. El gol más amargo de sus vidas, seguro. Pues eso le pasó a Denis Law: mandó al Manchester United, su United, a segunda.

Denis Law nació en Aberdeen, Escocia, en 1940. Pasó allí sus primeros años, pero pronto emigraría a Inglaterra. El causante de esto fue un tal Bill Shankly, que, por entonces, dirigía al Huddersfield; ya tendría tiempo después para hacer historia con el Liverpool. Law firmó pronto por el Manchester City, aunque solo duró allí una temporada y media. El Torino, uno de los clubes más poderosos de Italia en la época, le fichó en 1961. Aunque, como luego han ido demostrado los hechos, los británicos y el fútbol italiano nunca han sido aliados. Law se volvería a Inglaterra para escribir la historia más dorada del Manchester United.

Al poco de llegar a los diablos rojos, el bueno de Denis Law ganó el Balón de Oro; su temporada 1963/64 bien lo merecía. Matt Busby había dicho años antes que iba a reconstruir el Manchester United tras la tragedia de Múnich. Perdió a ocho jugadores en un accidente de avión que marcó para siempre al equipo. Busby, que también iba en ese avión, reconstruyó un equipo cimentado con otro superviviente de la catástrofe aérea, Bobby Charlton. A Charlton y Law se unía George Best. Los tres formaron la conocida como Santísima Trinidad.

La generación de los sesenta del United tocó el cielo en la final de la Copa de Europa de 1968. Los pupilos de Busby ganaron el título al Benfica ante un abarrotado Wembley, que veía al primer equipo inglés campeón de Europa, curiosamente diez años después del accidente de Múnich. Denis Law no pudo estar en aquella final por lesión. Una generación que hizo historia, pero, como todo en esta vida, no podía durar para siempre. Para la temporada 1973/74, Charlton y Law cambiaron de equipo y Best se mantuvo hasta mitad de temporada. El alcohol ya había hecho mella en él. Aunque los caminos del Law y el United todavía se tenían que cruzar.

El futbolista escocés firmó por el otro gran equipo de la ciudad, el Manchester City, un club en el que ya había estado en la temporada 1960/61. El azar quiso que, en la penúltima jornada, se enfrentasen City y United. Los *citizens* no se jugaban nada, mientras que su rival se jugaba la vida. Si ganaba, tenía opciones de salvarse; si empataba, dependía de resultados de terceros, pero si perdía, se iba directo a segunda. El partido transcurrió sin pena ni gloria hasta que, en el minuto 82, un pase de Lee fue aprovechado por Law, que marcó de tacón. Denis Law bajó la mirada y pidió el cambio. Sus compañeros del City no fueron a festejar el gol con él, sino a consolarle. Se iba del terreno de juego, no quería sentarse ni en el banquillo. El gol le había dolido más que a cualquier aficionado del United.

Esa fue la última acción de Denis Law dentro de un terreno de juego en Inglaterra, pues anunció su retirada para después del Mundial de ese mismo año en Alemania Occidental. Su último gol como profesional fue ante el equipo de sus amores. El United se convertía en el primer campeón de Europa de la historia en descender, y lo había hecho únicamente seis años después de tocar el cielo. Cuando le preguntaron a Law qué sintió tras el gol que condenaba a su equipo, declaró que la sensación era horrible. Esperaba que el árbitro señalase fuera de juego o falta, pero no, indicó gol. Era un profesional y marcó el tanto, pero en ese momento la tristeza se apoderó de él. No había consuelo, ni siquiera al enterarse de que si el United hubiera empatado, también habría descendido. Pese a todo, la afición no le guarda ningún rencor a Law.

CITA:

Crecí siendo hincha del Everton, toda mi familia es del Everton y crecí odiando a Liverpool, y eso no ha cambiado (Wayne Rooney).

CUANDO LIVERPOOL Y MANCHESTER UNITED NO SE ODIABAN TANTO

Como es lógico, las rivalidades en el fútbol surgen en función de los acontecimientos presentes o por motivos históricos o geográficos. Liverpool y Manchester, al ser dos ciudades cercanas, tienen este componente de rivalidad que les marca la geografía, pero inicialmente no vivían la rivalidad actual, ni mucho menos. Es más, en 1915 varios jugadores de ambos equipos pactaron un resultado para que el Manchester United se salvase.

Los diablos rojos llegaban a la última jornada con opciones de descenso, mientras que el Liverpool no se jugaba nada. Según cuentan los cronistas de la época, el partido vivido en Old Trafford fue de un nivel paupérrimo, e incluso algunos decían entrever la sombra de la sospecha. Esta se confirmó poco tiempo después: siete futbolistas (tres del United y cuatro del Liverpool) se reunieron en un *pub* antes del partido y pactaron un 2-0, además de hacer apuestas a este resultado.

Así, pudieron verse todo tipo de acciones sospechosas en el partido. Uno de los jugadores del Liverpool implicados en la trama llegó incluso a fallar un penalti de forma clamorosa. Los implicados fueron sancionados de por vida, pero la Primera Guerra Mundial estalló y tras esta a cinco jugadores les fue levantado el castigo. Otro de los implicados murió en el frente de batalla en Francia y el último, el único que nunca admitió estar implicado, fue el que mantuvo el castigo de por vida. Curiosamente, el Chelsea, que debía descender, en detrimento del United, no lo hizo, pues tras la guerra la liga aumentó de 20 a 22 equipos. Liverpool y Manchester United, dos rivales que no siempre se odiaron.

CAMPEONES DE EUROPA EN SEGUNDA

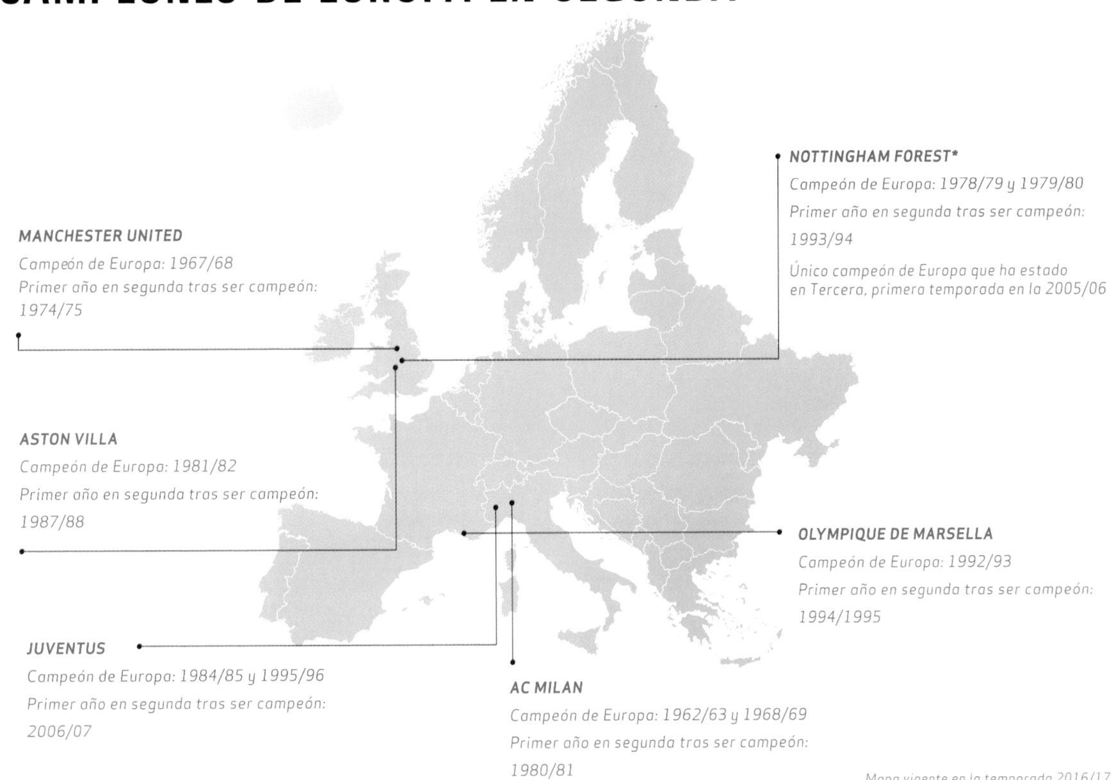

*Único campeón de Europa que ha estado en Tercera, primera temporada en la 2005-2006

EL FUTBOLISTA QUE VENDIÓ A SU EQUIPO... MÁS O MENOS

Que nadie nos engañe. El fútbol ha estado, está y estará siempre adulterado. De una u otra manera, en mayor y en menor medida. Pero lo que está claro es que muchas veces preferimos pensar que todo está limpio para no perder la ilusión de lo impredecible, para no olvidar la esencia deportiva del juego. Entre maletines y primas cerramos el curso temporada tras temporada, y así ha sido, por poco que nos guste, desde que el fútbol empezó a convertirse en negocio. Pero si hay que recordar una historia curiosa de un jugador que aceptó unas primas, nosotros nos decantamos por la del polaco Robert Gadocha durante el Mundial de 1974.

Los años setenta dejaron para el recuerdo a la mejor generación de la historia del fútbol polaco. Dirigidos por Kazimierz Gorski, una legión de futbolistas prácticamente desconocidos que actuaban en la liga local hicieron historia cosechando grandes éxitos que todavía hoy recuerda todo futbolero nacido antes de esa década.

Lo mejor de todo es que aquellos jugadores no surgieron a cuentagotas. Llegaron todos de golpe. Desde la portería, que defendía el excéntrico Jan Tomaszewski, hasta el ataque, donde aparecían el veloz Grzegorz Lato, Andrzej Szarmach (y poco después el mítico Zbigniew Boniek), pasando por el gigante defensor Jerzy Gorgon o el talentoso Kazimierz Deyna, uno de los mejores de la historia. Polonia tenía unos mimbres extraordinarios para convertirse en la nueva gran potencia futbolística mundial, algo que se confirmó gracias al oro en los Juegos Olímpicos de 1972 y a las fantásticas actuaciones en los siguientes Mundiales.

En aquel equipo también destacaba Robert Gadocha, un extremo pequeñito, técnico, muy habilidoso y dotado de una velocidad vertiginosa al que su incipiente calvicie (no tan destacada como la de Lato) le restaba aspecto de futbolista profesional. Se trataba de un jugador de gran movilidad, casi hiperactivo, que no daba un respiro a las defensas rivales y que además tiene el privilegio de ostentar el récord de asistencias de la historia de los Mundiales, al dar cuatro en el partido frente a Haití en la cita de 1974.

La Alemania Federal de Beckenbauer le ganó el Mundial a la Naranja Mecánica de Cruyff. Pero Paul Breitner, otro mito germano, tenía muy claro que el mejor combinado de aquel torneo no fue la tan elogiada selección neerlandesa y su *fútbol total*, no. Para Breitner la mejor selección fue Polonia, a la que vencieron en el duelo que les clasificó para la final. Para los polacos, la clave estuvo en la tromba de agua que cayó sobre el campo, embarró el césped y les impidió mostrar su veloz fútbol.

Polonia perdió una oportunidad de oro y Alemania se terminó coronando. Pero la historia que nos concierne se dio semanas antes, durante la primera fase del campeonato.

Según cuenta el que fuera su compañero, Jan Tomaszewski, Robert Gadocha recibió la llamada de un representante argentino. Era el último partido de la fase de grupos y la albiceleste dependía de la victoria polaca —ya clasificada— contra los italianos. Ante la previsible relajación polaca, el argentino le ofreció a Gadocha una importante suma de dinero. Debían emplearse a fondo, ganar a Italia y clasificarse como primera de grupo dejando la segunda plaza para Argentina. Gadocha aceptó, pero no les dijo nada a sus compañeros. Debió de pensar Gadocha que, tal y como venía jugando Polonia, tenían bastantes chances de ganar aquel partido. Si lo hacía, perfecto. Él se quedaba con el dinero de las primas y no le daría nada a sus compañeros. Y así fue.

El asunto se destapó años después. Los compañeros de Gadocha no daban crédito. Ellos no habían oído absolutamente nada sobre primas. Tomaszewski recuerda aún con reproche la actitud de Gadocha: «En mi opinión, solo diez jugadores del equipo disputaron los siguientes partidos, porque él no era un jugador de equipo al cien por cien, porque él robó a los chicos y se llevó el dinero para sí mismo». El recelo era evidente. Gadocha había engañado a todos. Una curiosa historia protagonizada por un gran futbolista, pero no tan buen compañero.

CUANDO UN PAYASO SE BURLÓ DE INGLATERRA

Algunos personajes se creen en el derecho de decir y hacer lo que les plazca en cada momento. Uno de estos es Brian Clough, uno de los mejores entrenadores de la historia... y también uno de los más polémicos. Aunque, como les pasa a todos aquellos que hablan demasiado, algunas veces uno tiene que tragarse sus propias palabras, y esto es lo que le sucedió a Clough en 1973.

Inglaterra, que había ganado el Mundial de 1966 (aunque no había conseguido mantener el cetro en 1970), seguía consolidada como una de las grandes potencias futbolísticas. En la cita de 1974 tenían una nueva oportunidad para hacer historia, pero todo iba a terminar antes incluso de comenzar. Más concretamente, un año antes. En 1973, Inglaterra (que venía de meterle 7 a Austria) se jugaba la clasificación para el Mundial con la desconocida Polonia, que, aunque había conquistado el oro Olímpico solo un año antes, no parecía un rival de talla para los ingleses, que necesitaban la victoria en Wembley para clasificarse. No parecía demasiado complicado.

Brian Clough, que participaba como periodista en los encuentros de la selección, decidió calificar a Tomaszewski de «payaso con guantes». Motivado por aquellas declaraciones y por los insultos de los aficionados ingleses, el pintoresco portero polaco (vestía con llamativos colores: amarillo y rojo) realizó un partido soberbio ante la tromba ofensiva de los británicos, que hicieron más de 30 disparos y se toparon una y otra vez con el ágil meta. El encuentro finalizó con empate a un gol, Inglaterra eliminada y Polonia clasificada. Años después, Clough y Tomaszewski coincidieron en Manchester y el británico le pediría perdón al polaco. De poco sirvió, el daño ya estaba hecho. Para los ingleses, claro, que se ausentaron de un Mundial por primera vez desde 1950.

ONCE IDEAL DE LA HISTORIA DE POLONIA

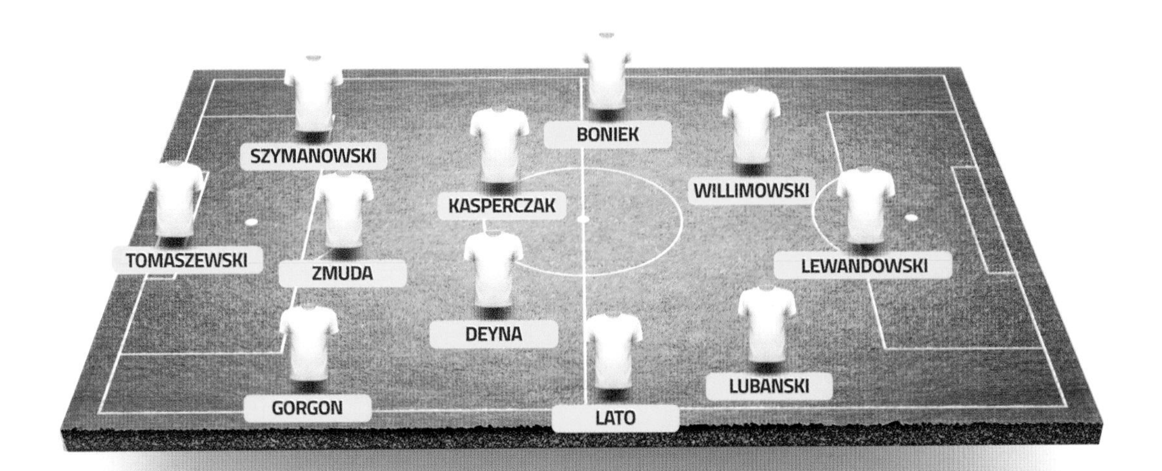

CITA:

Oyendo los himnos me dije a mí mismo que daría diez años de mi vida con tal de no perder 5-0 contra Inglaterra (Jan Tomaszewski tras dejar a Inglaterra sin el Mundial de 1974).

LA SELECCIÓN QUE GANÓ UNA EUROCOPA A LA QUE NO SE HABÍA CLASIFICADO

En 1991, estalló un conflicto bélico que conmocionó al mundo, la guerra de los Balcanes. Como consecuencia, en mayo del año siguiente, Yugoslavia era excluida de la Eurocopa de Suecia. En su lugar, iría Dinamarca, que no había logrado el pase a la fase final.

Richard Møller-Nielsen, seleccionador danés, había recibido la llamada de la Federación Danesa hacía unos minutos. Ya tenía asumido que no iba a ir a aquella Eurocopa y ahora debía regresar de las vacaciones y hacer una convocatoria repleta de jugadores que, una vez terminada la temporada, estarían repartidos por las playas de todo el mundo.

Sabía que no sería fácil, pero siempre fue un hombre de fuertes convicciones. Se sentó con sus ayudantes y comenzó a elaborar la lista final. «¿Dejamos fuera a Michael?», le preguntaron tímidamente. Si Dinamarca ya tenía pocas posibilidades de hacer algo importante en aquella Eurocopa, menos aún las tendrían de ganar siquiera un partido si dejaban fuera a su gran estrella, un crack mundial como Michael Laudrup, que acababa de proclamarse campeón de Europa con el Barcelona. Pero la decisión estaba tomada. Seleccionador y estrella estaban enfrentados desde la fase de clasificación y Michael no iría a la Eurocopa.

El que sí asistiría sería su hermano Brian, que jugaba para el Bayern Múnich y al que le dio la noticia su mujer: «Han llamado de la Federación danesa, tienes que presentarte mañana en un hotel de Dinamarca». El primer pensamiento de Brian Laudrup en ese momento fue el mismo que el de la mayoría de compañeros: «No estamos preparados para jugar la Eurocopa. Yo mejor me quedo en casa, podemos hacer el ridículo». Alguno, como Larsen, había reservado ya sus vacaciones en una isla griega. Sin embargo, la actitud cambió desde el momento en el que pisaron el campo de entrenamiento de la selección. Allí, Møller-Nielsen les reunió en un círculo sobre el césped y les dijo algo que les impresionó: «Chicos, vamos a ir a la Eurocopa y la vamos a ganar». Algunos se rieron, pensaban que estaba de broma, pero él se mantuvo firme. Aquella frase les marcaría a todos los jugadores. Una primera idea de hacer algo grande se había implantado en sus cabezas.

Encuadrados en un complicado grupo con Inglaterra, Francia y Suecia, nadie daba un duro por los daneses; ni tan siquiera para conseguir el pase a la siguiente fase. Tras empatar ante Inglaterra y perder contra Suecia, llegaban al último partido contra Francia con la obligación de ganar. Los galos tenían un equipazo: Papin, Cantona, Deschamps, Blanc... De forma sorprendente, los daneses llegan a los minutos finales con empate a uno en el marcador. Un resultado insuficiente, necesitaban la victoria. Es entonces cuando aparece Lars Elstrup, que había entrado desde el banquillo, para hacer un tanto que clasificaba a Dinamarca. Increíble, estaban en semifinales.

Allí, sin embargo, encontrarían otro escollo de impresión: la vigente campeona, Países Bajos, una selección formada por jugadores de la talla de Van Basten, Rijkaard o Gullit. Cuenta Brian Laudrup que los jugadores neerlandeses les miraban con desprecio antes del encuentro. Pero si esperaban que fuera sencillo, estaban muy equivocados. Tuvieron que remar a contracorriente desde el comienzo. Henrik Larsen había adelantado dos veces a Dinamarca y solo un gol de Frank Rijkaard a cuatro minutos del final consiguió forzar la prórroga. Se llegó a la tanda de penaltis. Allí se pusieron en manos de Schmeichel, que le paró un penalti a Van Basten. Dinamarca no falló ninguno. Estaban en la final.

El 26 de junio de 1992, la poderosa Alemania lo tenía todo para proclamarse campeona de Europa frente a la sorpresa del torneo. Sin embargo, el desarrollo del partido fue bien diferente. John Jensen adelantó a los daneses. Alemania estaba en *shock*. Buscaban el empate, pero no lo conseguían. En esas estaban cuando, a poco más de diez minutos para el final, Kim Vilfort hizo el segundo y definitivo. Con el pitido final se tiró sobre el césped y rompió a llorar. Su hija, muy enferma, tenía leucemia. Habían sido días duros y de muchas emociones para él.

Dinamarca, al fin y al cabo, había hecho historia. Y Brian Laudrup, uno de aquellos heroes, lo sabía: «En el mundo del fútbol, nunca nadie olvidará a la Dinamarca de 1992». Como aquellos jugadores tampoco olvidarán esa primera frase de Richard Møller-Nielsen, el primero que les invitó a creer.

CUANDO LAUDRUP SE MOFÓ DE SIMONSEN... Y FUE ELOGIADO

Hay momentos en los que decimos o hacemos algunas cosas que, a pesar de no ser especialmente relevantes, terminan teniendo una repercusión completamente inesperada por distintos factores. Estos elementos se alinearon una vez para terminar formando una curiosa historia en torno al gran Michael Laudrup.

Durante la entrega del premio al mejor jugador de la historia de Dinamarca, se produjo una de esas historias divertidas que engrandecen todo lo que rodea a este deporte. Michael Laudrup fue premiado y reconocido como el mejor futbolista danés y, tras recibir el premio, se prestó a pronunciar unas palabras. Tuvo que agacharse para que le pusieran el micro, que tenía un cable demasiado corto y no le alcanzaba. En ese momento, Michael espetó jocosamente: «Aquí tendría que estar Allan», en referencia al pequeñito (1,65 m) extremo danés Allan Simonsen, con quien competía Laudrup por el premio. Lo que Michael no sabía era que aquel micrófono estaba abierto...

El daño estaba hecho, ahora solo quedaba rezar y aguantar las críticas o apelar a la comprensión de los periodistas. Sin embargo, al día siguiente la sorpresa de Michael sería mayúscula al comprobar las noticias que se habían hecho eco de su comentario. Todos los diarios daneses amanecieron con alabanzas de todo tipo hacia Michael Laudrup. ¿Por qué? Había ridiculizado a un compañero, no se entendían aquellos titulares. Pues bien, al parecer, los periodistas habían oído perfectamente las palabras de Laudrup, pero las habían interpretado de forma diferente. «Laudrup le hubiera dado el premio a Simonsen. ¡Qué gran gesto!», decían los periodistas sobre el talentoso futbolista, que, además, había querido decirlo en bajito para que nadie lo oyera. Definitivamente, la frase «¡Qué bueno es Laudrup!» había tomado un nuevo significado.

CITA:

¿Si tuvimos suerte? John Jensen marcó un gol, con eso te digo todo (Peter Schmeichel años después de ganar la Eurocopa).

OTRAS CINCO GRANDES SORPRESAS DEL FÚTBOL

El fútbol es un gran deporte que ha dejado para el recuerdo algunas historias tan épicas que nos hacen ver que cualquiera puede llegar a lo más alto. Sorpresas, gestas y otras grandes historias que nos siguen emocionando. Estas son algunas de ellas:

El milagro de Berna. Alemania Federal protagonizó este momento en la final del Mundial de 1954. Hungría les había metido ocho en la primera fase; llevaba más de 50 partidos sin perder, casi cuatro años sin probar la derrota..., hasta esa noche, la más importante de todas. (La historia completa en el capítulo 5).

Nottingham Forest de Clough. El entrenador inglés llevó al Forest al campeonato de Inglaterra primero y a la Copas de Europa después. Al año siguiente, por si había sido poco, volvió a repetir la gesta europea, siendo el único equipo con más copas de Europa (2) que ligas de su país (1).

Grecia 2004. De la mano de Otto Rehhagel, autor de otro milagro con el Kaiserslautern, al que llevó de la segunda alemana al título en la Bundesliga, Grecia consiguió la Eurocopa contra todo pronóstico con un sistema de juego ultra defensivo, pero muy efectivo.

Leicester City 2016. Nadie, absolutamente nadie, esperaba que el Leicester fuera a clasificarse para Europa, y muchísimo menos que ganara la Premier League 2015/16. Pero aprovecharon el bajón de los grandes equipos y Ranieri creó un grupo fiable que terminó firmando la gesta.

LA HISTORIA DE TITTYSHEV

Todos hemos querido ser Tittyshev en algún momento de nuestra vida. Porque este jugador no es un hombre —o un nombre— cualquiera. Este profesional de la pelota tiene una historia detrás que hubiéramos querido vivir sin dudarlo. De hecho, para muchos sería lo mejor que hubieran hecho en su vida. Porque, para un futbolista de élite, no debe haber un momento más esperado que el de salir a jugar en el equipo que más amas, incluso irracionalmente. Tittyshev es un afortunado.

El West Ham preparaba la pretemporada de 1994 tras dejar atrás un año aciago en la mitad de la tabla. Eran años de grandes delanteros en Inglaterra. Así, Cole en el Newcastle y Alan Shearer en el Blackburn habían llegado a la treintena de goles. Los *hammers* del recién llegado Harry Redknapp, mientras tanto, tenían a Lee Chapman, que solo hizo ocho. Y empezaron el curso con partidos amistosos a las afueras de Londres, concretamente uno de ellos en Oxford, para enfrentarse al equipo de la ciudad. Aquello parecía un evento sin precedentes en Marsh Lane.

No cabía un alfiler y a ese partido, por supuesto, no podía fallar Steve Davies, un chico de 21 años algo bobalicón, acompañado de dos amigos y su novia. Él no era de Londres y se afilió a los *martillos cruzados* tras verles ganar una FA Cup. Por ello y desde entonces, no se perdía ningún encuentro de su equipo. Noches a la intemperie, celebraciones algo etílicas, interminables horas de autobús... Era el prototipo de aficionado que vivía por y para su club, el West Ham. Y a Oxford, a pesar de la desidia, no iba a faltar. Pero también estaría presente Lee Chapman, delantero que no le inspiraba un buen sentimiento. Brazos en jarra, Steve no dudó en reprenderle a cada segundo.

Harry Redknapp oyó la cantidad de improperios que ese aficionado le estaba «regalando» a su delantero. «¡Chapman, burro, levanta el culo!» fue una de las tantas lindezas que dedicó al futbolista. Pero era un amistoso, un partido para probar cosas nuevas y Harry Redknapp, que no es para nada sereno, decidió poner en práctica algo novedoso. Chapman se había lesionado y el West Ham estaba con 10. Anduvo unos metros y se acercó hasta Steve Davies, ese fan que olía a cerveza y le dijo: «¿Crees que tú podrás hacerlo mejor?». A lo que respondió: «¡Claro que sí!».

El partido había dado la vuelta y no tenía nada que ver con lo futbolístico. El utilero le acompañó al vestuario y le dio la elástica con el dorsal número 3 para que se la enfundara. Sí, Harry Redknapp hizo debutar a un aficionado en un partido amistoso del West Ham. Ni el árbitro, ni los rivales, y muy pocos asistentes, se dieron cuenta de la entrada de un jugador no profesional. Esto llamó la atención del *speaker* del partido, que no tenía referencias de ese futbolista. Bajó corriendo hasta el área técnica para resolver la duda con el entrenador de los *hammers*. «Harry, ¿quién es ese?», preguntó. «¿No has visto el Mundial? ¡Este es Tittyshev, el búlgaro!», respondió riéndose Harry Redknapp. «¡Oh, sí, gran fichaje, Harry!», aprobó el chico.

Salió de delantero en la oportunidad de su vida y marcó un gol... que el colegiado anuló por fuera de juego. El sueño perfecto le había sido arrebatado. «Te has cargado mi sueño, hijo de puta», sentenció mirando al linier.

Días después, *The Sun* se hizo eco de la noticia y Tittyshev, es decir, Steve Davies pasó a ser una leyenda del West Ham. Harry Redknapp, en su biografía, confirmó la historia y le dedicó un ejemplar en una firma de libros, a ese aficionado único en el mundo. «Tú eras mejor que Lee Chapman», escribió. Nadie duda de que llegó a serlo por un día.

CITA:

Dani es tan guapo que no sé si sacarlo a jugar o tirármelo (Harry Redknapp, exentrenador del West Ham, cuando fichó a Dani da Cruz Carvalho).

LA HISTORIA DE LAS POMPAS DEL WEST HAM

El fútbol es capaz de respetar y crear tradiciones, como la del West Ham con sus famosas pompas de jabón cuando juega como local, ahora en el Estadio Olímpico de Londres, antes en Boleyn Ground. Una maravillosa imagen edulcorada con el himno que le caracteriza, el *I'm forever blowing bubbles* ('Siempre soplo pompas de jabón'). Una atmósfera creada gracias a una historia de casi 100 años.

Según cuenta la leyenda, este himno que compite con el mítico *You'll never walk alone* del Liverpool, tiene su origen en el mismísimo Broadway americano, concretamente el musical *The passing show*. Esta canción se hizo muy famosa en los años veinte, también en el Reino Unido, y fue introducida por el segundo entrenador de la historia del West Ham, Charlie Paynter. Por entonces, en el equipo local escolar jugaba Billy J. *Bubbles* Murray, que tenía un cierto parecido a un niño que aparecía en los anuncios de los jabones Pears. El director del colegio de ese joven, que se presentó a la prueba para el West Ham pero que jamás llegó, siempre la cantaba cuando el equipo iba ganando.

La amistad de aquel director con Charlie Paynter llevó a que el técnico promoviera el himno en los prolegómenos de los encuentros que se disputaran en casa, en Boleyn Ground. Y desde entonces, miles de aficionados londinenses entonan su himno mientras se maravillan con las pompas de jabón. Es símbolo de buena suerte.

MAPA DE LONDRES CON TODOS LOS EQUIPOS

EL EQUIPO MÁS PROGRESISTA DEL MUNDO

Lo que rodea al fútbol influye en el fútbol. La estructura de las ciudades, la ubicación de los barrios, la economía que fluye en ellas, el pueblo que pasea por las calles... definitivamente influyen. Así, el Rayo Vallecano, ubicado en uno de los barrios más humildes de Madrid, vinculado a la clase obrera y de ideología de izquierdas es un buen ejemplo para ver dicha imbricación. Lo mismo sucede en el caso del barrio de Sankt Pauli con su equipo de fútbol.

St. Pauli es un barrio de la ciudad alemana de Hamburgo. Un lugar claramente diferente, en el que se aprecia el lado más *progre* de Alemania. Seguramente, su conexión con cualquier tipo de cultura tenga una lógica geográfica y urbana muy simple. Con el río Elba a su vera, su riqueza portuaria no solo tenía fines comerciales, sino también culturales. Y por eso, por el sentido de pertenencia que sienten las personas que viven allí, el barrio de Sankt Pauli es uno de los más célebres de Europa.

Su relación con el mar se refleja en su equipo de fútbol, al igual que sus colores. Su bandera no oficial —no hay nada ni nadie ajeno al barrio que pueda cortarse con el mismo patrón que sus vecinos— es una calavera sobre dos tibias cruzadas, el símbolo pirata. De hecho, se les conoce como los Piratas del Elba. Con respecto a su vestimenta, hay quienes señalan que proviene de la indumentaria de algunos marineros en el puerto. Es de color marrón. Sí, los marineros de verdad no visten de blanco y azul como en las películas. No obstante, otra teoría apunta que ese mismo color lo mantienen desde su fundación, en 1910, pues no tenían dinero para otro más sugerente. Lo mantuvieron por puro romanticismo.

Su rival histórico es el Hamburgo, con el que comparte ciudad, aunque su principal enemigo se encuentra a 150 kilómetros, el Hansa Rostock, vinculado con la extrema derecha. Sin embargo, su idilio futbolístico no es tan bueno como la responsabilidad social que demuestran. De hecho, es un club bastante irregular en cuanto a asegurar permanencias. Aunque han llegado a estar en la Bundesliga en cinco ocasiones, últimamente parecen adscritos a la segunda categoría. Esta inestabilidad no le ha impedido tener jugadores de la talla de Helmut Schön, mítico entrenador que hizo campeona del mundo a Alemania en 1974, o Iván Klasnic. Incluso ha tenido como entrenador a un conocido de la Bundesliga por su inercia reivindicativa, Ewald Lienen, cuya historia tenéis en la página 50. Ser rebelde y diferencial es importante en este club.

La afición pirata tiene un compromiso social muy importante. Su inquietud social se comprueba en cada uno de sus actos. Hacen recogidas de juguetes, ropa y alimentos para las familias más necesitadas, son *gay friendly*—el propio presidente de la entidad es homosexual—, critican grandes portadas, como la de Maxim, por incurrir en sexismo en un anuncio, ofrecen cursos y actividades en casas de okupas, e incluso ayudaron a crear un Mundial diferente en 2006, alejándose del estereotipo que se llevó a cabo ese mismo año en el país. La idea de la FIFI (Federación Internacional de Fútbol Independiente) era crear un campeonato no oficial donde estuvieran países no reconocidos por la FIFA, como Gibraltar, Groenlandia, Tíbet, Zanzíbar —que ganaron el torneo— y la República de St. Pauli. Sí, por su manera de actuar no dudaron en convertirse en un Estado.

«Es un club especial porque la gente se involucra con cosas que considera importantes. Se dice que la gente tiene un perfil de izquierda y es posible que sea así en general. Pero hay mucho de sentido común. También la FIFA hace campañas contra el racismo. La diferencia es que para nosotros es una forma de vivir», aseguró Michael Pahl, autor del libro del centenario del club, que defiende a un club con más de 30 000 aficionados. Su ideología política resulta patente en su condena abierta del fascismo.

Su compromiso, su diversidad en las gradas —son el equipo con más mujeres entre los aficionados— y su actitud rebelde influyen en el equipo de fútbol, que no tiene miedo a perder porque nunca les falta el apoyo de sus aficionados. Porque el St. Pauli es más que un club, es un emblema de liberación de la ciudad de Hamburgo.

CITA:

El socialismo en el que yo creo no es política. Es una forma de vida. Es humanidad. Estoy convencido de que la única forma de vivir de verdad y de tener éxito en la vida consiste en trabajar en grupo (Bill Shankly, exentrenador del Liverpool).

EL JUGADOR QUE VIVIÓ EN UNA CABAÑA

Para entender lo que significa el Sankt Pauli, no siempre hay que mirar a la grada. Hay un nombre propio en la historia del club que sobresale por encima de cualquier otro: Volker Ippig. Este alemán creció interesado en cultivarse y arraigó una fuerte convicción en favor de los valores sociales. Nació al norte de Alemania, en Eutin, y el primer equipo en el que estuvo fue el TSV Lensahn, donde era portero. Sin embargo, su forma de ser le llevó a estar como pez en el agua en el St. Pauli con tan solo 18 años. Era el lugar idóneo para una persona comprometida con la sociedad.

Comenzó a mentalizarse de lo que era el barrio rojo de Hamburgo y se sintió vinculado con una de las tribus más familiarizadas con la zona, la de los okupas. En lo que respecta al fútbol, nunca pudo demostrar una cierta regularidad como guardameta. Eso sí, cuando entraba al terreno de juego, se encargaba de encender el ambiente, alzando el puño. Tuvo un periodo de inactividad deportiva en 1983, que dedicó a cuidar a niños discapacitados en una guardería. Y, además, se construyó una cabaña con la idea de vivir en ella, para mantener el contacto con la naturaleza. Para él, «la hoguera fue la primera televisión», y eso era perfecto. En otra de sus «excedencias», se alistó en unas brigadas de ayuda humanitaria en Nicaragua.

A los 29 años, en 1991, tuvo que dejar el fútbol por una lesión que le impedía seguir como portero. A partir de ese instante, se dejó barba y perdió cualquier contacto con la sociedad. Según unas declaraciones en el libro centenario del club, se dedicó a «meditar» y llegó a perder «la noción del mundo». Volvió al fútbol para colaborar como entrenador de porteros de las categorías inferiores del St. Pauli, pero un conflicto con Carlster Wehlmann, portero de la entidad, por fichar por el Hamburgo le enemistó con la grada. Llegó a coquetear como ayudante de Felix Magath, pero no aceptó trabajar más de tres días a la semana. Era incorregible. «Era un librepensador», como a él le gustaba definirse; quizás demasiado para un rebelde como el Sankt Pauli.

EQUIPOS CON AFICIONADOS DE IDEOLOGÍA DE IZQUIERDAS

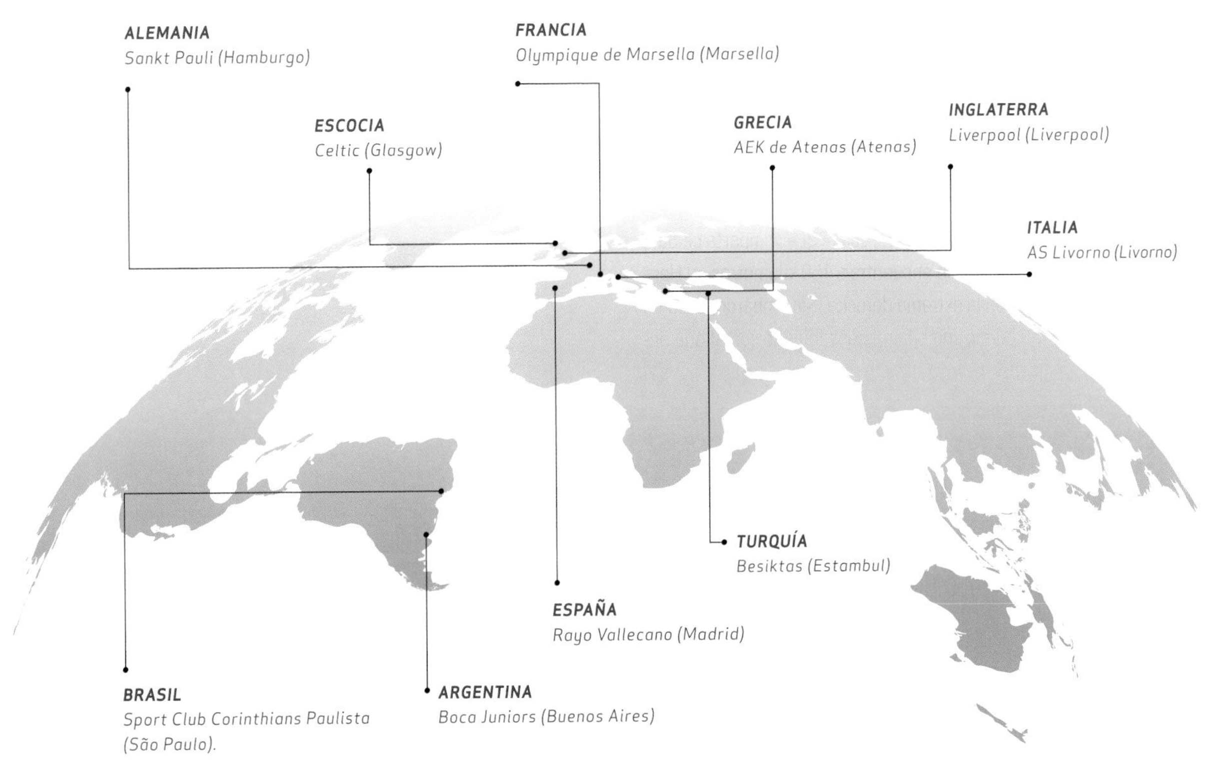